D1166231

EL CÓDIGO DE LA FELICIDAD

George Pratt y Peter Lambrou
con John David Mann

El código de la felicidad

Utiliza la psicología de la energía para liberar tu estado natural de felicidad

URANO
Argentina – Chile – Colombia – España
Estados Unidos – México – Perú – Uruguay – Venezuela

Título original: *Code To Joy*
Editor original: Harper One, An Imprint of HarperCollins*Publishers*
Traducción: Alicia Sánchez Millet

Este libro contiene consejos e información relativos a la salud. No pretende ser un sustituto de la atención médica y debe utilizarse como complemento, no para reemplazar la supervisión regular de su médico. Se recomienda que hable con éste antes de iniciar ningún programa o tratamiento médico. Se ha cuidado con esmero la exactitud de la información que contiene este libro hasta la fecha de su publicación. El editor y los autores no se responsabilizan de ninguna consecuencia médica que pudiera acontecer como resultado de aplicar los métodos sugeridos en este libro. Las experiencias individuales que aquí se citan son verídicas. No obstante, se han modificado los nombres y algunos detalles descriptivos para proteger la identidad de las personas interesadas.

1.ª edición Noviembre 2012

Aribau, 142, pral. - 08036 Barcelona
www.edicionesurano.com

ISBN: 978-84-7953-832-3
E-ISBN: 978-84-9944-395-9
Depósito legal: B - 26.731-2012

Fotocomposición: Moelmo, SCP
Impreso por: Rodesa, S. A. - Polígono Industrial San Miguel
Parcelas E7-E8 - 31132 Villatuerta (Navarra)

Impreso en España - *Printed in Spain*

Índice

Prólogo de Larry King 9
Introducción: La pregunta de Stefanie 13

1. Una entrevista contigo mismo 21
2. Siete creencias limitadoras 47
3. La pulga y el elefante 93
   Paso 1: Identificar 125
4. Un trastorno en la fuerza 127
   Paso 2: Borrar 151
5. Tu código personal de la felicidad 153
   Paso 3: Remodelar 187
6. Anclar 189
   Paso 4: Anclar 205
7. Pasa al siguiente nivel 207
8. Una vida de prosperidad 223

Conclusión: Una dicha más profunda 243
Apéndice A: El Proceso de los Cuatro Pasos 247
Apéndice B: Acepta el biocampo 253
Notas 261
Agradecimientos 277
Sobre los autores 283

Prólogo

El siglo XX tuvo su buena dosis de milagros médicos. Yo debería saberlo. Cuando has sobrevivido a un infarto de miocardio, te han puesto cinco baipases, y un cuarto de siglo después sigues funcionando bien, esto te da una idea bastante clara de lo que puede hacer la medicina moderna.

Sin embargo, hay algunos aspectos de la condición humana que la medicina no puede abarcar. O al menos, hasta ahora no podía. La medicina moderna nos ha hecho mucho más sanos, pero ¿también más *felices*? Puede que ése sea el campo por desarrollar de la medicina en este siglo todavía joven. Y uno de los maestros indiscutibles de ese nuevo campo es un psicólogo clínico llamado George Pratt.

Conocí al doctor Pratt cuando vino como invitado a mi programa *Larry King Live,* para hablar de una visión fascinante sobre cómo curar las emociones y conseguir mejoras permanentes en nuestra productividad y sentido de realización personal.

«Tanto si se trata de una herida sin cerrar como de un estado de baja autoestima persistente o de una vaga sensación de ansioso malestar —dijo el doctor Pratt—, la mayoría luchamos contra alguna versión de lo que denominamos la *niebla de sufrimiento.* Nubla nuestras vidas, interfiere en nuestras relaciones, carreras, incluso en nuestra salud. Y por más horas que pasemos en el diván, no siempre basta con hablar de ello.»

¿Por qué no?

«Porque suele haber una desconexión —explicó— entre lo que sabemos lógicamente sobre nosotros mismos y el lugar del cerebro donde residen nuestras emociones. A veces, sencillamente no puedes acceder a él. Has de encontrar formas alternativas para conseguir que se active esa información.»

¿Formas alternativas como qué? Como la *psicología de la energía.*

Si no habías oído antes este término, no eres el único. Yo tampoco, antes de ese programa. Pero en los próximos años, tú y yo lo oiremos muchas veces. Se refiere a técnicas innovadoras que afectan a los sistemas de energía corporales, casi como la revisión de los 100.000 kilómetros, pero de pensamientos y emociones. Utilizando estas técnicas, como explicó mi distinguido invitado, puedes borrar los traumas del pasado y los acontecimientos que causaron esas desconexiones. ¿El resultado? Se parece a lo que sucede cuando un viento fresco se lleva las nubes: *que sale el sol.*

«De hecho —añadió—, es bastante fácil hacerlo. Y funciona.»

El doctor Pratt ha ayudado a golfistas y otros jugadores profesionales a mejorar su juego, a hombres y mujeres jóvenes con el corazón roto a superar su aflicción, a parejas que se habían separado a volver a encaminar sus vidas. Ha ayudado a personas a superar traumas provocados por terribles accidentes, a retomar profesiones que se habían interrumpido, a recuperar la confianza en sí mismos y a trascender los miedos irracionales.

Incluso ha ayudado a un presentador de un programa televisivo: a mí.

Antes incluso de que viniera al programa la primera vez, ya sabía algo del buen doctor. Había trabajado con dos personas del equipo de *Larry King Live*, y habían obtenido fabulosos resultados en esas sesiones. Pronto volví a tenerle como invitado, y esta vez habló sobre cómo «crear tu propia felicidad».

Ahora sí que estaba *verdaderamente* intrigado.

Acordamos una cita para que pudiera demostrarme en privado el método que estás a punto de descubrir en este libro. Para que tuviéramos algo con qué trabajar, le hablé de un asunto emocional de mi propia vida. Lo que hizo con ello en los quince minutos que estuvimos juntos me desconcertó por completo. Decir que fue impresionante sería pecar de moderado. Fue *extraordinario.* Cuando dice que es un proceso simple y fácil, no está bromeando. Cuando dice que *funciona*, tampoco bromea.

George Pratt es un auténtico sanador de nuestros días, y lo que han creado él y su colega, Peter Lambrou, en las páginas que estás a punto de leer es una brillante fórmula para conectar con nuestro mayor potencial. Predigo que cambiará la vida de muchas personas para mejor.

Incluida la tuya.

No importa cuál sea tu situación actual en la vida, o qué te impide alcanzar todo el éxito o ser tan productivo o sencillamente tan *feliz* como quisieras, debes saber que hay un camino que te llevará hasta donde quieres llegar. Lo sé porque lo he experimentado en primera persona.

LARRY KING

Introducción

La pregunta de Stefanie

> ***Algo no va bien.***
>
> **Señorita Clavel,**
> **a medianoche, en *Madeline***

Hace algunos años una mujer llamada Stefanie vino a nuestra consulta para recibir tratamiento. En el transcurso de la primera visita, nos planteó una pregunta que había estado intentando responder durante décadas. Es una pregunta que se han hecho millones de personas a lo largo de la historia. Quizá tú también te la hayas hecho.

No tardamos en descubrir que Stefanie era una persona de clase humilde que había hecho fortuna. Creció en una familia pobre, y se puso a trabajar de adolescente como auxiliar administrativa en una empresa de publicidad. Fue subiendo peldaños hasta llegar a lo más alto, así que a sus cuarenta y tantos años era directora ejecutiva y accionista mayoritaria de la firma. Stefanie también tenía una vida personal muy gratificante. Era una mujer amable y generosa, miembro activo de la comunidad donde vivía con su esposo, orgullosa madre de dos hijos sanos y triunfadores.

De hecho, parecía vivir una vida maravillosa en todos los sentidos, salvo por una cosa: era profundamente infeliz.

La infelicidad de Stefanie era casi tangible. Cuando entró en la habitación, fue como si entrara una nube negra. Cuando empezó a describir su situación, se hizo evidente que esa nube negra la acompañaba en todas las facetas de su vida.

Indiscutiblemente, era una buena madre, pero no se *sentía* una buena madre. También se sentía muy culpable por el fracaso de su anterior matrimonio muchos años antes, y esa culpa planeaba sobre ella como la penumbra de un cielo nublado. Su salud también se vio afectada: ahora que ya había cumplido los cincuenta, tenía graves problemas estomacales y digestivos, y acababa de someterse a una operación en la espalda por un problema discal. A pesar de todo su éxito, esa nube negra también proyectaba su sombra sobre su mundo profesional. Tras una serie de errores de gestión, su empresa de publicidad hacía poco que se había declarado en bancarrota.

Sin razón aparente, la vida de Stefanie se estaba desmoronando.

«He visitado a psiquiatras aquí en California —nos dijo—, en Nueva York y en Londres. He tomado todo tipo de antidepresivos. He leído libros y artículos sobre temas relacionados con el estado de ánimo. Lo he leído y he probado todo, pero sigo siendo infeliz, y no sé por qué. Todo el mundo me dice que no tengo razón para quejarme y que he de estar agradecida por todo. Sé que tienen razón. Pero eso no me ayuda a sentirme mejor.»

Entonces, fue cuando formuló la Pregunta:

¿Por qué no soy feliz?

En el transcurso de los sesenta años de práctica clínica que sumamos entre los dos, hemos oído miles de variaciones de la pregunta de Stefanie, de miles de personas:

¿Por que tengo ansiedad, estoy nervioso, me siento inseguro, estoy siempre preocupado? ¿Por qué parece que no puedo encontrar o mantener una relación que me llene, hallar el trabajo que me gusta o relajarme cuando estoy en casa con mi familia? ¿Por qué tengo este miedo irracional a las multitudes, a los hombres, a las mujeres, a los ascensores, a la comida, a los espacios cerrados, a los espacios abiertos, a estar solo, a estar acompañado? ¿Por qué no puedo superar esa ruptura, mi conducta compulsiva, mis problemas con el dinero, mi sentimiento de que soy un farsante?

En un millón de versiones distintas, la pregunta de Stefanie resuena en nuestra sociedad y dentro de prácticamente todas las personas que conocemos. Probablemente, tú también tengas tu propia versión.

Somos la generación más sana, mejor nutrida y longeva de la historia. Por esa razón deberíamos ser también la más feliz, la más decidida, productiva y realizada de la historia. Pero por alguna razón no lo somos.

¿Por qué no?

Es un dilema que hemos estado tratando de resolver durante décadas, y la respuesta parece que tiene que ver con el proceso por el que el agua se transforma en niebla.

Imagina que estás delante de tu casa, rodeado de una densa niebla, tan densa que no puedes ver el otro lado de la calle. Miras a la derecha, luego a la izquierda pero no puedes ver a más de quince metros en ninguna dirección. Estás rodeado.

¿Cuánta agua crees que se necesita para crear ese manto de niebla que te ha aislado por completo de tu mundo?

Antes de que sigas leyendo, piensa en esto un momento. No te preocupes si no eres bueno en matemáticas o nunca se te dio bien la física. Simplemente utiliza tu sentido común. ¿Cuánta agua crees que ha hecho falta para crear esa niebla que te rodea?

¿Estás preparado para la respuesta? *Unos pocos mililitros*. El volumen total de agua en un manto de niebla de poco menos de media hectárea y de un metro de espesor no llenaría un vaso de agua del tubo.

¿Cómo es posible? Primero, el agua se evapora y el vapor resultante se condensa en minúsculas gotas que impregnan el aire. En ese bloque de niebla de la extensión citada, el equivalente a un vaso de agua se dispersa en unos *400.000 millones de minúsculas gotitas* suspendidas en el aire, que crean un manto impenetrable que no deja pasar la luz y te hace temblar.

Eso es justamente lo que sucede con ciertas experiencias dolorosas o difíciles.

Los seres humanos tenemos una gran capacidad de adaptación. La mayoría de las veces, cuando nos suceden cosas negativas, somos capaces de aprender de ellas, sacudírnoslas de encima y seguir con nuestras vidas. La experiencia sencillamente se evapora, haciéndonos algo más viejos y más sabios. Pero no siempre es así. A veces, sobre todo cuando somos muy jóvenes, tenemos experiencias que no nos podemos sacar de encima. Aunque parezcan insignificantes, sin más sustancia que un vaso de agua, cuando estas desagradables experiencias se evaporan, se condensan en miles de millones de gotitas de ira, miedo, dudas sobre uno mismo, culpa y otros sentimientos negativos, rodeándonos con un asfixiante manto que contamina todos los demás aspectos de nuestras vidas en el futuro.

A esto lo llamamos la *niebla de sufrimiento*.

Normalmente, esta vaga sensación de malestar se instaura como un telón de fondo, como el molesto zumbido de la nevera o del aire acondicionado del que ya hemos aprendido a desconectar en nuestra conciencia de vigilia. Pero tanto si somos conscientes como si no, invade nuestra existencia como un dolor de cabeza insistente, interfiriendo en nuestra habilidad para tener relaciones sanas, para utilizar nuestro potencial en el trabajo, o para disfrutar de unas vidas que distan mucho de ser lo satisfactorias que deberían ser. Con los años, ese zumbido de fondo puede sabotear nuestra carrera, amistades, matrimonios. A veces, como le sucedía a Stefanie, incluso se ceba en nuestra salud física.

¿De qué está formada esta niebla? En parte de sentimientos y en parte de creencias, parcialmente subconscientes y parcialmente bioeléctricos. Puedes contemplarla como un patrón de interferencia, como un sonido estático, que se suele instaurar en la infancia, cuando nuestras defensas todavía no se han acabado de formar y aún no hemos desarrollado nuestro pensamiento lógico de adultos. Es decir, se encuentra fuera del dominio de nuestro proceso de pensamiento verbal, lógico y consciente. Es como un programa informático abierto en la trastienda, que ensombrece nuestros pensamientos y sentimientos, reacciones y conductas, nuestra visión de nosotros mismos y de nuestro mundo; todo ello sin que seamos plenamente conscientes de que se encuentra allí.

Para algunos, esta niebla de sufrimiento se manifiesta de formas muy distintas y específicas, como un temor perenne o una ansiedad irracional, un problema en alguna área específica de la vida. Para otros, como Stefanie, es más vago y generalizado. O sea, no es que haya una cosa específica que vaya terriblemente mal. Es más bien como que *nada está lo bastante bien.*

Ésa es la razón por la que los esfuerzos de Stefanie no le habían servido para nada. Los fármacos psicoterapéuticos, como los antidepresivos o ansiolíticos, no pueden dispersar esta niebla; en el mejor de los casos, pueden amortiguar su impacto. Hablar de ello con amigos, consejeros o terapeutas tampoco la dispersará, porque no se somete a la razón ni al análisis de la lógica. Intentar «disolverla hablando» es como intentar llegar a una cueva submarina conduciendo por las calles de la ciudad. Por más que conduzcas o sea cual sea la ruta que tomes, no llegarás. Tendrás que salir del coche, salir de las calles, meterte en el agua y nadar en otra dirección.

Afortunadamente, ese camino ya existe. De eso trata este libro.

Lo peor de esta niebla es que puede ser tan persistente que podemos llegar a creer que es «normal». Sin embargo, *no* lo es. Hemos sido creados con una capacidad extraordinaria para crecer, autorregularnos y autosanarnos. Nuestro diseño innato está bellamente preparado para generar una vida de productividad, creatividad, realización personal y felicidad. *Hemos nacido para ser felices.* Instintivamente, en lo más profundo de nuestro ser todos lo sabemos. Todos sabemos lo que se siente cuando experimentamos un estallido de gozo. En algún momento de nuestra vida todos hemos tenido la experiencia de felicidad extática, de euforia por el mero hecho de estar vivos.

¿Te has preguntado alguna vez por qué esa experiencia es tan rara y escurridiza?

La respuesta es: *no lo es.*

Nuestras experiencias clínicas durante las últimas décadas nos han demostrado que *es* posible recobrar ese sentimiento de gozo infantil por la vida y vivir nuestra vida plenamente. A raíz de este trabajo, hemos llegado a convencernos de que estamos aquí en la tierra para ser felices y estar sanos, para experimentar gozo, amor, conexión y contribución. *Puedes* convertirte en una persona mejor, más inteligente, tranquila, concentrada, poderosa y mucho más feliz.

Para que eso suceda, hemos de remitirnos a esta invasiva niebla de sufrimiento, comprender de dónde procede y saber cómo disiparla.

Hemos pasado las últimas décadas resolviendo este rompecabezas, utilizando las herramientas de la psicología convencional junto con nuevos métodos y perspectivas extraídas de los últimos descubrimientos en el vanguardista campo de la investigación y de la terapia denominado *psicología de la energía*. Desde que empezamos a explorar esta nueva frontera en la década de 1980, en nuestras prácticas, talleres y demostraciones públicas, hemos realizado más de 45.000 tratamientos individuales con resultados sistemáticamente fiables y notables.

En la última década, hemos adaptado nuestro sistema creando un protocolo simple que puedes utilizar tu solo. Es poderosamente simple y eficaz. Hemos visto cómo miles de personas lo usaban para despejar su propia niebla de sufrimiento.

Esto es justamente lo que le sucedió a Stefanie. En esa primera visita, la guiamos por los cuatro pasos de este sencillo protocolo:

> *Paso 1: identificar.* Primero, pasamos revista a su vida y la ayudamos a identificar un hecho doloroso temprano cuyo impacto había proyectado su larga sombra en su mundo, junto con las creencias autolimitadoras que su joven mente había formado a raíz de dicha experiencia.

En el capítulo 1, te guiaremos paso a paso a través de un simple proceso para que puedas hacer lo mismo. (También revelamos cuál fue el acontecimiento que tanto afectó a Stefanie.) En el capítulo 2, veremos las creencias autolimitadoras más comunes y cómo identificarlas en uno mismo. En el capítulo 3, veremos dónde residen estas creencias y la razón por la que nos tienen tan atados y aprenderemos un método fascinante para conducirlas a la superficie, donde podremos manejarlas.

Paso 2: borrar. A continuación, trabajamos con Stefanie con ejercicios respiratorios especiales y técnicas neuromusculares para realinear la polaridad eléctrica natural de su cuerpo y ayudarla a dispersar la niebla invasiva.

En el capítulo 4, exploramos el *biocampo* corporal y lo que sucede cuando nuestras polaridades eléctricas se han invertido o trastocado. También aprenderemos un conjunto de técnicas para realinear nuestra polaridad eléctrica, incorporando la psicología cognitiva junto con elementos extraídos de antiguas disciplinas, entre las que se incluyen el yoga y la acupresión.

Paso 3: remodelar. Luego ayudamos a Stefanie a liberar definitivamente la creencia autolimitadora que identificamos en el paso 1 y a introducir otra opuesta, la creencia de *empoderamiento* o *poder personal.*

En el capítulo 5, exploramos el concepto de *autoeficacia*, es decir, la habilidad de ser capaz de ponerse en el asiento del conductor y dirigir nuestra propia vida, junto con las fascinantes y nuevas investigaciones sobre el poder de las imágenes mentales. En este capítulo también te conduciremos a través del paso de *remodelar*, te mostraremos cómo crear una nueva historia de tu vida.

Paso 4: anclar. Por último, le enseñamos a Stefanie varias técnicas muy poderosas para anclar esas nuevas creencias y patrones de pensamiento a fin de que se convirtieran en una parte permanente de ella y no sólo en una forma de consuelo temporal.

En el capítulo 6, te enseñamos a completar este sencillo paso de *anclar* y a usarlo en las semanas y meses venideros como un rápido recordatorio, para que no te olvidas del Proceso de los Cuatro Pasos. En el capítulo 7, veremos las formas de utilizar el Proceso de los Cuatro Pasos para destapar capas más profundas y conectar con todo nuestro potencial, y en el capítulo 8, señalamos algunas sencillas prácticas diarias adicionales, extraídas de nuestras experiencias clínicas y de investigaciones recientes, que te ayudarán a crear esa vida rica que te mereces.

Estos cuatro pasos —*identificar, borrar, remodelar* y *anclar*— son la esencia de lo que aprenderás en las páginas de *El código de la felicidad.* En este libro, vamos a mostrarte qué es este proceso, cómo y por qué funciona, y cómo puedes hacer que te funcione a ti.

Cuando Stefanie salió de nuestra consulta ese día, la nube oscura había desaparecido. Eso fue hace varios años. Todavía no ha vuelto a aparecer.

1

Una entrevista contigo mismo

¿Qué haces con la rabia que sientes
cuando te sientes tan mal que morderías,
cuando el mundo entero te parece tan mal...
y nada de lo que haces te parece bien?

FRED ROGERS, en *Mister Rogers' Neighborhood*

Caminas por un campo, masticando tranquilamente una brizna de hierba. Brilla el sol, el aire es cálido. Notas una ligera brisa en tu espalda. La vida es buena.

De pronto oyes un estruendo tremendo.

Sobresaltado, alzas la vista y miras el horizonte en el momento en que un volcán expulsa hacia el cielo una gigantesca columna de cenizas y polvo que se esparce formando una enorme nube que durará algunos días, semanas, quizás años. Tapará el sol y cambiará tu mundo por completo. Cabe incluso la posibilidad de que no vivas para ver cómo se disipa.

Un detalle más: eres un dinosaurio.

Los científicos nos dicen que fue el choque de un asteroide contra la Tierra hace millones de años lo que provocó la muerte de los dinosaurios. Según cuentan, el impacto proyectó tantas cenizas a la atmósfera que oscureció los cielos y transformó el clima convirtiéndolo en lo que a veces se ha denominado el *invierno nuclear*, así llamado por el efecto similar que tendrían las explosiones de una serie de bombas nucleares.

El impacto de los acontecimientos traumáticos personales puede tener el mismo tipo de efecto, impidiéndonos ver el cielo y provocando un efecto de frío que impregnará todos los aspectos de nuestra vida.

Para ver cómo sucede esto, volvamos por un momento a la primera consulta con nuestra paciente Stefanie, a la que hemos presentado en la introducción.

La primera vez que Stefanie recibió veinticinco centavos de dólar

Una de las pistas para la fuente de la infelicidad de Stefanie surgió a los pocos minutos de conversación, cuando nos contó lo culpable que se sentía por el fracaso de su primer matrimonio. Aunque habían pasado muchos años desde entonces, sus sentimientos eran tan fuertes en aquellos momentos como lo fueron en un principio. De hecho, según y cómo eran más fuertes. El antiguo refrán de «El tiempo todo lo cura» no podía alejarse más de la verdad. Las heridas de Stefanie no se suavizaron con la edad. Empeoraron, muchas veces incluso se adentraron más y más en los surcos de la psique.

Para Stefanie, ese divorcio fue como el choque de un asteroide. Puede que hubiera sucedido hacía mucho tiempo, pero las cenizas que habían sido proyectadas hacia la atmósfera todavía oscurecían los cielos varias décadas más tarde.

Esto no es puramente psicológico. Recuerdo que Stefanie también estaba sintiendo síntomas fisiológicos muy reales, además de la ruptura gradual de su vida personal y profesional. El impacto de los acontecimientos traumáticos de nuestras vidas se graba en muchos planos de nuestra existencia a la vez. Estamos hablando de algo que es tanto fisiológico como emocional, energético y psicológico.

A veces, el hecho traumático parece tan evidente como el choque de un asteroide con el planeta. Al fin y al cabo, no tardamos tanto en enterarnos del divorcio de Stefanie. Nos habló del mismo a los pocos minutos de nuestro encuentro.

En otras ocasiones, no es tan evidente. Muchas veces, suceden cosas importantes en nuestra vida, especialmente cuando somos muy jóvenes e impresionables, que pasan desapercibidas para las personas que están a nuestro alrededor. De hecho, esos acontecimientos tempranos pueden llegar a ser tan sutiles que ni siquiera nosotros nos percatamos de ellos o de la repercusión que han tenido.

Esto es lo que le sucedió a Stefanie. Tal como hemos dicho, ese sentimiento insistente de culpa que nos describió era una de las pistas; pero no la única. Su infelicidad no empezó allí; el divorcio en sí mismo sólo se sumó a la nube de cenizas que ya existía dentro de ella y que existía muchos años antes de eso.

En el transcurso de nuestra conversación, Stefanie mencionó una serie de acontecimientos a lo largo de su vida que le habían afectado. Cuando le preguntamos por su infancia, de pronto recordó algo.

«No sé si esto es importante —empezó—. Probablemente, no...»

Por cierto, esto es importante: cuando las personas empiezan a anunciar un acontecimiento diciendo: «No sé si esto tiene alguna importancia», casi siempre la *tiene*.

La animamos a que siguiera.

«Bueno, fue cuando tenía siete años, un día ayudé a mi tía a mover unos muebles, era por la tarde. Cuando terminamos, me dio las gracias y me pagó veinticinco centavos de dólar. No esperaba que me pagara, y me hizo mucha ilusión. Fue el primer dinero que gané.»

Movió la cabeza lentamente.

«Probablemente, hacía *décadas* que no recordaba esto. —Hizo una pausa, para dejar que la memoria a largo plazo se reprodujera sola—. Me sentía muy orgullosa. Estaba impaciente por decírselo a mi familia. Me fui corriendo a casa, y se lo conté a mis padres enseñándoles la moneda.

»Se quedaron atónitos. "¿En qué estabas pensando?", me riñeron. "¡*Nunca* has de aceptar dinero de la familia por un favor!"

»Me quedé destrozada. —Se detuvo de nuevo, como si se hubiera perdido en los recuerdos y prosiguió—. Me sentí muy humillada.»

Seguramente, sus padres no lo hicieron con mala intención, sólo intentaban transmitirle lo que ellos consideraban que eran sus buenos valores familiares. Pero la conclusión que Stefanie sacó de esa experiencia se quedó grabada en su vida:

Está mal y es vergonzoso ganar dinero.

Y ahora, medio siglo más tarde, Stefanie había perdido una empresa que había funcionado bien y ella estaba perdiendo rápidamente su salud: todo por arrastrar esa vergüenza por ganar veinticinco centavos de dólar.

¿Cómo puede un hecho aparentemente tan insignificante tener un efecto tan profundo y duradero? Para responder a esto, hemos de analizar la naturaleza del trauma.

Pequeño acontecimiento, gran impacto

La palabra moderna *trauma* es idéntica al antiguo término griego que significa *herida.* Cuando hablamos de un trauma, generalmente nos referimos a un hecho físico o psicológico que nos ha herido gravemente, provocando un perjuicio o herida en nuestro cuerpo o mente. Entre los ejemplos de traumas encontramos acontecimientos como un accidente de coche, una herida grave, la muerte de un ser querido, una amenaza para nuestra vida, una experiencia en un país en guerra, un gran incendio en una casa. Un evento traumático es ese que hiere y que deja profundas cicatrices.

Cuando se produce un hecho temible o amenazador, la información que reciben nuestros órganos sensoriales —imágenes, sonidos y olores de peligro— se transmite directamente a un par de diminutos racimos de nervios en forma de almendra, situados en el área anterior de los lóbulos temporales del cerebro, que se denominan *amígdalas.* Las amígdalas inmediatamente envían mensajes de alerta a otras partes del cerebro que desencadenan la liberación de *glucocorticoides*, las hormonas del estrés de la respuesta luchar-o-huir, como cortisol y norepinefrina. (El médico Bessel van der Kolk, quizá la mayor autoridad mundial en traumas, describe las amígdalas como «el detector de humo del cerebro».) Estas hormonas invaden el sistema y aportan a los músculos una inyección inmediata de energía y al mismo tiempo bloquean todos los procesos no esenciales, como la digestión y la respuesta inmunitaria. Entretanto, la corteza prefrontal —la zona frontal del cerebro, donde se encuentran la lógica y la razón— se desactiva.

Los traumas graves pueden producir daños profundos y duraderos, perjudicando nuestra capacidad para confiar en los demás y crean una arraigada gama de síntomas conocidos como trastorno por estrés postraumático o TEPT. Estos síntomas pueden manifestarse como recuerdos persistentes y molestos; pesadillas o trastornos del sueño; arranques de ira repentinos o aparentemente sin causa u otras emociones; estado de máxima alerta y cierto grado de insensibilidad emocional.

«Un momento —estarás pensando—. ¿Estrés postraumático a causa de una regañina por veinticinco centavos de dólar? ¡Es un poco exagerado!»

Así es. En un principio, cuesta creer que el choque de Stefanie con la desaprobación de sus padres pueda tener la importancia necesaria para ser considerado un verdadero trauma comparable con un acto de violencia que pone en peligro nuestra vida o con una herida corporal grave. No es como si le hubieran pegado o echado de casa, o castigado. Ella no sufrió ningún daño físico. Incluso después de todos esos años, allí sentada en nuestra consulta hablando de ello, a Stefanie le costaba creer que fuera algo que tuviera importancia.

Pero la tenía. Tanto si alguien fue testigo de ello como si no, tanto si ella misma era consciente de ello como si no, un asteroide se había estrellado contra el joven mundo de Stefanie y las cenizas que se proyectaron en su atmósfera nunca desaparecieron. Todavía ahora, tras medio siglo, impedían que la luz del sol brillara en su cielo.

Hemos empleado el Proceso de los Cuatro Pasos miles de veces con personas que han experimentado grandes traumas, no sólo en la infancia sino también de adultas, y en este libro compartiremos algunas de estas destacadas historias de crisis y recuperaciones. Pero un acontecimiento inesperado no tiene por qué ser dramático o evidentemente traumático para tener un efecto profundo y duradero.

Recordemos que ante un cúmulo de circunstancias dadas, lo único que se necesita para crear un manto de niebla impenetrable es un vaso de agua. El acontecimiento de Stefanie no se podría considerar como un trauma clínico. Pero era algo más insidioso: era un *microtrauma*.

Un microtrauma es un acontecimiento o experiencia que desde fuera puede no parecer muy importante, y mucho menos, destructivo. De hecho, puede ser tan leve que puedes pensar que lo has olvidado por completo. Pero no es así. Permanece contigo, como el recuerdo de Stefanie había permanecido con ella tan vívidamente que pudo recordarlo en cuestión de minutos en nuestra primera visita, aunque, según ella misma decía, hacía décadas que no había pensado en ello.

Ésta es la razón por la que decimos que estos acontecimientos microtraumáticos pueden ser más insidiosos que traumas mayores: precisamente *porque* se ocultan detrás de la apariencia de su inocente insignificancia. Éste suele ser el tipo de experiencias que parecen tan comunes y tan inofensivas que, mirando retrospectivamente, nos cuesta verlas como momentos importantes en nuestras vidas.

Pero todavía hay más, las otras personas de nuestro entorno, generalmente, las que vemos como figuras de autoridad, suelen rechazarlas considerándolas también «insignificantes», reforzando nuestra idea de que no deberían tener ninguna repercusión en nosotros.

«Supéralo —nos dicen—. No te comportes como un chiquillo. No es nada.» Y les creemos. «Tienen razón», nos decimos. «No era nada. Vale, pasó, ¿y qué? Lo superé hace tiempo.»

Pero *no* es cierto que no fuera nada. Para nosotros, fue la colisión de un asteroide. Y para la mayoría de las personas, no es algo que uno «supera». Es algo que proyecta un asfixiante manto sobre la climatología de tu existencia, hasta que te das cuenta de lo sencillas que son las herramientas para identificarlo y eliminarlo.

Hay una razón por la que normalmente no nos damos cuenta del impacto que nos ha provocado nuestro propio microtrauma. Tenemos la tendencia natural de menospreciarlo, de hacer todo lo posible para dejarlo atrás y seguir viviendo. En cierta medida, éste es un saludable mecanismo de defensa. Reducimos el impacto de lo que ha sucedido para poder afrontarlo y seguir adelante. Pero a veces, sobre todo cuando somos jóvenes, simplemente somos incapaces de «dejarlo atrás». Por el contrario, lo que hacemos es llevarlo más adentro, y lo que ganamos en compostura en el momento es a costa de sufrimiento a largo plazo.

«¿Qué haces con la rabia que sientes?», preguntó Fred Rogers en *Mister Rogers' Neighborhood,* su popular programa de televisión para niños. Es una gran pregunta. ¿Qué *hacemos* con la rabia que sentimos, la vergüenza, el bochorno, el miedo, el pánico o la tristeza?

La respuesta es que, en general, no hacemos *nada* con ello. Sencillamente, se queda donde está, como esa asfixiante nube de polvo de cenizas que ocultó el sol y mató a los dinosaurios.

Una simple ola

Una de las actividades de nuestro seminario anual es llevar a todo el grupo al mar a nadar con los delfines. Un día estábamos preparándonos para meternos en el agua, cuando una de las participantes, una joven llamada Alex, se acercó a nosotros y nos dijo:

—Tengo un pequeño problema. No puedo meterme con vosotros: tengo miedo.

Le aseguramos que el agua estaría tranquila, que no iríamos a zonas profundas y que no sería nada peligroso. En esa zona no había tiburones.

—No, no me entiendes —me dijo—. No tengo miedo de los tiburones, tengo miedo al agua. Un miedo *grave*, quiero decir.

Nos explicó que toda su vida le había tenido miedo; *tanto* que era incapaz de beber directamente de un vaso de agua. Si quería beber agua, tenía que usar una cañita. Podía darse duchas breves con dificultad. Pero la única forma en que se podía lavar era con una esponja, porque era incapaz de meterse en una bañera.

Alex participaba en el seminario con su padre, y cuando les explicamos brevemente que algún suceso antiguo podía desencadenar creencias profundamente limitadoras, él intervino.

—Si se están refiriendo a sucesos antiguos, creo que sé exactamente lo que le sucedió a Alex.

Un día habían ido a la playa cuando Alex tenía sólo tres años. Al meterse al mar, una pequeña ola le cubrió la cabeza a la niña.

—La levanté y la agarré en brazos —explicó—. Fueron unos segundos y nunca corrió peligro alguno. Pero desde aquel día nunca más quiso volver a meterse en el agua.

El hecho original que le generó a Alex el trauma transcurrió en pocos segundos. Su impacto había durado dos décadas.

La guiamos a través del Proceso de los Cuatro Pasos, allí mismo y en el acto. Una vez que hubimos concluido, nos dijo:

—Uf. ¡Qué raro!

—¿Qué es raro? —le preguntamos

—Me siento distinta.

Le pidió a su padre que le trajera un vaso de agua, y delante de todo el grupo hizo algo que no había hecho en veinte años: bebió directamente del vaso de agua. Ese mismo día, más tarde, se metió en el mar hasta que el agua *le llegó* a la cintura. Presenciar eso fue increíble.

Al día siguiente, cuando nos adentramos en el mar abierto, Alex nos siguió en una barca, nerviosa pero entusiasmada. Cuando se acercaron los delfines, todos empezamos a nadar junto a ellos. De pronto oímos un pequeño chapoteo: Alex, se había lanzado al agua con un flotador desde la barca.

Se metió en el agua como si hubiera nadado toda su vida. Se sacó el flotador y lo llevó hasta la barca, regresó nadando y se unió a nosotros con los delfines. Un poco más tarde, nadando con un ayudante, se puso la máscara y el tubo respiratorio y estuvo buceando durante veinte minutos. Era innato en ella.

¿Qué sucedió? Cuando pudimos borrar el efecto que había producido esa colisión inicial del asteroide, toda la nube de polvo y cenizas asociada a la misma se disipó y desapareció.

Desangrarse por mil cortes

A veces el «acontecimiento» no es una sola cosa que ha sucedido en una hora y un día en concreto, sino una serie de experiencias que han tenido lugar en el tiempo.

Caitlyn tenía veintiséis años cuando un día se le estropeó el coche en la autopista. Al cabo de casi una hora de espera, llegó la grúa. En cuestión de veinte minutos, el mecánico le arregló el coche y se reincorporó al tráfico. Caitlyn le pagó y volvió sana y salva a la carretera.

Pero aunque el coche estaba arreglado, ella no.

A los pocos días, se dio cuenta de que ese hecho le había provocado una verdadera fobia a circular por esa autopista. Pronto tenía miedo de conducir por *cualquier* autopista, luego por las ciudades. Antes de que pudiera darse cuenta, rara vez se metía en un coche para ir a alguna parte, salvo que fueran distancias cortas como alguna tienda de su zona.

Que la llevaran sus amistades era una ayuda, pero no era suficiente. Un día, cuando un amigo la llevaba al trabajo, casi se quedó paralizada de miedo cuando cruzaban un puente. Era el mismo puente que había cruzado cientos de veces sin pensárselo dos veces.

Caitlyn tenía un grave problema cuando vino a la consulta. No poder ir en coche es duro en cualquier lugar, pero en el sur de California, la capital mundial de las autopistas, sin duda era muy grave. Apenas podía ir al trabajo y regresar, y su vida social se había reducido a desplazamientos lentos a horas punta.

Después de que nos contara lo que le estaba sucediendo, empezamos a indagar qué acontecimientos inesperados pudieron haberle sucedido en su infancia.

Pronto descubrimos que se había educado en una familia de perfeccionistas. En su hogar de la niñez, se recompensaba la limpieza y el orden. Sus padres eran muy escrupulosos y ella recibía muchas críticas: «¡No has hecho bien la cama! ¡Lo has dejado todo sucio! ¡Mira, has tirado comida!» Cada una de estas críticas por separado no tenía la menor importancia y apenas eran traumáticas. Pero al irse acumulando, día tras día, año tras año, tuvieron el mismo efecto acumulativo que la colisión de un asteroide. Como una muerte provocada por mil cortes, el sentido del yo de Caitlyn se fue desangrando gradualmente hasta que al final le quedó grabado el claro mensaje de «¿No puedes hacer nada bien?»

Por supuesto, hacía tiempo que se las había arreglado para «dejar atrás» esas críticas constantes y se había convertido en una adulta sana y muy capacitada. Hasta que sucedió algo. Ese día en que su coche se estropeó en la autopista, ese sentimiento de indefensión tan familiar de *haberla fastidiado otra vez* desenterró todo un arsenal de emociones de la infancia, y ese viejo mensaje se despertó en su interior como un dragón que despierta de un profundo letargo.

Queremos hacer hincapié en que en ningún momento Caitlyn tuvo el pensamiento consciente de: «Oh, mira, me he quedado colgada en la autopista, creo que mis padres siempre tuvieron razón. *No puedo* hacer nada bien». El mensaje era ése, pero estaba tan arraigado y oculto que ni siquiera era consciente del mismo, como el ruido de fondo de una nevera que ya hemos aprendido a no escuchar.

Incluso aunque hubiera sido consciente del mismo, probablemente, no le habría hecho caso por considerarlo una tontería. Las circunstancias apenas justificaban ese mensaje. Bueno, se le estropeó el coche: eso podía haberle pasado a cualquiera, ¿vale?

Pero la niebla de sufrimiento actúa más allá del pensamiento lógico y consciente. Caitlyn *sabía* que era una persona brillante, con recursos, capacitada y madura. Alex *sabía* que ni un vaso de agua ni meterse en el mar podían hacerle daño. Stefanie *sabía* que no era una mala persona, ni egoísta.

Pero saber estas cosas no bastaba para ver la clara diferencia. El pensamiento consciente y lógico no puede dispersar la nube de cenizas.

Resonancia traumática

¿Por qué si Caitlyn había podido funcionar con normalidad todos esos años antes, el incidente de la autopista le afectó de tal modo? Muchos hemos tenido que cambiar una rueda pinchada o llamar a la grúa al menos una vez en nuestra vida, y lo hemos hecho sin derrumbarnos. Entonces, ¿por qué fue diferente para ella?

Debido a un fenómeno denominado *resonancia traumática*.

Si tocas la cuerda mi grave de una guitarra, verás que el mi agudo también vibra, produciendo un sonido vibrante como si la hubiera tocado un dedo fantasma. Esto sucede porque el índice específico de vibración del mi agudo (660 hercios) es un múltiplo exacto del mi dos octavas más bajo (165 hercios). En otras palabras, no son idénticos, pero suenan muy *parecido*. Lo mismo sucede cuando pones un diapasón cerca de un piano y tocas la tecla para el *la* por encima del *do* central: el diapasón también vibrará.

Esto se denomina resonancia, una palabra que literalmente significa «sonar de nuevo». Cuando las vibraciones de dos fenómenos diferentes tienen una forma o frecuencia similar, decimos que «resuenan mutuamente». Otro término para este fenómeno es *vibración por simpatía*.

Las notas musicales no son lo único que está compuesto por vibraciones: los pensamientos y sentimientos, acontecimientos y circunstancias también, y se aplica el mismo principio. Si escuchas una idea u opinión con la que *simpatizas*, puedes decir que te *resuena*.

Muchas veces descubrimos que un acontecimiento que tuvo lugar cuando éramos muy pequeños deja su huella y luego es reforzado o reactivado por acontecimientos posteriores que resuenan con ese acontecimiento temprano, como el sonido de las detonaciones de un tubo de escape puede traer a la memoria recuerdos de combate.

Esto es lo que le sucedió a Caitlyn. Como su incidente en la autopista resonaba con fuerza con la profunda creencia que se había forjado en su niñez, tocó las cuerdas de sus experiencias infantiles, provocando una vibración simpática; del mismo modo que un resfriado repentino puede despertar una infección latente, o un vendaval apilar las brasas y avivar la llama, la creencia negativa volvió a levantar la cabeza.

Lo mismo le había sucedido a Stefanie. Ese suceso inicial a la edad de siete años le había dejado el profundo y mudo sentimiento de que era *mala y egoísta*. De adulta, el impacto de su doloroso divorcio resonó con el mismo mensaje. El *Soy mala y egoísta* de su divorcio resonó con el claro eco del suceso de *Soy mala y egoísta* de su infancia, que Stefanie experimentó como si un asteroide se hubiera vuelto a estrellar contra ella.

Las dos clases de acontecimientos puede que no tuvieran una conexión racional. Pero eso no importa: tenían resonancia.

Tu historia

El primer paso del Proceso de los Cuatro Pasos es identificar la naturaleza de *tu* niebla personal de sufrimiento, y eso empieza por descubrir las colisiones de los asteroides que se han producido en tu vida.

Empezaremos relajándonos un momento y dejando que la mente retroceda a sus primeros recuerdos.

Cuando visitamos a un paciente por primera vez, una de las primeras cosas que solemos hacer es pedirle que nos cuente su historia. La gente suele tener la necesidad de hablar de cosas, y a veces esto puede llevar toda una sesión. En las primeras etapas de nuestra práctica nos dimos cuenta de que podíamos pasar una sesión entera escuchando una gran parte de la historia personal de un paciente, sin haber llegado a nada realmente importante que pudiéramos utilizar. Muchas veces nos encontrábamos al final de la sesión diciendo algo como: «En los próximos días, antes de nuestra siguiente visita, nos gustaría que anotaras tres o cuatro acontecimientos significativos de tu vida que puedas recordar, los más antiguos que recuerdes».

Pronto descubrimos que podíamos ayudar mejor a los pacientes yendo directamente al grano haciendo ese ejercicio desde el principio.

Así que vamos a hacerlo ahora.

Dedica un momento a pensar y a reflexionar sobre algún acontecimiento muy antiguo que puedas recordar. Grande o pequeño, importante o trivial, no importa. ¿Cuál es la experiencia más antigua que puedes recordar?

No has de pensar mucho sobre esto. Sencillamente, pesca durante un momento en tu estanque de los primeros recuerdos, y saca el primer acontecimiento que pique el anzuelo.

Adelante: deja el libro a un lado por un momento y observa qué has recordado.

¿YA LO HAS HECHO? Bien, ahora dedica otro momento a hacer lo mismo por segunda vez, recuerda otro hecho temprano de tu infancia.

AHORA, POR ÚLTIMA VEZ, vuelve a lanzar el sedal y pesca un tercer recuerdo de tu infancia.

CUANDO REFLEXIONES SOBRE CADA UNO DE ELLOS por separado, pregúntate: «En general, ¿es un recuerdo más bien positivo o más bien negativo?»

Puede que hayas pescado imágenes de momentos felices, calentándote junto al fuego después de haber pasado la tarde yendo en trineo, el olor de las galletas de la abuela..., pero es más probable que los primeros acontecimientos que recuerdes *no* sean tan felices.

¿Por qué? Porque hay una tendencia natural a recordar los acontecimientos más dolorosos de nuestra vida. Nuestra mente está diseñada para anteponer en la memoria las experiencias emocionales más fuertes en vez de las más leves, y los acontecimientos negativos o dolorosos en lugar de los positivos. Debido a esto, es probable que al menos dos de tus tres recuerdos sean de las experiencias más desagradables.

En cierto modo, esta tendencia es sana: se supone que es para garantizar nuestra supervivencia. Está bien recordar, por ejemplo, en qué lugar encontraste esos deliciosos frutos del bosque y esa deliciosa miel, pero es más importante recordar el lugar donde escapaste por los pelos de ser devorado por un tigre hambriento. Gracias a un buen susto o a un doloroso encuentro es como solemos aprender algunas de nuestras primeras lecciones más valiosas. Cuando has tocado una estufa caliente, el «¡No toques eso!» se convierte en algo más que palabras.

El hecho de que un acontecimiento se haya quedado grabado en tu mente como un recuerdo nítido no necesariamente significa que haya de tener un impacto duradero. Muchas veces las experiencias de la infancia con aspectos difíciles o incómodos para el niño en verdad *son* hechos inocentes que no provocan perjuicios a largo plazo. Las experiencias negativas son, hasta cierto punto, la forma en que aprendemos. A veces un vaso de agua no es más que un vaso de agua.

Sin embargo, tal como hemos visto, a veces ciertos acontecimientos negativos pueden seguir ejerciendo su influencia en nosotros mucho después de que hayan dejado de tener utilidad alguna. Ésos son los recuerdos que estamos buscando.

La investigación

Los tres recuerdos que has pescado en el ejercicio anterior pueden incluir uno o más de estos acontecimientos clave que estamos buscando, pero repetimos: no necesariamente es así. Dediquemos un momento a investigar la situación de una manera más sistemática.

Pregúntate:

¿Qué acontecimientos dolorosos o experiencias dolorosas o desagradables recuerdo de mi infancia que me causaran un profundo o fuerte impacto?

Muchas veces las personas dan con esas experiencias negativas enseguida. Con frecuencia se tratará de acontecimientos en los que no han pensado demasiado durante años, como le sucedió a Stefanie.

«Ahora que lo dices... —les oiremos decir a los pacientes—, sí, me sucedió algo peculiar cuando era pequeño. Hace siglos que no había pensado en ello...»

También oímos muchas veces: «Probablemente, no sea nada, pero...»; y normalmente el hecho que sigue a ese *pero* es bastante importante.

Otro comentario que suele hacer la gente es: «Bueno, no me acuerdo muy bien...»; y cuando empiezan a explorar, un recuerdo les conduce a otro, y a otro, hasta que pronto se dan cuenta de que en realidad recuerdan *mucho*. Puede ser como descubrir que nos sale un trocito de hilo de unos dos centímetros de una de las mangas del suéter. Das un inocente tironcito, y antes de que te hayas dado cuenta, se te ha desecho toda la manga.

Aquí tienes algunos ejemplos de los traumas y microtraumas comunes que te pueden ayudar a refrescar la memoria o a identificar hechos del pasado que hayan dejado su marca. Cuando leas esta lista, marca los que reconozcas en ti:

- ❑ Estuve muy enfermo.
- ❑ Un miembro de mi familia estuvo muy enfermo.
- ❑ Estuve hospitalizado.
- ❑ Mis padres se separaron o se divorciaron.
- ❑ Perdí a uno de mis padres, abuelos o a algún otro miembro de la familia o ser querido.
- ❑ Murió mi mascota.
- ❑ Mis padres me dejaron con otra persona (aunque fuera por poco tiempo).
- ❑ Me dejaron solo (en un supermercado, en casa de mis abuelos, etc.).
- ❑ Perdí a un amigo (se trasladó, cambió de escuela, etc.).
- ❑ Nos trasladamos.
- ❑ Tuve un accidente de coche.
- ❑ No me eligieron para un equipo.
- ❑ Me tomaron el pelo.

- ❑ Alguien a quien respetaba me criticó o riñó.
- ❑ Había falta de contacto o de afecto en mi hogar.
- ❑ Tuve una gran decepción o chasco (que experimenté como una traición, aunque fuera algo inocuo o por una buena razón).
- ❑ Me pegaron o me castigaron.
- ❑ Recuerdo que mis padres gritaban o discutían.
- ❑ Tuve una experiencia aterradora con un perro (u otro animal).
- ❑ Alguien en quien confiaba o admiraba traicionó mi confianza.
- ❑ Mi padre o mi madre se volvieron a casar y de pronto había otra persona (padrastro, hermanastros) en mi familia.
- ❑ Sufrí acoso en la escuela.
- ❑ Me sentía diferente de mis compañeros (en el desarrollo físico, habilidades, raza y demás).
- ❑ Sufrí cambios físicos (un estirón de crecimiento, pubertad, se me desarrolló una minusvalía física, o algún otro cambio).
- ❑ Fui humillado o avergonzado.

Cuando revises esta lista, probablemente, encontrarás dos o tres situaciones que te habrán llamado la atención y que habrán desencadenado tus propios recuerdos.

Si se te ocurren algunos recuerdos más, en un momento te vamos a pedir que los anotes. No es necesario que escribas una descripción detallada, sólo unas pocas palabras para identificarlos.

Por cierto, cuando hayas identificado algunos sucesos del pasado, no te vamos a pedir que te hundas y que empieces a darles vueltas. No se trata de *re-experimentar* los sentimientos o emociones de ese acontecimiento, sino simplemente de *identificar* el hecho, para que sepas claramente qué es y puedas volver a él rápida y fácilmente.

Muchas veces la mejor forma de hacer esto es escribir una frase corta, aunque sólo sean una o dos palabras, que te sirva de referencia para ese acontecimiento.

«Séptimo cumpleaños.»
«Herido en el patio del recreo.»

«Muerte de la abuela.»
«Traslado.»
«Accidente de coche.»
«Caída de espaldas desde un árbol.»
«Hospital en segundo curso.»

Para Stefanie fueron sus «Primeros veinticinco céntimos de dólar». Para Caitlyn fue «Ser criticada». Para Alex fue «Esa ola».

Cuando identifiques esos recuerdos tempranos, escríbelos, porque volveremos a ellos más tarde cuando practiques el Proceso de los Cuatro Pasos.

Si no estás seguro de si un recuerdo en particular es especialmente significativo o no, no te preocupes: veremos con mayor profundidad esa cuestión más adelante. Por el momento, sigamos con cualesquiera que sean las experiencias que hayas recordado hasta ahora.

Adelante, dedica un momento para identificar esos primeros recuerdos y escríbelos.

Las experiencias de adulto también cuentan

No todas las colisiones con asteroides tienen lugar en nuestra infancia. A veces hay acontecimientos dolorosos que suceden cuando somos adolescentes o adultos y siguen teniendo un poderoso efecto sobre nosotros durante mucho tiempo, cuando creíamos, sin embargo, que ya los habíamos superado.

Identificar estos sucesos más recientes es útil por dos razones. La primera es que los acontecimientos traumáticos de nuestro pasado como adultos pueden ser importantes fuentes de problemas actuales por sí mismos. Y en segundo lugar, pueden ser pistas o indicadores de acontecimientos muy anteriores, como el divorcio de Stefanie, por ejemplo.

Cuando leas la siguiente lista, piensa en cualquier experiencia dolorosa que te haya ocurrido de adolescente o de adulto, y anótala brevemente. De nuevo, marca aquellas con las que te sientas identificado.

- ❑ Tuve un accidente o una lesión física.
- ❑ Tuve una crisis de salud.
- ❑ Desarrollé un problema de salud crónico.
- ❑ Me divorcié.
- ❑ Viví una ruptura dolorosa o una relación disfuncional.
- ❑ Me quedé sin dinero, fracasó mi negocio, perdí dinero en una inversión o algún otro revés económico.
- ❑ Fui víctima de un hurto o robo.
- ❑ Perdí mi empleo.
- ❑ Perdí mi hogar.
- ❑ Perdí a un miembro de mi familia.
- ❑ Perdí vista, oído o alguna otra facultad mental o física.
- ❑ Perdí a una persona allegada a mí (por muerte, aborto espontáneo, aborto provocado, separación o alguna otra causa).

Más pistas para el pasado

Si no se te ocurre nada o consideras que no has dado con ningún acontecimiento que sea importante, no pasa nada. Date tu tiempo. Muchas veces, los recuerdos necesitan un poco de tiempo y paciencia para salir del estanque del pasado; sobre todo si pertenecen a los primeros años de nuestra vida.

Tenemos muy poca capacidad para recordar conscientemente nuestras experiencias antes de los tres o cuatro años (por razones que veremos en el capítulo 5). E incluso más tarde, durante la infancia, el carácter de nuestros recuerdos puede ser bien distinto de nuestros recuerdos de adultos.

Aquí tienes algunos indicadores que te pueden ayudar en este proceso.

Preguntar a los demás

Pregunta a algún pariente o miembro de tu familia, alguien que te conozca desde pequeño, si te sucedió algo importante que quizá tú no recuerdes.

Tuvimos un paciente que tenía terror a los hospitales. Resultó que cuando tenía tres años le llevaron a un hospital en una ambulancia a él solo, sin sus padres ni ningún miembro de su familia. Pero al principio no mencionó ese pedacito de su biografía; personalmente, no recordaba nada de ese incidente. De hecho, no tenía idea de lo que había sucedido. Hasta que un día, conversando con su madre, ésta le dijo: «Eh, ¿te acuerdas cuando tenías tres años...?», y le contó lo que le había sucedido.

¿Recuerdas el incidente que le provocó a Alex el terror mortal al agua? Fue su padre quien nos habló de ese hecho, no la propia Alex. En realidad, ella no tenía un claro recuerdo de ese día ni de lo que le sucedió cuando ella y su padre se metieron en el mar.

Aunque no recuerdes conscientemente un acontecimiento, eso no significa que no haya tenido —o *todavía* tenga— un poderoso efecto sobre ti. Si es algo que no recuerdas, pero es una historia que has oído contar a alguien que te conocía de pequeño, apúntala también.

Traumas acumulativos

Recordemos que, como le sucedió a Caitlyn de pequeña, a veces no es el impacto de un único acontecimiento, sino el efecto acumulativo de muchos. Puede que no haya sido el choque de un asteroide lo que haya provocado un invierno nuclear, sino el efecto gradual de un cambio climático general. Los desprecios en el colegio día tras día, las repetidas burlas, sentirse avergonzado por culpa de un padre que te echa en cara una y otra vez los mismos errores (tirar la leche un día, abrocharte mal la camisa otro día, etc.).

Veremos más ejemplos de este tipo de acumulación traumática en las historias que vienen a continuación. Es un escenario muy común.

Traumas indirectos

A veces nos vemos profundamente afectados por acontecimientos que no están directamente relacionados con nosotros, pero que les han sucedido a personas allegadas o incluso a personas que apenas conocemos. Por ejemplo:

- Mi hermano o hermana resultó herido/a.
- Mi padre perdió su empleo.
- Los padres de mi amigo se divorciaron.
- Entraron en casa de un vecino y se la destrozaron.
- Un alumno de mi escuela enfermó y murió.

Los acontecimientos que experimentamos indirectamente pueden tener un impacto mucho más profundo de lo que imaginamos.

Sopesar el impacto

A veces, en esta parte del proceso, la gente dice: «Tengo al menos media docena de acontecimientos en mi lista. ¿Cómo sé cuáles son los que verdaderamente cuentan? ¿Cómo sé cuál es el que más me ha afectado?»

En el capítulo 3, veremos un fascinante método para confirmar qué acontecimientos nos han impactado más y, lo que es más importante, cuáles son los que todavía nos impactan a día de hoy. Pero hacer esta diferenciación es sobre todo una cuestión de instinto visceral, y es sorprendentemente fácil cuando sabes cómo hacerlo. A fin de cuentas, nadie lo sabe mejor que tú.

Para empezar, veamos el primer recuerdo de tu lista.

Respira profundo unas cuantas veces y reflexiona sobre el evento o experiencia durante un momento. Mientras lo haces, observa si notas alguna carga emocional, algún sentimiento de remordimiento o malestar. No intentes analizarlo o descifrar su significado. Por el momento, sólo estamos intentando determinar si la experiencia ha tenido un impacto duradero y si todavía tiene poder en tu vida.

Te recordamos que el mero hecho de *recordar* un evento doloroso no significa necesariamente que haya tenido un impacto negativo duradero. Muchas personas han sufrido burlas (¿quién no?), se han trasladado, han perdido amistades o han sido duramente criticadas sin que ello haya tenido un efecto a largo plazo. Si un recuerdo no es más que una parte de información biográfica, un hecho del pasado que recuerdas sin que vaya acompañado de sentimientos fuertes, probablemente no tiene un papel importante en tu vida actual.

Pero si tienes un recuerdo que te sigue molestando cuando piensas en él, esto puede ser una fuente de creencias negativas. Y si sientes resistencia a indagar más sobre el mismo, eso puede ser una señal de que hay algo importante en esa experiencia.

Por cierto, esto no tiene nada que ver con tu idea de que consideres que tu infancia ha sido feliz o infeliz en general. Hemos visto miles de personas que nos han descrito sus infancias en términos generalmente positivos, pero eso no significa que no haya situaciones y experiencias en particular que les hayan provocado un sufrimiento duradero.

Igualmente, hemos visto a miles de personas cuyos primeros recuerdos parecían una novela de Dickens, cargados de increíbles dificultades y circunstancias durísimas, que han superado esos duros comienzos y que son personas relativamente sanas, realizadas y felices.

Escríbelo

Puede que quieras escribir con más detalle una descripción de una experiencia que has recordado para tenerla más clara en tu mente. Cierra los ojos y recuerda, lo mejor que puedas, qué es lo que sucedió exactamente, y luego, cuando abras los ojos, escríbela.

O puede que prefieras recordar el sentimiento general, sin entrar en detalles. Eso también está bien. No hay una forma incorrecta de hacerlo. Conecta con el acontecimiento del pasado de la forma que te resulte más fácil o más natural.

Dilo en voz alta

Decirlo en voz alta puede ser muy útil. Cuando los pacientes nos cuentan sus descubrimientos, suele ser el hecho de verbalizarlo, y no que seamos nosotros a quienes se lo están contando, lo que les ayuda a sentir el impacto que tienen esos recuerdos.

Tú puedes hacer lo mismo a solas. Cuando identifiques un acontecimiento del pasado que te haya afectado, sencillamente descríbelo en voz alta como si se lo estuvieras contando a alguien. Grabarte también puede irte muy bien.

Busca la resonancia

A veces, te darás cuenta enseguida de que un evento del pasado tiene una clara repercusión en aspectos de tu vida actual.

Un amigo nuestro se rompió el brazo cuando era joven al caerse de un árbol. De adulto, se sentía muy mal cuando tenía que ir a la consulta de algún médico; de hecho, el olor a antiséptico bastaba para que le empezaran a sudar las manos. Nunca había sabido cuál era la razón hasta que tuvimos una conversación al respecto y nos contó como lo más natural que la primera vez que recordaba haber puesto los pies en la consulta de un médico había sido cuando le habían escayolado el brazo.

Una paciente, cuando tenía seis años, estaba aterrorizada por el enorme perro que tenía su vecino en el jardín de al lado. Nunca le había mordido, pero el animal ladraba como un loco siempre que salía ella. De adulta, tenía una fuerte aprensión a ir a lugares desconocidos o enfrentarse a situaciones nuevas.

¿Ves la relación? Eso es la *resonancia traumática*.

Cuando reflexiones sobre cada uno de los recuerdos de tu lista, pregúntate: «¿Existe alguna relación entre la esencia de esa experiencia y algunas de las cosas que me están sucediendo actualmente en mi vida?»

Cuando dudes, escríbelo

Haz todo lo posible por identificar los acontecimientos que han tenido un impacto negativo en tu vida. Puede que no recuerdes todos los detalles, pero si notas algún malestar cuando lees algunas de las situaciones de las listas anteriores, lo más probable es que te hayas olvidado de la situación o que hace años la excluyeras de tu subconsciente. Considera esa situación como si fuera tuya.

Si no ves ninguna resonancia evidente, no te preocupes. Aunque no halles correlación entre un recuerdo temprano y una de las situaciones que ahora te preocupan, el mero hecho de recordar esta experiencia, el simple hecho de que te viniera a la mente en el transcurso de tu entrevista contigo mismo, indica que puede ser importante.

Escríbela.

Si sientes curiosidad, si sientes que no está del todo resuelta, o incluso si simplemente no puedes olvidarla sin razón aparente: escríbela.

Tu código inherente de la felicidad

Si ya tienes una lista de varios acontecimientos tempranos pero no estás del todo seguro de cuál es el *más* importante, no te preocupes: tienes mucho trabajo por hacer.

Ésta es la belleza del Proceso de los Cuatro Pasos: es extraordinariamente comprensivo. Es decir, no tienes que preocuparte por si lo «estás haciendo bien». Aunque no tengas más que un poco de información para seguir avanzando, el proceso seguirá actuando y empezará a disipar la niebla de sufrimiento.

¿Por qué? Porque los seres humanos estamos diseñados para autocorregirnos.

El organismo humano está hecho para autocalibrarse a través de lo que la ciencia denomina *homeostasis*, que simplemente significa que tenemos una fuerte tendencia a volver al equilibrio, por más desequilibrados que estemos. Ésta es la razón por la que nuestra temperatura corporal siempre tiende hacia los 37 grados y el nivel de pH de nuestra sangre normalmente se acerca a 7,35. Lo mismo sucede con nuestro estado emocional. Existe un equilibrio emocional en nosotros que nuestro organismo desea mantener a toda costa y al que regresará en cuanto tenga la menor oportunidad. Elimina los bloqueos que te han ocasionado las circunstancias más dolorosas de tu vida y seguirá haciéndolo. Es como una fuerza gravitatoria: un *código inherente de la felicidad*.

Para ilustrar la fuerza que tiene esta tendencia para devolvernos a nuestro equilibrio emocional y la predisposición del Proceso de los Cuatro Pasos para hacerlo, a continuación encontrarás una historia antes de que pasemos al siguiente capítulo.

El momento decisivo de David

Hace algunos años, vino a vernos un periodista llamado David para entrevistarnos y escribir un artículo. Mientras le describíamos nuestro trabajo, le pedimos que pensara en algo que le intranquilizara, algo que quizá pudiéramos ayudarle a borrar, para hacerle una demostración. Lo pensó un momento y luego dijo: «Vale, muy bien, creo que tengo algo». Y nos habló de un resentimiento que tenía desde hacía tiempo relacionado con su anterior matrimonio.

Le guiamos a través del Proceso de los Cuatro Pasos y luego le preguntamos cómo se encontraba. Se encogió de hombros. «No noto nada especial. Me siento un poco más ligero creo, pero nada espectacular. Pero, de todos modos, este asunto ya no me molestaba tanto como antes.»

Seguimos con la entrevista y luego nos despedimos.

Al día siguiente, a última hora, recibimos una llamada de David. Su voz prácticamente estallaba de entusiasmo al otro lado del teléfono. «¡No os vais a *creer* lo que me ha sucedido!», nos dijo, y nos contó lo que le había pasado ese mismo día más temprano.

Esa mañana (la mañana *después* del día en que nos conocimos) David tenía que ir en coche a un hotel de la zona para entrevistar a un escritor de la región. En el último momento, sucedió un imprevisto que obligó al escritor a regresar inmediatamente a su casa, y el hombre dejó un mensaje en el hotel diciéndole a David si le importaría ir hasta su casa para hacer allí la entrevista.

A David se le hizo un nudo en el estómago. Al no ser de la zona, llevaba un coche de alquiler sin GPS y no conocía la región. Su entrevistado vivía en Rancho Santa Fe, a media hora al final de una larga carretera secundaria de curvas.

Pero eso no era lo peor. Resultaba que los indicadores de carretera desconocidos o con los que no estaba familiarizado eran el talón de Aquiles psicológico de David.

«Toda mi vida —nos explicó— he tenido verdadero pánico a los indicadores de carretera. Si he de ir solo en coche a alguna parte donde no he estado nunca, sin la compañía de un copiloto, me paraliza la angustia. No importa que tenga un buen mapa o me den buenas indicaciones. En el momento en que alguien me empieza a explicar cómo llegar se me cierra la mente. No oigo lo que me dicen, ni puedo retenerlo.»

Lo peor es que en el hotel sólo habían sabido darle unas vagas indicaciones. David se había marchado a hacer la entrevista sin un mapa ni instrucciones claras para llegar, casi seguro de que en cuestión de minutos se perdería irremediablemente.

«Y escuchad esto —dijo—. No sólo *no* me perdí, sino que en ningún momento me puse nervioso. Bajé la ventanilla, disfruté del paisaje y sencillamente *conduje*. En ningún momento me entró el pánico, y encontré el lugar sin problemas. Sé que esto parece una locura, ¡pero nunca me había sucedido antes!»

Recordemos que no teníamos la intención de tratar a David para este tema en particular. De hecho, ni siquiera sabíamos que *tenía* este problema. No nos había dicho una palabra al respecto. Pensábamos que le estábamos entrenando para una cosa específica, y al producirse esa pequeña abertura, el sentido innato de homeostasis emocional de David aprovechó la oportunidad para sanar un problema totalmente distinto: uno que nosotros ni siquiera sabíamos que existía.

Así de versátil y de poderoso es el Proceso de los Cuatro Pasos.

Adónde ir desde aquí

Llegado a este punto, ya deberías haber seleccionado uno o más recuerdos en los que concentrarnos. En el capítulo 3, volveremos a esta autoindagación y aprenderemos una técnica fascinante para evaluar el efecto que estos acontecimientos del pasado han tenido en nuestra vida. Pero primero hemos de revisar la segunda parte de esta analogía.

Hasta ahora nos hemos estado concentrando en la colisión del asteroide. Ahora es el momento de prestar atención a la nube de polvo de creencias negativas y ver exactamente qué aspecto tiene.

2

Siete creencias limitadoras

¿A quién vas a creer, a mí o a tus propios ojos?

CHICO MARX, en *Sopa de ganso*

Observábamos atónitos e incrédulos cómo aquel hombretón se ponía a cuatro patas y empezaba a gatear. Gateó lentamente unos quince metros, hasta donde terminaba el pasillo ligeramente elevado. En ese momento, se puso de pie, aunque temblando, y caminó junto a nosotros con normalidad.

Estábamos en un congreso con nuestro amigo Clay y acabábamos de pasar de un ala del centro de congresos a la otra, el recorrido atravesaba un pasillo elevado cerrado, suspendido sobre una zona de césped que se encontraba a unos seis metros por debajo de nuestros pies. Las ventanas del corredor proporcionaban una encantadora vista del tranquilo paisaje, pero estaban bien cerradas. Era literalmente imposible caerse o saltar desde el pasillo, y aunque se pudiera, el mayor peligro habría sido exponerse a una caída desde seis metros de altura sobre el césped blando y ondulado que había debajo.

Pero nada de eso le importaba a Clay, cuyo pánico a las alturas era tan fuerte que prácticamente había aplastado su cuerpo contra la moqueta del pasillo cuando pasamos por él.

Verle tan pegado al suelo ya era bastante extraño. Pero lo más curioso es que nosotros sabíamos a qué se dedicaba. Clay era un piloto de combate retirado y veterano condecorado, y ahora era piloto civil en una aerolínea importante.

Durante la semana pilotaba un 747 a través del Atlántico.

Le preguntamos cómo era posible que fuera capaz de pilotar grandes aviones cargados con cientos de pasajeros a nueve mil metros de altura sobre el océano, sin inmutarse, y que sin embargo caminar por un pasillo elevado cerrado a una altura de seis metros por encima de una superficie con césped consiguiera reducirle a ese estado de pánico.

—El avión es mi oficina —nos dijo—. Cuando entro en la cabina, sé lo que he de hacer. Mi formación se impone y sé que tengo el control. Soy consciente de que lo que me pasa no tiene ningún sentido —añadió—. Pero eso es todo lo que puedo decir.

Cuando Clay se encontraba al mando de un 747 confiaba en su formación y aptitudes. Fuera de la cabina, estaba a merced de una fuerza diferente. Mientras cruzaba ese pasillo elevado, nos dijo que su lógica *sabía* que estaba perfectamente a salvo. Sus ojos le *decían* que estaba a salvo. Pero ni sus ojos ni sus conocimientos podían cambiar sus *creencias*.

Clay se crió con un padre aterrador, un hombre que bebía mucho, que a menudo tenía arranques de ira y que pegaba a su hijo a la menor provocación. El niño vivió su joven vida literalmente al límite, sin saber nunca si al momento siguiente iba a ser agredido con violencia. A los catorce años huyó de casa para valerse por sí mismo. Nunca más volvió a dirigirle la palabra a su padre.

De adulto, Clay se convirtió en una de las personas más generosas, agradables y verdaderamente maravillosas que hemos conocido y se labró una exitosa carrera en la aviación. Sus habilidades altamente desarrolladas le servían de foco para alejar las sombras de su infancia. Pero en circunstancias donde estas habilidades no le servían de nada, esa vieja y familiar oscuridad volvía a acecharle, cristalizando la creencia básica que se había formado en los primeros años de:

Estoy en peligro.

Los hilos que mueven nuestras vidas

Con las nuevas tecnologías de visualización de imágenes del cerebro, y especialmente las imágenes por resonancia magnética funcional (IRMf), en las dos últimas décadas, los científicos han adquirido la extraordinaria habilidad de observar el trabajo físico del cerebro y ver cómo se desarrolla en tiempo real.

Antes del avance de los escáneres en tiempo real, los científicos creían que el proceso de división celular que crea nuevas neuronas cerebrales, denominado *neurogénesis*, se ralentizaba en una etapa temprana de la vida y se detenía por completo en la adolescencia. Asimismo, hasta no hace mucho se creía que el proceso de *neuroplasticidad*, la capacidad del cerebro de cambiar la forma y estructura de sus trayectos como respuesta a nuestras experiencias, era un fenómeno exclusivo de la infancia.

Ya no es así. Los grandes descubrimientos de las dos últimas décadas muestran que la neurogénesis y la neuroplasticidad continúan durante toda la vida humana. No importa qué edad tengas, tu cerebro es perfectamente capaz de crear senderos neuronales totalmente nuevos.

Cuando nos sucede algo, nuestra percepción del acontecimiento se produce como un marcado patrón de descargas nerviosas a través de sinapsis (conexiones) específicas. En algunos casos, esto no implica simplemente la descarga de impulsos electroquímicos a través de redes preexistentes, sino el crecimiento de sinapsis y nuevas redes neuronales. En otras palabras, el cerebro puede cambiar su entramado como respuesta a la información nueva. Cuanto más poderosa sea y más carga emocional lleve, como sucede con las experiencias traumáticas, más rápido y significativo será el desarrollo de nuevas conexiones neuronales. Y cuanto más se repita esta información, más redes nerviosas se formarán.

Imaginemos lo que sucede cuando llueve en la cima de una montaña. El agua, a medida que desciende por la ladera, va formando senderos a través de las piedras y de la pinaza que cubre el suelo. Cada vez que llueve, baja más agua por la montaña, haciendo un poco más profunda esa red de senderos. Al final, estos senderos se convierten en riachuelos, y luego en ríos. Si hay una tormenta fuerte, es más fácil que los torrentes de agua formen cuencas más profundas en su descenso por la montaña.

Esto se parece a lo que le sucedió a la red neuronal de Clay como respuesta a las experiencias dolorosas que había tenido con su padre. Cada vez que tenía una respuesta emocional y psicológica similar a la conducta imprevisible y autoritaria, a los gritos y golpes, se ampliaba un patrón distintivo de descargas nerviosas, un patrón que correspondía a la creencia de *Estoy en peligro*.

Este fenómeno ha dado pie a la expresión que se utiliza en neurociencia: «Las sinapsis que se disparan juntas se cablean juntas».

Y esto no es sólo una forma de expresarlo: literalmente sucede así. A través de la repetición, lo que empieza como una respuesta a un acontecimiento aislado se va reforzando progresivamente a medida que nuestras sinapsis van generando nuevo tejido neuronal, estableciendo una matriz todavía más gruesa de fibra nerviosa. Al final, ese patrón de respuesta queda firmemente arraigado en la red neuronal que representa una forma fija de percibir el mundo y los acontecimientos que nos rodean.

Utilizando otra analogía: imaginemos la forma en que las plantas domésticas se posicionan y giran en dirección al sol. Del mismo modo, nuestras redes sinápticas cambian y crecen en dirección a nuestros pensamientos y experiencias con mayor carga emocional. Así es como formamos nuestras creencias: literalmente, las cultivamos, como un topiario mental dinámico.

Las creencias resultantes serán más fuertes que los sentimientos, más profundas que los pensamientos. Las creencias son patrones de pensamientos tan arraigados en nuestras redes neuronales que se han vuelto automáticos, como hábitos de pensamiento consolidados. Son el lecho de piedras de nuestra arquitectura psicológica.

En nuestro trabajo de ayudar a miles de personas a descubrir sus creencias autolimitadoras, hemos descubierto que la mayoría se encuentran en uno de estos siete patrones, que hemos denominado *las siete creencias autolimitadoras más comunes*:

Las siete creencias autolimitadoras

1. No estoy a salvo.
2. No valgo nada.
3. Estoy indefenso.
4. No merezco que me quieran.
5. No puedo confiar en nadie.
6. Soy malo.
7. Estoy solo.

En este capítulo, examinaremos estas creencias limitadoras por separado, para comprenderlas mejor, saber qué aspecto tienen y el tipo de experiencias que pueden provocar.

No estoy a salvo

¿Recuerdas a David, el periodista al que le aterraba conducir por sitios que no conocía? La siguiente vez que lo vimos indagamos un poco más sobre el asunto para ver si podíamos averiguar de dónde surgía ese miedo. Le preguntamos si había habido algún hecho en su infancia que le hubiera provocado algún tipo de trauma.

«Bueno —dijo—, no sé si esto es importante —ya estaba otra vez: el indicador de *probablemente no sea nada importante*—, pero cuando tenía cinco años me pasó algo muy extraño.»

Poco después de su quinto cumpleaños, David viajó a Europa con sus padres y su hermano mayor. Estaban en la puerta de un cine de Londres, a punto de entrar a ver la que para David sería su primera película. Cuando los padres fueron a la taquilla a comprar las entradas, David y su hermano empezaron a dar vueltas y a mirar los carteles de películas que había expuestos.

De pronto apareció una mujer mayor, encorvada por la edad y tomó a David de la mano. «¿Te has perdido?», le preguntó dulcemente. «Ven, ven, que encontraremos a tus papás.» Y empezó a llevarse a David por la calle, *alejándole* del teatro. Desconcertado y sin saber qué hacer, el pequeño David se encontró marchándose con esa mujer.

Al cabo de un momento, aparecieron dos policías londinenses. Uno de ellos despidió amablemente a la señora, mientras que el otro llevó a David de nuevo con sus padres. Conocían bien a esa mujer, explicó el segundo policía a los padres. Había perdido a su hijo hacía muchos años y ésta no era la primera vez que intentaba compensar esa pérdida «tomando prestado el hijo de otra persona».

El intento de rapto duró menos de sesenta segundos, desde el momento en que apareció la mujer hasta que el policía le llevó a salvo con sus padres.

«De hecho, —continuó David— apenas recuerdo ese suceso. Me acuerdo vagamente de la voz de la anciana, al menos *creo* que la recuerdo. Pero la única razón por la que sé que sucedió eso fue porque se lo he oído contar a mi madre. Si esto hubiera tenido un impacto tan traumático, ¿no tendría un recuerdo más vívido?»

No necesariamente. A menudo los acontecimientos de la infancia, incluso los dramáticos como éste, cuestan mucho de recordar con claridad. Pero aunque él no lo recordara conscientemente con ningún detalle, el recuerdo *seguía* grabado vívidamente en el entramado de su existencia, junto con la creencia que el joven cerebro de David formó en aquel momento y que había acarreado desde entonces:

No estoy a salvo.

Cuando salimos del útero para nacer en este mundo de imágenes y sonidos nuevos, de peligros y oportunidades, una de nuestras primeras prioridades es aprender a estar a salvo. El instinto de conservación, el instinto de proteger nuestra seguridad y supervivencia, es el más fuerte de todos nuestros impulsos instintivos. Este impulso empieza en el nivel fisiológico más básico y, a medida que vamos creciendo, se extiende a nuestra vida emocional y sentido del yo. Al final, cuando nos hacemos adultos y tenemos hijos, ese instinto de conservación se extiende a nuestras familias.

Por más atentos que estemos, tanto por nosotros mismos como por nuestros seres queridos, es inevitable que esta red de protección se rompa en algún momento. Todos hemos tenido experiencias, ya fuera sólo por unos momentos o por períodos de tiempo más prolongados, en que hemos sabido que *no* estábamos a salvo, momentos en que nuestras defensas no eran suficientes, y que hemos sentido que nuestra vida corría peligro.

Tanto si se trata de una amenaza de supervivencia real como tan sólo de una percepción personal, no existe diferencia alguna en el impacto que tendrá esa experiencia sobre nosotros. Y todas las situaciones que percibimos como una amenaza son como la colisión de un asteroide en nuestra ecología emocional, que pueden provocar una creencia persistente que nos mantiene en un estado permanente de hipervigilancia, malestar y angustia por nuestra seguridad, aunque no exista ninguna amenaza racional en nuestro entorno.

Janice, una mujer soltera de casi treinta años, vino a vernos porque tenía problemas para dormir. No sólo le costaba conciliar el sueño, sino que, una vez dormida, se despertaba fácilmente al menor ruido. Muchas veces se imaginaba ruidos y la acosaban varios miedos irracionales. Tenía tal agotamiento que estaba a punto de derrumbarse.

En nuestra primera visita, exploramos su historia, pero no pudo recordar ningún acontecimiento específico que hubiera podido provocarle ese estado actual. Le dimos «deberes», le pedimos que reflexionara sobre su infancia a lo largo de la semana y que apuntara los dos o tres recuerdos más antiguos que recordara.

Cuando regresó a la semana siguiente para su segunda visita, como cabía esperar, nos contó un hecho que había recordado en ese tiempo.

Un verano, cuando era pequeña, se fue de vacaciones con su familia, y cuando regresaron a casa, sus padres estaban convencidos de que había entrado alguien mientras estaban fuera. No faltaba nada de valor, y nunca hallaron ninguna prueba clara y concluyente de que realmente se hubiera producido ese hecho. Pero ese suceso dejó una profunda impresión en Janice, que nos describió como un *sentimiento de intrusión*.

Fue necesario trabajar con los elementos del Proceso de los Cuatro Pasos durante una semana para que empezara a estar lo bastante tranquila como para poder dormir por la noche.

Lo más importante que cabe destacar aquí es que Janice no sólo *no* experimentó el acontecimiento inesperado, sino que habían muchas dudas respecto a si realmente se había producido. Sin embargo, sus padres creían que sí, y la experiencia indirecta de éstos de ese sentimiento de intrusión bastó para que ese impacto fuera duradero.

También es interesante el hecho de que al principio Janice no fuera capaz de recordar ninguna experiencia del pasado que pudiera haber desencadenado ese miedo irracional. El recuerdo de la experiencia de sus padres de que hubieran entrado en su casa vino sólo después de que pasara algún tiempo realizando un esfuerzo consciente para recordarlo.

Esto es bastante habitual, tal como vimos en la historia de Brenda.

Una mujer de unos sesenta años llamada Brenda vino a vernos porque le daban miedo los puentes. Brenda era una persona sana, capaz y totalmente autosuficiente, sin embargo, no podía ni conducir, ni caminar sobre puentes, y subir en ascensor era toda una hazaña para ella. Racionalmente, sabía que los puentes y ascensores eran seguros, pero su razón no le servía para nada cuando tenía que enfrentarse al pánico profundo que le producían esas situaciones.

Empezamos a revisar su infancia y a preguntarle si había algún momento significativo en la misma donde no se hubiera sentido a salvo. Igual que Janice, a Brenda, al principio no se le ocurrió nada. Al final, después de haber transcurrido una media hora en la que estuvimos hablando de las cosas que le habían pasado de pequeña, de pronto en su rostro se dibujó una expresión de asombro y dijo: «Ah, sí...»

Su madre murió cuando ella tenía nueve años; poco después su padre empezó a maltratarla. Recordó un día en que se había emborrachado mucho. Se pelearon y él intentó estrangularla. Al final pudo gritar lo bastante fuerte como para que un repartidor de periódicos que pasaba por allí la oyera y corriera a avisar a los vecinos para que le ayudaran, entró en la casa y detuvo al hombre impidiendo que le hiciera daño de verdad.

«Si no hubiera entrado —nos dijo— posiblemente, me habría matado.»

Cuando cumplió trece años, Brenda se escapó de casa para huir de su padre. Tras unos meses de vivir sola, llamó a un sacerdote, para hablar con alguien. Éste le prometió que guardaría el secreto de confesión, así que le dijo dónde vivía. Pero el sacerdote le mintió: inmediatamente llamó a la policía, que la llevó por la fuerza de nuevo con su padre.

¡No es de extrañar que Brenda no se sintiera segura! Sin embargo, por increíble que parezca había borrado esos recuerdos de su mente consciente. No es que los hubiera olvidado literalmente. Sabía que habían sucedido, pero durante años, simplemente había evitado pensar en ellos. Esto es mucho más común de lo que imaginamos.

Brenda, de adulta había aprendido a cuidarse sola y a mantenerse a salvo, pero el impacto emocional de esos hechos todavía estaba presente, y le generaba una ola de pánico ineludible cuando se enfrentaba a alguna cosa de su entorno que no podía controlar, aunque se tratara de un pequeño puente peatonal.

Para algunas personas este sentimiento de *No estoy a salvo* se manifiesta como miedos muy específicos, como la angustia de David cuando se encontraba en lugares que no conocía, el miedo de Janice a los ruidos nocturnos o el miedo de Brenda a los puentes. Para otras, se manifiesta como un estado general de ansiedad, nerviosismo o inseguridad. Puede hacer que nos sintamos indefensos, que tengamos miedo a probar cosas nuevas, a dar algún paso para cambiar nuestra vida para mejor.

Aquí tienes algunas de las formas que puede adoptar esta creencia:

No puedo autoprotegerme.

Estoy en peligro.

Estoy rodeado de peligros.

No hay ningún lugar seguro para mí.

Soy vulnerable.

No está bien demostrar mis emociones.

Me han abandonado.

Reflexiona un momento sobre las cosas que estén sucediendo ahora en tu vida, y comprueba si alguna de estas afirmaciones te resuena.

No valgo nada

Hace algunos años, dimos una conferencia sobre los métodos del Proceso de los Cuatro Pasos. Cuando llegó el momento de hacer la demostración de algunas de las técnicas de limpieza bioeléctrica (que veremos en el capítulo 4), pedimos un voluntario entre el público. Se levantó una mujer de la tercera fila y se presentó: se llamaba Jeanne y era abogada.

Le pedimos a Jeanne que eligiera un tema con el que pudiéramos trabajar, pero que no nos lo dijera. No tuvo que pensárselo: sin pestañear dijo: «Ya lo tengo». Pero no explicó en voz alta de qué se trataba.

Hicimos una demostración de varios elementos del Proceso de los Cuatro Pasos. Como no sabíamos nada de sus experiencias negativas del pasado ni de las creencias autolimitadoras concretas contra las que estaba luchando en el presente, como es lógico, no pudimos ser específicos en el paso *identificar*. Simplemente le pedimos que pensara en aquello que había elegido y seguimos con el resto del proceso.

Cuando terminó la demostración, Jeanne regresó a su asiento y no volvimos a verla, hasta que un año más tarde se presentó en nuestra consulta, diciendo que quería contarnos lo que le había sucedido en los meses posteriores a ese día.

Aunque nos dijo quién era, casi no la reconocimos.

Nos contó que su padre siempre la criticaba y (aunque nunca se había dado cuenta antes) esto le había creado un profundo sentimiento de baja autoestima y de ser una inútil. De mayor, se casó con un hombre que le aportaba el mismo patrón, incluso la maltrataba verbalmente, y al final, también físicamente.

«Cuando hablasteis de los tipos de creencias autolimitadoras que tenemos a veces —nos dijo—, mencionasteis que una de esas creencias era la de *No valgo nada*. Eso me llamó la atención. Mi esposo me había tratado fatal, y debido a mis propios sentimientos de baja autoestima, le había *dejado* hacerlo.»

Pero todo eso terminó el día en que Jeanne participó en nuestra demostración.

«Ese día cambió mi vida —prosiguió—. Después de eso, no consentí que siguiera tratándome mal. De hecho, pedí el divorció. Hoy, ya no forma parte de mi vida. Me he dado cuenta de que sí que valgo, y *nadie* me va a tratar como si no fuera así; ni siquiera yo misma.»

Lo que nos conduce al asunto contra el que Jeanne había estado luchando: su peso.

Hacía años, como escudo protector para defenderse de los malos tratos que le infligía su marido, empezó a engordar. Bastantes kilos de más. Un año después de nuestro primer encuentro, había adelgazado casi cincuenta kilos, lo que fue la razón de que al principio no la reconociéramos.

En los meses siguientes, perdió veinticinco kilos más. Actualmente, Jeanne dirige un negocio de nutrición y salud personal a través del cual ayuda a cientos de mujeres a recobrar su autoestima.

La autoestima es algo muy frágil. Cuando nacemos, casi no somos conscientes de nosotros mismos como seres independientes. Estamos totalmente dedicados a conocer en profundidad el mundo que nos rodea, ni siquiera nos damos cuenta de que *hay* algo que se llama «yo». A medida que va surgiendo y se va desarrollando nuestro sentido de identidad, empezamos a crear un saludable sentimiento de valía personal como seres con autodeterminación en el mundo. Pero en esos tempranos días, no hace falta mucho para asestarle un buen revés a ese sentido de identidad.

Todos tenemos alguna vez la experiencia de sentir que nuestros esfuerzos han sido inútiles. Pero a veces la experiencia de no estar a la altura de nuestras expectativas (las nuestras o las de los demás), de que nos *digan* que no estamos a la altura, tiene el mismo impacto que la colisión de un asteroide en nuestra conciencia. La creencia que nos forjamos de esa amarga experiencia es que *somos inadecuados; que no valemos nada; que somos unos fracasados.*

Fracasar forma parte de la vida. Cuando aprendemos a caminar, uno de nuestros primeros logros, nos caemos muchas veces, y lo mismo sucede con muchos de nuestros primeros logros en la vida. Aprendemos probando, fallando, corrigiendo y volviendo a probar. Pero hay un abismo entre saber que has fallado en una tarea específica y llegar a la conclusión de *soy un fracasado.*

Puede que las personas que tienen estas creencias vivan en un constante estado de ansiedad que contradice por completo su aparente seguridad en sí mismas, un sentimiento profundo de que, a pesar de sus aparentes habilidades, aptitudes y logros, están secretamente vacías y son superficiales, de que sus supuestos dones son un fraude. «Soy un impostor —sienten—, un farsante. Si realmente supieran quién soy, me despedirían.»

Richard, pastor protestante, era un orador verdaderamente inspirador. Divertido, con gancho y capaz de hacer que te elevaras, rebosaba esa confianza en sí mismo propia de alguien que se siente a gusto delante de un grupo.

«¡Si la congregación supiera la verdad!», nos dijo su esposa el día que vinieron a vernos juntos.

La verdad era que Richard no dejaba de preocuparse durante toda la semana por el sermón, y que el domingo por la mañana estaba destrozado.

«Tiene buen aspecto y parece tranquilo —añadió ella— y a todo el mundo le gusta sus sermones. Pero por dentro se siente fatal.»

Si existieran los Oscar a la Mejor Actuación de los clérigos, Richard lo ganaría. Pero peor que su nerviosismo, era su tormentoso sentimiento de ser un farsante.

Cuando Richard vino a nuestra consulta, le ayudamos a identificar la creencia limitadora que interfería en su camino. En cuanto empezamos a hablar de su pasado y le dejamos que recordara los acontecimientos de su infancia, no tardó mucho en identificarla.

Un día, cuando tenía sólo ocho años, una profesora le pidió que se pusiera de pie y que ante el resto de la clase hiciera un breve resumen sobre el capítulo de un libro que tenían que haber leído durante la semana.

Richard se levantó, tenía un nudo en el estómago, y se giró lentamente para dar la cara al grupo; en ese momento se quedó helado. La lengua se le trabó.

«A día de hoy —nos dijo— sigo sin saber por qué no pude resumir ese capítulo. Lo había leído y me había gustado. Pero, de repente, al estar delante de todos esos niños, me quedé en blanco.»

Richard recuerda que la profesora fue bastante compasiva, y cuando quedó claro que no iba a ser capaz de hablar, le dijo amablemente que volviera a sentarse y le pidió a otro alumno que saliera. Pero Richard recordaba claramente ese sentimiento de mirar a la audiencia, de oír las risitas y ver las caras de burla delante de él. Se sintió abochornado.

Nunca lo había verbalizado, pero lo que sintió en ese momento fue muy claro: «¡Qué idiota! ¡Qué imbécil! ¡Lo sé, pero no soy capaz de explicarlo!»

Ésa era la única vez que recordaba que se había quedado paralizado y no había podido hablar. Tras ese día, había hecho todo lo posible para obligarse a hablar cada vez que le pedían que lo hiciera. Incluso ensayaba las frases mentalmente con antelación y con el tiempo se volvió elocuente. Pero aunque nunca lo demostró, ese sentimiento de vergüenza de estar delante de la clase nunca desapareció. *Soy un fracasado*, le repetía su voz interior, incluso cuando ya se había convertido en un gran orador.

Mientras Richard nos contaba su historia, le fuimos guiando a través del Proceso de los Cuatro Pasos.

Una semana más tarde, su esposa nos llamó para contarnos el gran cambio que había realizado. Después de borrar esa creencia negativa e introducir una positiva en su lugar, Richard era una persona totalmente diferente. Daba sus sermones de una manera impecable como de costumbre, sólo que ahora su felicidad era genuina.

«Sois las únicas personas a las que se lo puedo contar —añadió—. Nadie más sabía por lo que realmente estaba pasando. Nadie veía su tormento, semana tras semana, durante años. Sólo quería daros las gracias y deciros que no es sólo una mejora: es una gran *transformación.*»

Esta creencia de *No valgo nada* suele surgir de haber crecido en un ambiente donde la persona ha recibido críticas o ha sido evaluada negativamente, como en el caso de Jeanne, o de incidentes donde uno se ha visto en el punto de mira o se ha sentido avergonzado, como en el caso de Richard. Sean cuales sean las particularidades del acontecimiento o de las circunstancias originales, empezaremos con una situación especial y luego la generalizaremos para que se convierta en una afirmación base sobre nosotros mismos, nuestras habilidades o lo que valemos como seres humanos.

En el caso extremo, la convicción de nuestra propia despreciabilidad puede conducir a pensamientos autodestructivos o de desesperanza, incluido el suicidio, la expresión última de la falta de autoestima. Lo más habitual es que se manifieste como un molesto sentimiento de no sentirse adecuado. Las personas que tienen la creencia de *No valgo nada* suelen tener problemas para afirmarse en cualquier situación, tanto si eso significa pedir un aumento salarial como concertar una cita.

Otra expresión habitual de esta creencia es «No soy bueno en...», puedes rellenar el espacio en blanco poniendo casi cualquier cosa. *No soy bueno en matemáticas. No soy bueno haciendo tareas mecánicas. No soy muy bueno en los actos sociales. No sé cómo dirigirme al sexo opuesto. No sé bailar. No sé cantar.*

Las variaciones autolimitadoras son infinitas. En la mayoría de los casos no se basan en ningún hecho concreto: casi todas las personas que afirman que «No soy buena en matemáticas» en realidad no son peores en sus habilidades matemáticas básicas que sus iguales, y lo mismo sucede con el resto de las autocondenas más comunes.

Por desgracia, aunque muchas veces sea así, no necesariamente tiene que seguir siéndolo. Al igual que con todas las creencias autolimitadoras, el *No soy bueno en...* con el tiempo puede convertirse en una profecía que se cumple a sí misma. La persona que está convencida de que no puede cantar una melodía no lo intentará, y cuanto menos cante, menos oportunidades tendrá de desarrollar esa habilidad. Si te repites constantemente que no eres bueno en los actos sociales, con el tiempo será cierto.

Luego está la versión de *Soy un fracasado* de esta creencia que conlleva miedo al éxito, así como miedo al fracaso. Son las dos caras de la misma moneda. Al fin y al cabo, si pienso que soy un fracasado, ¿qué pasará si triunfo en algo? Que se esperará que triunfe de nuevo en esa área, y luego será más duro cuando acabe fallando, que tarde o temprano sucederá, ¿no es cierto? Por lo tanto, para empezar mejor no triunfo: no hago nada que pueda hacerme destacar o llamar la atención.

La actitud es: no saques demasiado la cabeza de entre la muchedumbre. No sobresalgas, no te luzcas, no acapares atención indebida sobre ti. No hagas zozobrar el barco.

Aquí tienes algunas de las infinitas variaciones sobre el tema de esta creencia:

No me merezco (el éxito, la felicidad, etc.).

Soy un farsante.

Nunca triunfaré.

No puedo tener éxito, haga lo que haga.

He de ser perfecto.

Tengo muchas carencias.

No soy importante.

Soy insignificante.

Soy incompetente.

No soy lo bastante bueno.

No soy lo bastante inteligente.

No soy lo bastante atractivo.

No soy bueno en matemáticas (deportes, fiestas, arreglar cosas, cocinar, sexo, etc.).

Soy un inútil.

Soy decepcionante.

Dedica unos minutos a comprobar si te resuena alguna de estas afirmaciones.

Estoy indefenso

Cuando Carmen vino a vernos, estaba batallando con un problema crucial. Había negociado un acuerdo de divorcio y era el momento de firmarlo o de ir a juicio, pero no podía decidirse por ninguna de estas dos cosas.

«No sé qué me pasa —nos dijo—. No puedo..., no soy capaz de tomar una decisión. ¿Y si me equivoco?»

Carmen estaba tan paralizada por el miedo que estaba a punto de perder por completo lo que tanto le había costado conseguir, y se vería obligada a volver a empezar de cero, lo que sería desastroso.

Cuando la ayudamos a explorar su historia, pronto descubrimos qué era ese miedo paralizante y de dónde procedía.

De niña, Carmen y su hermano vivían con su madre. Aunque su hermano era más pequeño que ella, era más grande y más fuerte. Muchas veces, sin provocación alguna o advertencia previa, le daba un puñetazo o incluso una paliza. La madre concentrada en sacar la casa a flote, trabajaba muchas horas y rara vez estaba en casa para defenderla.

No es de extrañar que Carmen se formara una creencia limitadora que decía: «No soy lo bastante fuerte para cuidar de mí misma».

Volviendo al momento presente. A pesar de su educación universitaria y de ser consciente de que ahora era mayor y lo bastante fuerte como para cuidar de ella misma y luchar por defender sus derechos, esa voz interior seguía susurrándole este mensaje:

Estoy indefensa.

Como consecuencia no era capaz de armarse de valor por dentro para acabar con ese divorcio.

Todos intentamos mantener un grado de control básico sobre lo que sucede en nuestras vidas. Forma parte de nuestro crecimiento como personas, del proceso de convertirnos en adultos. Cuando nos sentimos fuertes, creemos, que podemos conseguir *cualquier* cosa que nos propongamos, y cuando así lo creemos, esa convicción galvaniza nuestra mente y nuestro cuerpo para ayudarnos a hacerlo.

Por desgracia, lo mismo sucede con nuestras creencias autolimitadoras. En la misma medida en que creemos que no tenemos ningún control sobre los acontecimientos, también *cedemos* ese control. Cuando creemos que estamos indefensos, cedemos nuestro poder.

Esta creencia se parece a la creencia de *No valgo nada*. La diferencia está en que las personas con la creencia de *Estoy indefenso* no consideran que no valen nada; sencillamente no se ven capaces de tener la habilidad de afirmar o ejercer su valía de un modo que pueda tener alguna repercusión.

Michael recordaba que siempre había sido reservado y tímido. En la escuela primaria, siempre le elegían el último para el equipo, y rara vez levantaba la mano en clase, aunque supiera la respuesta a la pregunta del profesor.

Este patrón perduró incluso cuando se hizo adulto. Nunca pedía un aumento salarial, o un ascenso, ni tenía ninguna iniciativa para ser reconocido, aunque siempre recibía buenas evaluaciones. Michael nunca tuvo la experiencia de confiar en sí mismo, de sentirse merecedor de halagos, promociones o triunfos. Se había resignado a una vida de mediocridad.

Nadie estuvo más encantado y asombrado que él mismo cuando Janet, una joven brillante de su comunidad, se enamoró de él. Salieron durante varios años y luego se casaron. Al cabo de un año, su alegría se convirtió en desesperación cuando se dio cuenta de que su joven matrimonio empezaba a fracasar. Buscaron ayuda y les recomendaron que vinieran a vernos.

«Cuando empezamos a salir —nos contó Janet—, Michael no sólo era encantador y divertido, sino también una persona segura de sí misma, incluso decidida. Pero cuando nos casamos, comenzó a cambiar, y apareció un Michael totalmente distinto, sin ambición, ni personalidad. No me gusta parecer tan tajante e insensible, ¡pero el hombre con el que me casé se ha convertido en un blandengue!»

Era evidente que ella le amaba y que quería que su matrimonio funcionara tanto como lo quería él. Pero se daba cuenta de que estaba empezando a perderle el respeto, y lo peor de todo, incluso el amor que sentía por él.

Cuando Michael tenía ocho años, sus padres se trasladaron de Arkansas a California. En la escuela, recibía burlas porque «vestía raro» y hablaba con un «acento peculiar». Entre los distintos apodos que le ponían los otros chicos, acabó con el de «Okie». Michael protestó y les dijo que era de Arkansas, no de Oklahoma, pero no le sirvió de nada. Incluso después de varios meses, cuando ya había dejado de ser el nuevo de la escuela, todavía le hacían burlas y era el blanco de un montón de bromas.

Desgraciadamente, los padres de Michael tenían muchas preocupaciones, demasiadas como para prestar atención a las quejas de su hijo sobre las bromas que le hacían en el colegio. Su hermano mayor, Tommie, empezaba a tener problemas importantes en la escuela, entre los que se incluían graves actos de vandalismo, le expulsaron dos veces en los seis primeros meses de su llegada. Y para colmo de la mala suerte, su hermana menor, Lizzie, enfermó y estuvo varias veces hospitalizada aquel otoño e invierno. Aunque por aquel entonces Michael no sabía lo grave que había sido el asunto, fue muchos años después cuando se enteró de que Lizzie estuvo a punto de morir aquel invierno, y que estuvo en una situación crítica durante algunas semanas. Por si fuera poco, sus padres también trabajaban y tenían la dificultad añadida de adaptarse a sus nuevos trabajos en California.

Dentro de esta cadena de pequeños y grandes desastres, el problema de Michael se escapó por completo del radar de su familia. Sabía que sus padres le querían, y nunca se portaron mal con él, ni le gritaron, ni le trataron mal; sencillamente parecía que no le *vieran*.

«Recuerdo que nos sentábamos a cenar —nos contó— y le pedía a mi padre o a mi madre que me pasaran las patatas, y no me hacían caso. Era como si ni siquiera estuviera allí, como si fuera invisible.»

A los ocho años, Michael todavía no había desarrollado la habilidad de ser objetivo y entender cómo veían y sentían las cosas sus padres. No tenía idea de lo grave que era la enfermedad de Lizzie, ni era del todo consciente de lo que estaba haciendo Tommie, ni tenía ni idea de todas las presiones a las que estaban sometidos sus padres para adaptarse a un trabajo nuevo en un estado diferente. Tampoco tenía a nadie con quien hablar de esto, aunque sólo fuera para desahogarse. Lo único que pudo hacer fue llegar a sus propias conclusiones, basadas en su experiencia.

Michael llegó a la conclusión de que *Él no importaba*, de que no podía influir en sus circunstancias o cambiar nada, de que estaba indefenso. Estas creencias no las verbalizó nunca ni las razonó claramente, pero las *sentía*, y esas impresiones emocionales forjaron esa creencia negativa en su ser.

No es de extrañar que nunca se ofreciera voluntario en clase. ¿Por qué preocuparse? O se reirían de él porque no respondería correctamente, o respondería bien, pero *también* se reirían de él. Y nadie haría nada al respecto. Y arrastró esta creencia hasta que fue adulto, es decir, el profundo temor de que sus superiores le ridiculizaran por pedir un aumento o un ascenso.

Cuando conoció a Janet, el entusiasmo de iniciar una relación le removió tanta energía positiva que pudo sobreponerse a esa antigua programación; al menos durante algún tiempo. Pero una vez casados, ahora Janet era de la *familia* y tenía una arraigada creencia que le decía «Mi familia no me ve, soy invisible para ellos». Como cabía esperar, pronto volvió a su habitual modus operandi de *Estoy indefenso*.

Michael y Janet se quedaron fascinados cuando les explicamos esto, y ambos comprendieron enseguida lo que había sucedido. Janet también tenía algunas cosas negativas propias que alimentaban más el problema (no es de extrañar, ¡estas situaciones rara vez implican creencias autolimitadoras de una sola de las partes!), y trabajamos con ambos durante varias sesiones en las semanas siguientes.

Sin embargo, la conducta de Michael se transformó desde la primera sesión. Ese día, cuando se levantaron para irse, parecía como si él fuera varios centímetros más alto y desde luego su apretón de manos era más fuerte. Mirándonos directamente a los ojos nos dijo: «Gracias por dedicarme su tiempo». En el momento en que salieron esas palabras de sus labios, se dio cuenta de su involuntario doble sentido y sonrió. La mirada de Janet en ese instante valía todo el oro del mundo. Fue una mirada de adoración amorosa combinada con el sentimiento de «¡Oh, *has vuelto*!»

Cuando estamos convencidos de nuestra impotencia, nos volvemos introvertidos y aprendemos a evitar las situaciones sociales. En la medida en que actuamos de este modo, las personas que tenemos a nuestro lado pueden empezar a tratarnos de la forma en que esperamos que lo hagan. Las personas empiezan a ignorar nuestras opiniones y pensamientos, tratándonos como si no existiéramos. No es que no les gustes; simplemente, no piensan en ti. Al igual que Michael, empiezas a ser invisible.

Aquí tienes algunas de las muchas formas en que puede expresarse esta creencia:

No tengo el control.

Estoy indefenso.

Soy débil.

No importo a nadie.

Soy invisible.

No puedo hablar en mi propio nombre.

Estoy atrapado.

Dedica unos minutos a comprobar si te resuena algunas de estas aseveraciones.

No merezco que me quieran

«Estamos preocupados por Heather. Ya han pasado *tres semanas*, ¿tienen alguna hora libre para visitarla enseguida?»

Los padres de la chica ya no podían más. La joven Heather, de veintitrés años, era una estudiante universitaria inteligente y ambiciosa con un brillante futuro. Un día, sin previo aviso o signos de que hubiera algún problema, su novio desde hacía cuatro años la llamó y le dijo que no quería volver a verla, que hacía unas semanas que estaba saliendo en secreto con otra persona, y rompió con ella en ese mismo instante, por teléfono.

Heather no sólo se disgustó, sino que se quedó destrozada. Cada día llamaba a su ex novio en un desesperado intento de retomar su relación. Cuando él dejó de responder a sus llamadas, se quedó descorazonada. Sus padres estaban tan preocupados por la desesperación profunda de su hija que la trajeron a nuestra consulta.

En el caso de Heather, la causa inmediata de su aflicción parecía bastante evidente. Pero ¿lo era? Por supuesto, cuando descubres que tu novio o tu novia te ha sido infiel, es normal estar deprimido, sentirse herido y furioso. Pero su respuesta era exagerada. Ella no estaba simplemente herida, rota o furiosa. Estaba totalmente destrozada. ¿Por qué? Porque esa situación *resonaba* con algo más profundo, algo que ya estaba presente con anterioridad en la vida de Heather. No era sólo que el engaño de su novio la hubiera paralizado. La traición había removido sentimientos respecto a una creencia que ya tenía desde hacía años.

Cuando empezamos a hablar con Heather y sus padres, ninguno de ellos imaginaba los hechos traumáticos que podían haberle sucedido para que tuviera semejante creencia sobre su valía como persona y su derecho a ser amada. Era indudable que había tenido una infancia notablemente feliz. Sus padres la querían mucho y no dudaban en decírselo.

Sin embargo, cuando hablamos de sus primeros años de vida, surgieron dos hechos interesantes. El primero fue que cuando Heather era muy pequeña la madre y el padre trabajaban. Su padre, especialmente, tenía un horario exagerado. El resultado era que, aunque se sentía querida por él, rara vez le veía.

El segundo hecho biográfico era que: cuando tenía cinco años, murió su abuelo.

Heather lo adoraba, le amaba como si fuera su segundo padre. Habría sido más exacto decir que le quería como a un padre y punto, puesto que rara vez veía al suyo. Y cuando su abuelo falleció, la persona que siempre le hacía sentir que alguien la quería se desvaneció.

Tras una sesión, Heather se dio cuenta de que la llamada de su novio le había despertado un profundo sentimiento que había tenido toda su vida, pero que había aprendido a ocultar. No es que ya no se sintiera amada; sentía que *no merecía serlo*. El rechazo de su novio había confirmado esa profunda creencia que tenía desde hacía tanto tiempo, para ella, el amor inevitablemente terminaba desapareciendo.

Del mismo modo que la afirmación *Estoy a salvo* nos proporciona un buen pilar para crecer y explorar nuestro mundo, *Me aman* aporta un puntal a nuestro crecimiento como personas. Los seres humanos poseemos un anhelo innato de ser amados, primero por nuestros padres, y luego por nuestros amigos o seres queridos. Cuando esta base se tambalea, puede tener un efecto devastador, y esto puede manifestarse de formas sorprendentes.

Cuando Ruby vino a vernos con su marido, Joe, los dos ya eran octogenarios, y llevaban casados más de medio siglo. Sin embargo, unos pocos años antes de venir, Ruby se había enterado de que hacía muchos años Joe había tenido un *affaire* con otra mujer que había durado casi una década.

Ahora hacía mucho tiempo que ya había terminado esa relación amorosa; de hecho, Ruby se enteró de que había tenido lugar después de que la amante de su marido falleciera. Joe admitió lo sucedido y le pidió perdón varias veces. No podía explicar por qué lo había hecho; siempre había querido a Ruby y jamás se le había ocurrido divorciarse o abandonarla.

Ruby, por más que lo intentara, no podía perdonarle y olvidarse del asunto. De vez en cuando tenía arranques de rabia y de agresividad, aunque nunca se manifestaron físicamente, y a Joe, que estaba débil, que ya no podía cuidar de sí mismo y que dependía físicamente de los cuidados de su esposa, le asustaban. Estaba empezando a temer seriamente por su seguridad.

«Quiero olvidarlo —nos dijo Ruby— pero no puedo. Es casi como si estuviera poseída. Cualquier cosa que me recuerda vagamente la traición de Joe, incluso mencionar palabras inocuas como *belleza, atracción* o *secreto*, me enciende.»

Tras un año de observar la lucha de Ruby por olvidar y perdonar a su esposo, sus hijos la animaron a venir a nuestra consulta.

Externamente, ella estaba furiosa, pero detrás de esa furia había un conflicto emocional muy distinto.

Ruby se educó con una madre que era muy dura y crítica, solía desaprobar la elección de ropa de Ruby, a sus amistades, y todo lo que hacía. No podía recordar ni una sola vez que la hubiera felicitado por tomar una buena decisión. Esto tuvo como consecuencia la firme convicción de que no merecía ser amada.

Uno de los recuerdos más impactantes de Ruby fue algo que le sucedió con su padre cuando estaba en octavo curso. Un día, un chico de su clase la acompañó desde la escuela, y cuando entró en casa, su padre estalló. «¡Los chicos sólo buscan una cosa!», le dijo, y le prohibió que volviera a dejarse acompañar a casa por ese chico ni por ningún otro.

Para Ruby, eso no hizo más que reforzar su creencia de que no merecía ser querida: no sólo se encontraba con la desaprobación de su madre de todo lo que hacía, sino que ahora también su padre le había dejado claro que ningún chico la querría nunca por lo que era.

Cuando Ruby se hizo adulta, esa creencia había desaparecido y vivió con Joe felizmente durante décadas. Pero al enterarse de su *affaire*, se desencadenó de nuevo esa vieja y latente convicción. En realidad, nunca había desaparecido, sólo había quedado latente a la espera de que se produjera la prueba adecuada y pudiera confirmar su mensaje tóxico.

Su lógica emocional era la siguiente: *El hecho de que Joe me estuviera engañando a mis espaldas confirma que no merezco que me quieran, y que nunca lo he merecido. Durante un tiempo* creí *que lo merecía, pero estaba equivocada, y si ahora insiste en decirme que me quiere, debe estar mintiéndome.*

La creencia de *No merezco que me quieran* suele remontarse a nuestros padres o primeros cuidadores. Puede proceder de haber tenido la sensación de que el padre, la madre o ambos querían más a un hermano o hermana que al otro. Puede que el padre o la madre fueran especialmente fríos, distantes, poco afectuosos o que simplemente no pudieran estar *presentes*.

Estas situaciones y experiencias puede que no tengan nada que ver con la realidad del amor de los padres por su hijo o hija. Aunque tus padres hayan sido maravillosos, cariñosos, te hayan animado y apoyado, es fácil que haya habido incidentes que tú hayas interpretado como una retirada o retención de su amor y apoyo por ti. Puede que tuvieran la carga de un horario laboral muy duro o que les preocupara un asunto de salud. A veces, la circunstancia más inocente puede ser malinterpretada por un niño como una muestra de abandono, como vimos en la historia de Jack.

«He alejado de mí a todas las mujeres a las que me he acercado —nos dijo Jack en la primera visita— y no sé cómo cambiar, estoy a punto de perder mi relación con Greta, y ella es lo mejor que me ha pasado en la vida.»

Jack parecía estar muy tranquilo y seguro de sí mismo, pero, como pronto vimos, interiormente era un hervidero de angustia.

A pesar de todo lo que quería a Greta y de todo lo que ella le quería a él, sentía que ella no le correspondía lo suficiente. Sus constantes exigencias para que ella le demostrara su amor empezaban a volverla loca.

«Sé que es exagerado —reconoció— y que estoy obsesionado. Siento que necesito que siempre me esté diciendo y demostrando que me quiere. Sé que la estoy presionando, pero no sé cómo corregirlo.»

Cuando Jack nos habló de su infancia, surgió un detalle fascinante. A los seis años, su madre tuvo que ser hospitalizada durante varios meses. Fue en otoño y coincidió con su ingreso en primer curso, la primera vez que iba a la escuela. Aunque no recuerda conscientemente este hecho, su profesora le dijo a su padre que se burlaron mucho de él el primer día de clase y que se lo había encontrado llorando en el patio.

A pesar de todo, Jack tenía muy buenos recuerdos de su infancia y dijo que había vivido en un entorno familiar feliz. Pero durante ese breve período de tiempo, en una circunstancia de su vida en que necesitaba desesperadamente el amor de su madre, ella no estaba allí y su joven cerebro interpretó que de algún modo era culpa suya.

Aunque Jack nunca lo expresó en palabras, la clara esencia emocional de la niebla de sufrimiento que nublaba su vida era: *No merezco que me quieran.*

En otra sesión, Jack recordó otra cosa que aclaró aún más su situación.

Un día, el verano antes de empezar a ir a la escuela, Jack y su padre habían acordado en secreto salir de casa a escondidas para ir a comprar el regalo de cumpleaños de su madre, pues cumplía años en agosto. Cuando llegó el sábado, su padre, despistado, se marchó de casa solo.

Jack oyó el coche alejándose de la entrada de la casa y corrió a la puerta gritando «¡Espera! ¡Espera!», pero su padre no le oyó y se marchó, sin darse cuenta de que su hijo le estaba llamando.

«Recuerdo claramente cómo se alejaba —comentó— y cómo me puse a llorar. Mamá quería saber qué me pasaba, pero no podía decírselo, porque era sobre *su* regalo de cumpleaños.»

Nos dijo que éste era uno de los recuerdos más vívidos de su infancia. Y eso sucedió dos semanas antes de que su madre ingresara en el hospital, privándole del amor que necesitaba cuando él «abandonó su casa» por primera vez para enfrentarse a la escuela.

De adulto, Jack no había podido deshacerse de ese sentimiento de no ser querido y no ser digno de ello, y por más confirmación y afecto que recibiera de la mujer con la que estaba, nunca era suficiente para acallar esa arraigada creencia.

Con la ayuda del Proceso de los Cuatro Pasos, Heather, Ruby y Jack pudieron superar sus dificultades.

Heather transformó su convicción sobre ella misma en que era una persona adorable y capaz que se merecía una relación verdaderamente sana y entrañable. Cuando su novio (ahora ex) la llamó para disculparse y volver con ella, permaneció firme y rechazó retomar la relación. Se dio cuenta de que él no estaba preparado para el tipo de relación que ella quería. Pudo marcar una clara frontera y seguir con su vida de una forma saludable, sintiéndose fuerte, competente y segura de sí misma y de su futuro.

Para Ruby, fue más costoso, pero le sucedió lo mismo. Al cabo de casi un mes de mejorar gradualmente, llegó un momento en que pudo decir la palabra *affaire* sin que le provocara enfado ni llanto.

En el caso de Jack, las cosas fueron un poco más difíciles. Cuando vino a vernos, Greta ya no podía soportar más sus continuas exigencias, y no pudo salvar esa relación. Sin embargo, cuando se liberó de ese sentimiento opresivo de su propia despreciabilidad, pudo iniciar otra relación de un modo mucho más saludable y relajado, y ahora él y su novia son muy felices juntos.

La clave está en que Heather *sabía* que ella estaba sobrepasando el límite de la razón; Ruby *sabía* que debía perdonar a Joe y seguir adelante; Jack *sabía* que presionaba demasiado a Greta con sus constantes exigencias. Pero el mero hecho de saber estas cosas no basta para cambiarlas.

Las diversas variaciones de esta creencia incluyen:

No merezco amor.

No tengo identidad.

No me merezco tener una relación entrañable.

He de esperar que me traicionen.

Dedica unos momentos a comprobar si te resuena alguna de estas aseveraciones.

No puedo confiar en nadie

«No sé qué puedo hacer para cambiar esto —dijo Tom—. Estoy sometido a mucha presión en mi trabajo.» Su esposa y él habían venido a nuestra consulta porque estaban en un punto muerto de su matrimonio. Claire notaba que él se había alejado; él sentía que ella no acababa de comprender el estrés que padecía.

La tensión fue visible desde el primer momento en que entraron en nuestra consulta. Era evidente que los dos se querían, pero el lenguaje corporal de Tom indicaba que se protegía, y se notaba que su amabilidad era forzada y artificial.

Fueron directos al asunto. Claire quería tener hijos y Tom no estaba seguro de si estaban preparados para dar ese paso. Por ese motivo, ella no quería utilizar métodos anticonceptivos y eso hacía que Tom fuera reticente a tener relaciones sexuales. Además del propio asunto del sexo, Claire sentía que él no le demostraba su afecto ni su atención, que en general se estaba apartando de ella y empezaba a albergar resentimiento.

«No sé qué decir —observó Tom—. Cuando llego a casa al final de día, estoy tenso y agotado. Hago todo lo posible para relajarme, pero me agobio.»

Empezamos a indagar en sus respectivas infancias y en cuestión de minutos la conversación se dirigió específicamente hacia Tom. Explicó que se había educado en un entorno emocionalmente frío, con un padre que era muy distante. Cuando era muy pequeño, sus padres se divorciaron y su padre se marchó.

En cierto modo, Tom estaba traumatizado por esta separación, y su sentimiento de abandono por parte de su padre le había dejado grabado el temor a tener una relación demasiado íntima. De adulto, temía la intimidad porque le daba miedo a perderla después. Al fin y al cabo, había perdido a su padre.

Lo cierto es que sus asuntos no tenían nada que ver con el estrés laboral; se originaban en su miedo a intimar demasiado con las personas a las que amaba. Su mente lógica utilizaba sus puntos de vista diferentes respecto a tener más hijos, como excusa para ese distanciamiento creciente entre ambos, pero no tenía nada que ver con los niños, ni con el sexo. Estaba relacionado con el hecho de que Tom tenía miedo de que, si se apegaba mucho a Claire, luego pudiera perderla.

La creencia de Tom era «Las personas que amo se van». Irónicamente, iba en camino de hacer realidad ese resultado. Como suele suceder, su creencia autolimitadora se estaba convirtiendo en una profecía que se cumple a sí misma.

Por suerte, él y Claire se querían realmente y querían resolver esto juntos. Y con la ayuda del Proceso de los Cuatro Pasos, lo consiguieron. Cuando la ansiedad y el temor de Tom a la intimidad desaparecieron, los dos pudieron rehacer su fuerte conexión.

Cuando estamos creciendo y aprendiendo a caminar por la vida, la confianza es el pegamento que mantiene unido nuestro mundo. Aprendemos a caminar, a hablar y a interactuar con nuestro entorno y con otras personas dentro de un contexto que depende de la confianza. Si no podemos confiar en nuestros sentidos, nuestro juicio, nuestro entorno y las personas que nos rodean, entonces no tendremos una base sólida sobre la que apoyarnos y crecer, y la vida será totalmente impredecible y aterradora.

No es de extrañar que cuando sentimos que se ha traicionado o se ha tambaleado nuestra confianza, la base de nuestra propia existencia se pueda ver amenazada o sintamos que está amenazada.

Las personas con la creencia de *No puedo confiar en nadie* enseguida se ponen a la defensiva, son recelosas o enferman. Debido a su sentimiento de no poder confiar en nadie, es muy difícil que se sientan cómodas entregando el control a otras personas. Pueden ser pasajeros molestos que dan instrucciones al conductor, microjefes u obsesos del control que vuelven locos a quienes tienen cerca. También pueden pasarlo mal intentando confiar en ellas mismas, y a raíz de ello no participar plenamente de la alegría de la vida. Pueden estar angustiados por cualquier cosa impredecible o espontánea, o parecer que no están en su propio cuerpo, alejándose como hacía Tom.

Dos causas son típicas de esta creencia. La primera, una experiencia con alguna figura de autoridad durante la infancia, especialmente los padres. La segunda, las pequeñas y acumulativas decepciones que podemos tener en la vida. A las personas que tienen una base más sólida y saludable, estas decepciones les resbalarán y no les provocarán un daño duradero. A las más vulnerables, se les quedarán enganchadas y les crearán un problema permanente, que alimentará la red neuronal de *No puedo confiar en nadie.*

La traición no tiene por qué ser de gran envergadura. Por supuesto, las grandes traiciones evidentes —sufrir abusos de uno de los padres o de algún familiar allegado, un amigo que dice mentiras sobre ti para ser más popular entre los compañeros de clase— pueden tener un impacto enorme. Pero incluso las pequeñas decepciones y lo que *percibimos* como una traición pueden crear un sentimiento duradero de abuso de confianza. El recital que te has perdido, el partido, la fiesta de cumpleaños, el regalo de Navidad olvidado.

La guionista de televisión Nora Ephron capta esto magistralmente en la película *Mi querido mafioso*, en la escena en que el gánster convertido en testigo federal, Vinnie Antonelli (interpretado por Steve Martin), habla de lo que supone para un niño sentirse decepcionado.

> Sé lo que es sentirse decepcionado. Cuando tenía siete años (¡no! ocho) lo único que deseaba para Navidad era una bicicleta nueva de color rojo. Mi tío favorito, Tío Alfresco, me juró que me la compraría. Yo contaba los días para Navidad. A las cinco en punto, de la mañana de Navidad: bajé la escalera y miré debajo del árbol. ¿Qué encontré? Al Tío Alfresco: muerto. En el suelo. Le habían disparado en la nuca. Además: *no había bicicleta.* Fue un día de Navidad muy decepcionante en muchos aspectos.

En realidad, puede que haya muy buenas razones tras lo que percibimos como una decepción o abandono. Puede que papá no pudiera llevarnos a nuestro recital o partido porque se le había estropeado el coche o porque tenía que trabajar mucho para mantener a la familia y se tuvo que quedar a hacer horas extras. Quizá mamá no pudo conseguir el dinero que necesitaba para comprarnos el juguete que nos había prometido. Y, bueno, el Tío Alfresco *no le pudo* comprar la bicicleta a Vinnie: le pegaron un tiro en la cabeza.

Sea cual sea la realidad externa o las circunstancias atenuantes, lo que percibimos es que alguien en quien confiábamos nos defraudó, y eso generó un patrón protector de interferencia en nuestro sistema de creencias que nos dice que el mundo no es un lugar en el que se pueda confiar.

En ciertos aspectos se parece a la creencia de *No estoy a salvo*. La principal diferencia entre ambas es que el tema de la *seguridad* conlleva más el sentido de seguridad física y emocional, mientras que el de la *confianza* está más relacionado con asuntos respecto a nuestra conexión con otros seres humanos, con los demás y con nosotros mismos. Es decir, la seguridad se relaciona más con el sentido del mundo que nos rodea, mientras que la confianza lo hace con el sentido de las personas del mundo: en términos técnicos, *locus de control externo* frente al *locus de control interno*.

Aquí tenemos algunas variaciones de esta creencia; dedica unos minutos para comprobar si te resuena alguna:

No me creo lo que me diga nadie.

No confío en ninguna persona de autoridad.

No soy una persona confiada.

No soy una persona digna de confianza.

No se puede confiar en mí.

No puedo confiar en mí.

Nunca tomo decisiones correctas.

Tengo mala suerte.

No puedo confiar en mis criterios.

Soy malo

La vida de Claudia era un rompecabezas. Era una persona extraordinariamente brillante y talentosa, con un gran dominio del lenguaje y un agudo sentido del humor; se había labrado toda una reputación como diseñadora de páginas web. Por desgracia, parecía que no podía conservar a sus mejores clientes durante mucho tiempo para construir relaciones profesionales provechosas y duraderas.

«No sé qué hago —nos dijo—. ¡Ni siquiera sé *cómo* lo hago! Aparentemente, soy cinturón negro en el arte del autosabotaje.»

Nos habló de su tres últimos clientes y de que a pesar de que se llevaba estupendamente bien con ellos y de que estaban muy contentos con su trabajo, sin saber cómo, se las había arreglado para alejarlos o para que dejaran de confiar en ella, la habían ido dejando uno a uno y se habían buscado otros diseñadores.

«Sinceramente, soy buena en mi trabajo —continuó—. Y podría ganarme muy bien la vida si pudiera dejar de ponerme piedras en mi propio camino.»

Cuando le preguntamos por su infancia, no paró de hablar.

Claudia y su hermana menor se educaron con una madre divorciada y veían muy poco a su padre (que vivía lejos). Pronto entendimos cómo Claudia había desarrollado semejante talento y dominio del lenguaje: se había entrenado con una madre que era muy crítica y severa, incluso cruel, en la forma como se expresaba según ella misma nos dijo. Claudia había aprendido desde temprana edad a responder contraatacando.

Sin embargo, por muy buena que hubiera llegado a ser rebatiendo verbalmente las críticas de los demás, éstas seguían doliéndole. Jean, como la llamaba Claudia (no podía llamar a esa mujer «mi madre», ni siquiera después de tantos años), le decía habitualmente que era una puta, una mala influencia para su hermana, una sabelotodo, egocéntrica y perezosa.

El verdadero asteroide estruendoso que mató a los dinosaurios llegó a sus catorce años.

«Un día cuando regresé de la escuela el piso estaba vacío. Quiero decir, *vacío*. Jean se había marchado, y tampoco estaba mi hermana Chloe. Pero eso no es todo. No quedaba nada. Ni siquiera los muebles.»

Mientras Claudia estaba en la escuela, su madre se había *mudado* literalmente, llevándose a Chloe.

Por fortuna, Claudia tenía una pariente que vivía cerca y pudo trasladarse a vivir con ella durante unas semanas mientras buscaban a Jean.

«Huyó —bromeó Claudia—, pero no pudo esconderse. Volví a vivir con ella, pero sólo hasta que cumplí dieciséis años. Desde entonces no hemos compartido domicilio.»

No era de extrañar que Claudia perdiera a sus clientes. Su lógica le decía que era una buena diseñadora y una persona de confianza para sus clientes. Pero en el fondo se había tragado la historia de que era una mala persona, perezosa, indolente, egoísta y que no era útil para nadie. Había una parte de ella que siempre esperaba que sus clientes se acercaran y luego desaparecieran de repente, y cuando no lo hacían, sin darse cuenta saboteaba la relación hasta que acababan yéndose.

Posiblemente, no hay niño o niña en el mundo al que alguna persona en la que confía o respeta no le haya dicho alguna vez que ha sido «malo o mala». Para un niño pequeño, que todavía está intentando labrarse su sentido de identidad entre la maraña de las experiencias cotidianas, el mero hecho de decirle «¡No!» o «¡No lo hagas!» puede ser recibido como un mensaje de *¡Estás equivocado! ¡Eres malo!* Eso es normal, nos sucede a todos. Sin embargo, en algunos casos, la acusación se queda grabada.

Como la letra escarlata de Hester Prynne, la persona con esta creencia autolimitadora lleva una insignia de condena que se cuela en todas sus experiencias.

El deseo de conseguir la aprobación de nuestros padres o de otras personas es innato en todos nosotros. Los niños desean complacer a sus padres, y prácticamente todos los padres, al menos algunas veces, utilizan esta vulnerabilidad como medio para controlar la conducta de sus hijos. Hasta cierto punto, es normal y productivo, tanto para proteger al niño de los peligros como para ayudarle a aprender a diferenciar las cosas importantes en la vida. No obstante, en algunas familias hay la tendencia a excederse en esto, sobrepasando los límites de la instrucción y entrando en el ámbito de la condena.

Por ejemplo, existe una diferencia entre bochorno y vergüenza. El *bochorno* viene causado por una acción específica que hemos realizado y que ha provocado una atención indeseada. *Vergüenza* es atraer una atención indeseada por *quiénes somos como personas*, no sólo por lo que hemos hecho.

Un niño derrama un vaso de leche sobre la mesa y le decimos: «¿Qué te pasa? ¿Cuántas veces te he de decir que tengas cuidado?» Por supuesto, son preguntas que no tienen respuesta, y el niño se queda sin saber cómo responder, salvo que le proporcionemos una.

En esa misma situación, imaginemos al padre o a la madre que le regaña del mismo modo, pero luego le dice: «Muy bien..., vamos a ver, ve a buscar papel de cocina y límpialo, y no ha pasado nada».

La regañina sigue doliendo, pero ahora se trata más de bochorno que de verdadera vergüenza, y el niño tiene alguna forma de remediarlo, de compensar el error mediante una acción positiva. Es decir, se le ha dado una fórmula para separar la torpeza de su identidad: puede haber *hecho* algo mal, pero eso no significa que él *sea* malo.

Los niños pequeños tienen tendencia a sacar este tipo de conclusiones. Como padres, una forma de asegurarnos de que no contribuimos a esta creencia en nuestros hijos es cuidar de no formular acusaciones generales. Frases que empiezan con «¿Por qué siempre...?» o «Cada vez que tú...» o «¿Por qué no puedes alguna vez...?» crean afirmaciones básicas de condena contra las cuales les es imposible defenderse.

Este desafortunado poder de la condena no es exclusivo de los padres. En cualquier relación donde una persona confíe o se preocupe por las opiniones de otra, puede producirse esta dinámica. Esas mismas afirmaciones devastadoras pueden proceder de un profesor hacia un alumno, de un hermano o hermana mayor hacia otro más pequeño o pequeña, o bien entre cónyuges.

La culpa busca castigo y las personas con esta creencia autolimitadora —normalmente sin darse cuenta de ello— hacen cosas que no son buenas para ellas o que son contrarias a sus supuestas intenciones y creencias conscientes. Es decir, tal como Claudia expuso exactamente, se convierten en cinturones negros en el arte del *autosabotaje*.

La historia de Stefanie, la ejecutiva con éxito que conocimos en la introducción y que vimos de nuevo en el capítulo 1, es un buen ejemplo de esta creencia. Cuando sus padres la regañaron por haber aceptado los veinticinco céntimos de dólar de su tía, sin darse cuenta o sin expresarlo en palabras, la pequeña Stefanie de siete años se había formado una creencia sobre ella misma que se parecía a esto:

Soy mala y una persona de la que hay que avergonzarse.

De adulta, esa niebla permanente de la autorrecriminación se había expresado de este modo:

Soy una persona que no merece el éxito ni soy capaz de conseguirlo.

Y, por supuesto, había tomado decisiones y emprendido acciones que, con el tiempo, coincidían perfectamente con esta creencia.

Aquí tenemos algunas variaciones de esta creencia:

Estoy equivocado.

No soy bueno.

Soy egoísta y sólo pienso en mí.

Soy culpable.

Debería avergonzarme de mí mismo.

Hay algo en mí que no funciona.

Me he decepcionado a mí mismo, me he rebajado.

Soy terrible.

Merezco que se avergüencen de mí.

Soy un pecador.

Traigo mala suerte.

Sólo me merezco cosas malas.

Debería haberlo sabido.

Estoy solo

Un día un hombre de unos cuarenta años se presentó en nuestra consulta y nos pidió una cita. No quería rellenar ningún formulario y nos dio el nombre de «Gabe X». Insistió en pagarnos en efectivo.

Gabe era un hombre atractivo. Bronceado y en excelente forma física, se movía como un atleta olímpico. Hablaba con precisión, pero de un modo monótono, y su rostro era prácticamente inexpresivo. El término clínico es *sin inmutarse*: más como un robot que como un hombre.

Enseguida nos dijo que ya había visitado a un montón de terapeutas y (como Stefanie) había leído bastante sobre el tema de los estados de ánimo. Nada le había ayudado.

La historia de la vida de Gabe era impactante. No había conocido a su padre; su madre era drogadicta y le había abandonado cuando era muy pequeño. Lo crió un pariente lejano que traficaba con drogas y formaba parte de una banda. Siempre había armas en la casa. Un día, cuando Gabe tenía nueve años, cogió un arma por curiosidad y se le disparó por accidente: mató a otro niño que estaba por allí.

De adulto había aterrizado en las Fuerzas Especiales y había sido destinado a las zonas de guerra más conflictivas, donde había servido a su país como francotirador durante algunos años. Ahora se había retirado del servicio, intentaba abrirse paso en el mundo de los negocios y tener una vida normal.

Y entonces nos dijo cuál era su problema.

«No siento mi alma», comentó.

El problema de Gabe trascendía términos clínicos como *depresión*, *ansiedad* o *estrés postraumático*. La expresión *desesperación existencial* quizá sería la más acertada. Simplificando, Gabe se sentía *desconectado de la vida*.

Para contemplar su dilema desde una perspectiva un poco diferente, veamos la historia de Nathan.

Nathan vino a vernos porque su matrimonio de cincuenta años de duración corría peligro. Amaba a su esposa, Judith, pero estaba demasiado deprimido para relacionarse con ella. Su mujer era abierta y sociable, mientras que él era introvertido y le irritaban los intentos de su esposa de llevarle a sus actos sociales. Por esto y por muchas otras pequeñas cosas, se enfadaba con ella, le gritaba, y después se sentía fatal.

Pero antes de entrar en la historia de Nathan, empezaremos por su vida actual. Era un ingeniero jubilado, ya no necesitaba trabajar. ¿Qué hacía con su tiempo? «No lo sé —dijo suspirando—. Tengo algunas aficiones y hago algunas cosas. Se podría decir que me distraigo con esas cosas. Sinceramente, no sé muy bien qué hacer con mi vida.»

Parecía un poco deprimido y malhumorado.

Cuando empezamos a hablar con él de su historia, descubrimos la razón.

Veinte años atrás, Nathan y Janie, su hija adolescente que acababa de conseguir su carné de conducir, habían salido a hacer un recado. Janie era la que conducía. Cuando pasaron por un cruce tranquilo a unas pocas manzanas de casa, un conductor borracho se saltó el semáforo a toda velocidad y se encastró en el costado del coche a cien kilómetros por hora. Janie sufrió aplastamiento de la caja torácica y no podía respirar, pero los dos quedaron tan atrapados que ninguno podía moverse. A la espera impotente de que llegara la ayuda, Nathan no pudo hacer más que quedarse viendo cómo su hija se asfixiaba lentamente hasta morir.

¿Es de extrañar que estuviera deprimido?

Pero ésa es la cuestión: por horrible y trágica que fuera la muerte de su hija, no era lo que corroía a Nathan. Sí, su muerte había sido increíblemente dolorosa, pero con los años, él y Judith habían ido haciendo las paces con su pérdida. No era eso lo que estaba ahogando su vida. Era la persistente experiencia de futilidad, de haber sido incapaz de hacer nada para evitar la tragedia.

Ella había muerto, mientras él estaba allí sentado sin hacer nada.

Por supuesto, no podía haber hecho nada en aquella situación: estaba inmovilizado físicamente en el mismo accidente que su hija. Pero fue justo eso lo que le dejó semejante herida. No era tanto el sentimiento de culpa, como ese persistente sentimiento de abandono y futilidad. ¿Cómo podía la vida ser tan injusta? Si podía suceder algo así, ¿qué sentido tenía nada?

Lo que le había dificultado tanto ver esto había sido que, en la medida de lo posible, había «superado» la tragedia. Ahora habían pasado años. Y Nathan ni pensaba en suicidarse ni iba por ahí abatido. No había síntomas claros ni llamativos. Sólo una oscura y densa niebla sobre su vida. Sencillamente, vivía desconectado.

Cuando se enfadaba con Judith, lo cual sucedía con bastante frecuencia, no era con ella con quien estaba realmente enfadado. Simplemente, exteriorizaba su hostilidad hacia ella.

Con quien estaba enfadado de verdad era con Dios.

Hemos visto muchas personas que han perdido a algún ser querido, en circunstancias especialmente atroces como terribles accidentes, crímenes violentos o largas enfermedades, que han superado la situación enfadándose con Dios, aunque no reparen en ello. Muchas veces, la gente niega esto conscientemente diciendo: «No, yo creo en Dios, Dios actúa de formas misteriosas, Dios debe tener un plan más grande», etc., pero eso puede ser la conversación interior lógica. Entretanto, el yo emocional está profundamente desconectado, de modo que tenemos un profundo agujero en nosotros y no nos damos cuenta.

Vemos esto sobre todo con la muerte de un niño, algo que parece tan injusto. Pero también en los casos en que un niño ha perdido a uno de sus padres demasiado pronto, a un abuelo o abuela, o algún ser querido.

Muchas veces vemos esto en el proceso de duelo: «¿Por qué ha dejado Dios que sucediera algo así?» es una pregunta muy habitual que surge en los grupos de ayuda mutua. ¿Por qué permite Dios que sufra un niño? ¿Por qué se ha llevado a un adolescente en un accidente de coche? En sucesos como los ataques terroristas del 11 de septiembre de 2001, o cataclismos por desastres naturales como el *tsunami* de 2004, que mató casi a un cuarto de millón de personas, el terremoto de 2010, que arrasó Haití, o el terremoto, *tsunami* y catástrofe nuclear que asoló Japón en 2011, la experiencia del trauma y el subsiguiente sentimiento de futilidad y pérdida de la fe pueden alcanzar una gran magnitud.

En muchos casos, la ira no se dirige contra Dios, sino contra uno mismo.

Deborah, otra paciente, tenía un hijo que murió en un accidente de coche tras haber estado bebiendo. Estaba furiosa consigo misma porque sentía que de algún modo debía haber impedido que bebiera y condujera, aunque no estaba presente, y por lo tanto, no *podía* haber hecho nada.

No son sólo las situaciones donde hay una muerte trágica las que pueden evocar este sentimiento de estar furioso con uno mismo. La gente muchas veces se enfada consigo misma por una ruptura o un divorcio y se siente culpable por la repercusión que puede tener sobre sus hijos o los problemas que éstos tienen de mayores. Una grave pérdida económica o un gran contratiempo profesional, un robo, un amargo divorcio de los padres...; hay muchas circunstancias en que el curso de los acontecimientos puede parecer tan injusto que nuestro sentimiento de justicia en el mundo queda irreparablemente dañado.

Esto tampoco tiene que ver de forma exclusiva con Dios. Se trata de nuestro sentimiento de estar conectados y de la pérdida de ese sentimiento.

Incluso las personas que no profesan una fe o creencia espiritual específica tienen *cierta* conexión con una realidad más trascendente. Muchas personas que no necesariamente creen en Dios, creen en el espíritu, en que existe una inteligencia u orden superior en el universo. Otras lo sienten principalmente como una conexión con la naturaleza, con las montañas y con los árboles, con el atardecer y la vegetación. Algunas sienten esta espiritualidad con más fuerza cuando se sumergen en la música o en algún arte. Otras lo sienten como una clara conexión con la familia humana.

La forma más simple es nuestro sentimiento de conexión con la propia vida.

Cuando sentimos esa conexión, nunca estamos verdaderamente solos. A la inversa, cuando no sentimos esa conexión —con Dios, con la naturaleza, con la familia humana, con la propia vida—, es cuando estamos solos, estamos *solos*. «El silencio eterno de estos espacios infinitos me aterra», escribió el científico del siglo XVII Blaise Pascal, cuya madre murió cuando él sólo tenía tres años.

Cuando la gente no está conectada con lo que hay fuera de ella, no sólo cambia su visión de la vida, sino que también cambia su salud. Pierden su esperanza y con ello el buen funcionamiento de su sistema inmunitario. El cuerpo responde al cese gradual de esa fuerza misteriosa que todos los profesionales de la medicina conocen como «voluntad de vivir».

El progreso de Gabe fue notable. En la primera sesión, después de conducirle a través de los sencillos pasos de limpieza que veremos más adelante, su conducta cambió de forma espectacular. El mejor modo de describirlo es: fue como si hubiera entrado en nuestra consulta en una película de blanco y negro y hubiese salido de ella a todo color.

En su tercera sesión, sonreía sinceramente, incluso se reía.

Para Nathan, desvelar su creencia autolimitadora y trabajar en este proceso supuso más tiempo. No se produjo en una sola sesión, sino en una serie de sesiones durante varios meses. Pero funcionó. Con el tiempo, esa niebla de la desesperanza, alienación y rabia se levantó hasta que consiguió reconectar con su esposa Judith. Desde entonces se involucra más en sus actividades y es más consciente de lo que hace, y la relación de la pareja ha mejorado de forma notable.

No hace mucho hicieron un crucero. Nos mandó una carta desde Italia: «¡No hemos discutido ni una sola vez! He de deciros que es maravilloso estar con mi mujer sin sentir esa antigua y conocida hostilidad».

Aquí tienes algunos ejemplos de cómo se puede expresar esta creencia autolimitadora:

Estoy solo.

La vida está vacía.

No tiene sentido seguir adelante.

Nada tiene sentido.

Estoy desconectado del mundo.

Estoy desconectado de Dios.

Estoy furioso con Dios

Estoy furioso conmigo mismo.

Tu propia evaluación de creencias personales

En la lectura de este capítulo, probablemente habrás comprobado que una o más de estas creencias te eran conocidas. Ahora tu objetivo es identificar cuál es la que más influye en tu vida.

Para ayudarte a seleccionarla, aquí tienes siete grupos de afirmaciones representativas de estas siete creencias. Cuando leas cada una, revisa las que te parece que encajan contigo y con tus experiencias cotidianas, aunque sólo sea un poco.

Al hacerlo, vuelve también a las experiencias importantes del pasado que hayas identificado en el capítulo 1, y cotéjalas con estas creencias. ¿Ves alguna correlación?

«No estoy a salvo.»

❑ No puedo evitar la sensación de estar en peligro inminente de que me ocurra algo malo, sufra una enfermedad letal o alguna otra amenaza para mi integridad.

❑ Suelo evitar o me siento mal en situaciones sociales donde hay mucha gente que no conozco muy bien.

❑ Me preocupo constantemente por mi salud y siempre me parece que algo puede hacer que enferme.

❑ Mi familia me dice que soy demasiado protector, pero soy incapaz de dejar de vigilarles y de preocuparme por ellos.

❑ Me pongo nervioso en espacios cerrados, abiertos o en lugares altos.

❑ Me cuesta expresar mis emociones, incluso con las personas que amo.

❑ Cuando se producen conflictos, hago todo lo que puedo por evitarlos en lugar de afrontarlos.

❑ Muchas veces me quedo bloqueado cuando he de tomar decisiones importantes.

«No valgo nada.»

❑ No me permito desarrollar cierta habilidad, carrera, practicar un deporte, afición u otra actividad, aunque sepa que soy capaz de hacerlo y que disfrutaré con ello.

❑ No me siento cómodo hablando en público.

❑ Soy un farsante, no me merezco el respeto de los demás, o no soy tan bueno o merecedor como parece.

❑ Casi nunca pido lo que creo que es justo o razonable por miedo a que me digan que no.

❑ Me cuesta mucho defenderme cuando las personas me critican o me tratan mal.

❑ Parece que siempre tengo relaciones en que la otra persona no me trata bien o me respeta.

❑ La gente me dice que no presto mucha atención a mi manera de vestir.

- ❑ Cuando hago algo nuevo, me cuesta mucho no pensar en la posibilidad de fracasar.
- ❑ En mis relaciones o en mi profesión, tengo la sensación de que me he «amoldado».
- ❑ Muchas veces tengo la sensación de que las personas con las que me relaciono son más inteligentes, divertidas, con más talento, etc., que yo.
- ❑ Siento que soy una carga para mi familia o las personas que me rodean.
- ❑ Muchas veces me preocupa decepcionar a los demás.

«Estoy indefenso.»

- ❑ En un grupo, aunque sea pequeño, suelo sentirme invisible.
- ❑ A veces me siento como un extraño incluso con las personas que me conocen.
- ❑ A veces me siento atrapado en mi trabajo, relaciones, profesión o en mi vida.
- ❑ A veces me pregunto: «Si de pronto desapareciera, ¿se daría cuenta alguien?»
- ❑ Sigo sin que me tengan en cuenta para algún tipo de reconocimiento, promoción o alguna otra clase de mérito.
- ❑ Mi vida es como un carrusel o como una atracción de feria: no tengo ningún control sobre ella.
- ❑ Tengo un problema con el alcohol, el tabaco, comer en exceso o con otras sustancias adictivas o con conductas compulsivas, y aunque me doy cuenta de que estas conductas me perjudican, siento que no puedo parar.
- ❑ Me preocupo constantemente por el estado del mundo y siento que nada de lo que haga puede cambiar nada.

«No merezco que me quieran.»

- ❑ Suelo preocuparme porque la persona con la que mantengo una relación amorosa deje de amarme o encuentre a otra persona.

- ☑ No creo que pueda ser capaz de mantener una relación sentimental verdaderamente gratificante y satisfactoria.
- ☑ Tengo el patrón de iniciar relaciones con personas que me rechazan o me abandonan.
- ☑ A veces alejo a las personas que más amo y no me explico por qué.
- ☑ A veces agobio a las personas que más quiero y no entiendo por qué.
- ☑ Aunque sé que mi pareja me es fiel, no puedo evitar mis celos.
- ☑ Tengo miedo de comprometerme en una relación, aunque sea con una persona a la que amo, porque no me puedo librar del temor a que acabe traicionándome o abandonándome.
- ☑ Creo que mi pasado me ha hecho demasiado daño como para que nadie pueda amarme de verdad.

«No puedo confiar en nadie.»

- ☑ Tengo miedo o no estoy dispuesto a confiar en los hombres, en las mujeres, en ninguna figura de autoridad, en mis colegas o socios, etc.
- ☑ Tengo miedo o no estoy dispuesto a confiar en la gente en general.
- ❑ Las personas allegadas a mí me dicen que soy una persona muy controladora, que he de hacerlo todo yo para que me parezca correcto.
- ❑ Mis hijos o mi pareja empiezan a estar resentidos conmigo porque dicen que siempre les digo lo que han de hacer o porque no confío en ellos.
- ☑ Me cuesta mucho divertirme, soltarme o relajarme cuando estoy con mis amigos.
- ❑ Mi pareja me dice que no soy espontáneo.
- ☑ Siento como que tengo el «toque de Midas a la inversa»: fastidio todo lo que toco.
- ☑ Tengo miedo de acercarme a las personas o de mostrar realmente mis sentimientos.
- ☑ Me cuesta bastante confiar en mi propio criterio.

«Soy malo.»

- ☑ Siento que soy mala persona.
- ☑ Siempre espero lo peor.
- ☑ Cuando pasa algo bueno, no puedo disfrutarlo porque estoy esperando que pase algo malo.
- ☑ Me siento culpable por cosas que he hecho en el pasado.
- ☑ Me siento culpable, aunque no sé exactamente por qué.
- ☑ Siento que mis allegados estarían mejor sin mí.
- ☑ Me cuesta mucho pensar que todo saldrá bien.
- ☑ Tengo un antiguo patrón de autosabotaje en mi trabajo, relaciones, salud o en mi vida.
- ☑ Siento que otras personas son mejores que yo.
- ☑ No puedo deshacerme del sentimiento de que algo no funciona bien en mí, que soy una mala persona.

«Estoy solo.»

- ☑ Aunque esté con otras personas, me siento solo.
- ☑ Tengo la sensación de que nadie puede llegar a entenderme o a entender cómo me siento.
- ☐ Me ha costado mucho entender que existe el alma o que, si existe, yo tenga una.
- ☑ Tengo la sensación de no pertenecer a ningún lugar.
- ☑ A veces siento que no merece la pena vivir.
- ☑ La vida a veces me parece una gran broma, o una gran tragedia.
- ☑ La vida no tiene sentido para mí.
- ☑ Estoy enfadado con Dios o conmigo mismo.

«¿Y si no estoy seguro de cuál de estas creencias es la que más se ajusta a mí?», nos preguntan a veces.

Aquí no hay respuestas incorrectas. Repetimos, el Proceso de los Cuatro Pasos es un sistema muy flexible. Aunque elijas una creencia que no coincida exactamente con lo que crees, vas a notar una mejoría de todos modos. No es como si te equivocas de medicamento: *siempre* es la medicina correcta. Una o dos creencias describirán mejor tu situación que otras y te conectarán más directamente con el tema central.

Pero *cualquiera* de ellas puede llevarte allí.

No importa qué creencia elijas para empezar el proceso, activarás las mismas partes del cerebro y pasarás del «Hay algo que va mal en mí» al «Hay algo bueno en mí» casi sin darte cuenta. Independientemente de los detalles y de la tendencia particular de tu propia versión de creencia autolimitadora, dará resultado.

Por lo tanto..., así debe ser, ¿vale? Cuando hayas identificado las falsas estructuras autolimitadoras que han estado afectando tus percepciones, posiblemente ya sabrás de dónde proceden y que no son la realidad, ya sabrás lo que está pasando, y podrás decir «Vale, eso fue entonces y ahora es así. ¡Ya lo he superado!»

¿Vale?

No exactamente.

Por supuesto, no es así de fácil. Si eso fuera todo, Stefanie nunca habría venido a vernos. Si eso fuera todo, no estarías leyendo este libro, ni nosotros tendríamos motivo para escribirlo.

El hecho de que identifiques una creencia autolimitadora falsa no significa que no la sientas. Como hemos dicho antes, no basta con saberlo: la niebla de sufrimiento se resiste a la lógica. Hablar de ello no es más eficaz que intentar cambiar de canal de televisión gritándole.

Justamente, ¿por qué es así? ¿Por qué persisten estas creencias y tienen tanta fuerza para dominar nuestras vidas?

Eso es lo que veremos en el siguiente capítulo.

3

La pulga y el elefante

No entiendo qué me pasa, pues no hago lo que quiero, sino lo que aborrezco.

Apóstol Pablo,
en Epístola a los Romanos 7, 15 (NVI)

Érase una vez una pulga que se creía la reina del mundo.

Un día decidió que quería ir a la playa a nadar. Pero la playa estaba a muchos kilómetros de distancia, y ella por sí sola nada más podía desplazarse unos centímetros cada vez. Si quería llegar a la playa en esta vida, necesitaría un medio de transporte.

Así que llamó a su elefante.

—Elefante, ¡vamos a ir de viaje!

El elefante de la pulga se puso a su lado y se arrodilló. La pulga saltó encima y le señaló hacia el oeste.

—¡Hacia allí, hacia la playa!

Pero el elefante no fue hacia el oeste. Parece que tenía ganas de dar un paseo por el bosque que había al este, y eso es lo que hizo. La pulga, muy a su pesar, no pudo hacer otra cosa que seguir montada, y se pasó el día recibiendo golpes en la cara de las hojas y las ramas.

A la mañana siguiente, la pulga intentó llevar al elefante a una tienda para comprar un ungüento para la cara. Pero él se puso a retozar en las montañas del norte, aterrando de tal modo a la pulga que esa noche no pudo dormir. La pulga tuvo que guardar cama durante días, con pesadillas de que iba por las sendas de montaña gritando, segura de que se iba a caer y a matar, y cada mañana se despertaba con sudores fríos.

Al cabo de una semana, al final se encontró bien para levantarse de la cama, y le hizo señas al elefante para que viniera a su lado, se subió encima y le dijo: «No me encuentro bien. Por favor, llévame al médico».

Pero el elefante se dirigió felizmente hacia la playa, donde se pasó el día nadando. La pulga casi se ahoga.

Esa noche, cuando estaba sentada junto al fuego intentando calentarse, la pulga tuvo un pensamiento. Se giró hacia el elefante y le dijo: «Bueno, mañana... ¿qué planes *tienes*?»

Probablemente, te preguntes cuál es la moraleja de la historia. Es tan sencillo como esto: si eres una pulga que monta un elefante, antes de hacer ningún plan, mejor que averigües lo que piensa tu elefante.

Esto es más importante en tu vida de lo que parece, porque en realidad *eres* una pulga montada sobre un elefante. La pulga de la historia representa tu *mente consciente*, que incluye tu intelecto y poder de razonamiento, tus ambiciones y aspiraciones, tus ideas, pensamientos, esperanzas y planes. Resumiendo, todo lo que consideras que eres *tú*. ¿Y el elefante? Es tu *mente subconsciente*.

Para entender cómo actúan juntas —o no lo hacen, como suele ser el caso—, empezaremos por la pulga.

Tu brillante e increíble mente consciente

El cerebro humano es la creación más poderosa, versátil y destacable que conocemos. Sus aproximadamente cien mil millones de neuronas se transmiten mensajes entre ellas a través de casi un cuatrillón de conexiones —varios miles de veces el número de todos los cuerpos celestes de la galaxia de la Vía Láctea—. La capacidad del cerebro humano, quedándonos cortos en palabras, es enorme.

El cerebro, que se aloja cuidadosamente dentro del cráneo y flota en una especie de bañera amniótica, el líquido cefalorraquídeo, se encuentra por encima de la estructura vertebral amortiguadora, todo en él está diseñado para ofrecerle la máxima nutrición, cuidados y protección. Con un peso aproximado de 1-1,5 kilos, el cerebro supone tan sólo un 1-2 por ciento del peso total de tu cuerpo, sin embargo, consume el 15 por ciento de toda la sangre, el 20 por ciento de todo el aire que respiras, y un 20-30 por ciento del consumo total de energía corporal.

En el cerebro de un adulto típico, 160.000 kilómetros de axones (fibras nerviosas funcionales) mielinizados y enmarañados forman como una bola de hilo extraordinariamente compleja creando una estructura que se asemeja a un par de puños cerrados. De hecho, si quieres hacerte bien a la idea del tamaño y la forma de tu cerebro, cierra ahora los puños y únelos, nudillos contra nudillos.

En la base y en el centro (pulgares, palmas y puntas de los dedos) se encuentran el cerebelo, las amígdalas, el hipocampo, el tronco cerebral y otras estructuras que se encargan de cientos de miles de funciones automáticas, como las habilidades motoras y del equilibrio, el control de los impulsos sensoriales y las acciones de respuesta al estrés que hemos mencionado en el capítulo 1. Las capas de tejido que envuelven la parte frontal y superior del cerebro (dedos y nudillos), la parte que se encarga del pensamiento consciente, se denomina *corteza prefrontal o lóbulo frontal.*

El lóbulo frontal es el director ejecutivo del cerebro, el responsable del enfoque y de la concentración, del aprendizaje y del poder de la observación consciente. Es la parte del cerebro que piensa y que razona, la parte a través de la cual evalúas tus opiniones, tomas decisiones y ejerces tu libre albedrío. Es la parte de ti que en estos momentos está leyendo esto, mientras tu tronco cerebral y otros centros más primarios se encargan de tu respiración, del ritmo cardíaco y de un millar de funciones más que se encuentran por debajo del radar de tu mente consciente. Si imaginas tu cuerpo como si fuera un gigantesco trasatlántico, tu lóbulo frontal sería el capitán. Decide a dónde quieres ir, traza la ruta y da las órdenes que acatan los miles de miembros de la tripulación. Es el cerebro consciente, esa parte que identificamos como «yo».

El lóbulo frontal es la joya de la corona del cerebro humano. Más que los pulgares, la visión bifocal o cualquier otra característica humana, es el tamaño de nuestro lóbulo frontal en relación con el resto de nuestro cerebro lo que nos distingue de las otras especies animales. Los lóbulos frontales a lo largo de la historia han sido los artífices de las palabras de Shakespeare, de la música de Bach, de los inventos de Leonardo.

Sin embargo, a pesar de todas estas maravillas, el cerebro consciente tiene sus limitaciones, y resulta que son bastante graves.

George Miller, uno de los padres fundadores de la moderna psicología cognitiva y una autoridad en la capacidad de percepción humana, fue el primero en describir el trabajo del cerebro humano como un procesador de información; básicamente, como un ordenador viviente. La contribución más famosa del doctor Miller a la ciencia cognitiva fue el concepto de *fragmentar*, que es un aspecto de la memoria a corto plazo. Según Miller, nuestra memoria a corto plazo (es decir, consciente) es capaz de retener unos siete «fragmentos» de información a la vez: por ejemplo, siete palabras, posiciones en el tablero de ajedrez, rostros o dígitos. (El descubrimiento del doctor Miller a veces se cita como la razón por la que Bell Telephone decidió que los números de teléfono tuvieran siete dígitos). Se parece a cuando los malabaristas hacen girar los platos encima de esos palos finos: si el cerebro consciente intenta retener más de siete detalles a la vez, pronto acabarás con los platos rotos en el suelo.

¡Pero veamos qué más está sucediendo en ese cerebro que hemos de conocer! Hay millones de procesos fisiológicos que tienen lugar en el cuerpo, procesos que si fallan o se detienen nos dejarían lisiados o muertos. El metabolismo celular, la función cardíaca o circulatoria, los ajustes endocrinos, la entrada de estímulos sensoriales (y su evaluación simultánea de los signos de peligro), el funcionamiento de los músculos en cientos de miles de sitios diferentes en todo el cuerpo..., la magnitud de la tarea es alucinante. Imagina que te has de concentrar en cada una de las reacciones metabólicas que tienen lugar dentro de nuestra digestión y de nuestras glándulas endocrinas. Si la mente consciente estuviera al mando de estos procesos, no viviríamos ni diez minutos.

Afortunadamente, la mente consciente *no* está al mando.

Un continente por descubrir

El concepto de mente *subconsciente* es bastante reciente, aunque los humanos siempre han sentido que había alguna fuerza más profunda e invisible, subyacente, detrás o más allá de la mente consciente. Desde la antigua Grecia, los científicos han intentado averiguar cómo contemplar exactamente la *psyque* humana, una palabra griega que significa «mente» o «alma». Aristóteles habló de la imaginación *(phantasia)*, diferenciándola de la percepción y de la mente, dando a entender que era un espacio dentro de la mente que trabajaba con imágenes específicas (*phantasma*) y las combinaba para llegar a ideas abstractas. En las mitologías de todas las culturas hay muchas historias de personas que han conectado con una sabiduría superior a través de las imágenes que aparecían en sus sueños.

Durante el Renacimiento y la «Era de la Razón», se dio especial importancia a la mente consciente. La famosa afirmación filosófica de René Descartes, «Pienso, luego existo», fue en parte una declaración de la claridad y la autoconciencia pura del pensamiento humano. Varias generaciones después, John Locke, autor del *Ensayo sobre el entendimiento humano*, siguió liderando la idea de la autoconciencia completa y transparente del ser humano. Pero esta visión nítida y ordenada no duró mucho tiempo. «A finales del siglo [XIX] —como escribe Tor Norretrander en *The User Illusion*— el concepto del hombre transparente sufrió un grave desafío», a medida que los científicos intentaban ir más allá en sus observaciones del animal humano. «Hermann Helmholtz, el médico y fisiólogo alemán, empezó a estudiar las reacciones humanas alrededor de 1850... [y] llegó a la conclusión de que la mayor parte de lo que sucedía en nuestras cabezas era inconsciente.»

Hacia finales del siglo XIX, los científicos, incluidos William James, Arthur Schopenhauer y Pierre Janet, estaban utilizando los términos *inconsciente* y *subconsciente* en sus intentos de explorar este ámbito. Fue Sigmund Freud, en su *Interpretación de los sueños*, de 1899, quien más popular se hizo por reconocer que existía un inmenso continente sin cartografiar dentro de la mente humana, que tenía una tremenda influencia en nuestras vidas. Freud, que lo llamó *mente inconsciente*, emprendió la tarea de cartografiar este territorio desconocido, utilizando las herramientas de las que disponía, que consistían en gran parte en el diálogo verbal y en el análisis de los sueños, que denominó la «vía regia hacia el inconsciente». (Aunque todavía se suele preferir el término *inconsciente* en los círculos científicos y el propio Freud condenó públicamente el término *subconsciente*, este último término es el que más se ha utilizado en el lenguaje cotidiano, y es el que hemos empleado en este libro.)

La concepción de Freud de la mente inconsciente en general era negativa, en el sentido de que la veía como el depósito de los anhelos y deseos socialmente inaceptables, recuerdos dolorosos y reprimidos, y otros similares. Sus contemporáneos, principalmente, Pierre Janet y Carl Jung, desarrollaron esta idea en otras direcciones, como lo han hecho desde entonces muchas de las distintas escuelas de psicología. Sin embargo, las herramientas básicas de investigación de las que disponía esa generación de investigadores y clínicos no cambiaron o mejoraron significativamente hasta la década de 1990 con el surgimiento de métodos que incluían aparatos de alta tecnología para captar imágenes del cerebro, nos referimos especialmente a las imágenes por resonancia magnética funcional (IRMf).

Una de las múltiples ventajas de las nuevas tecnologías de visualización de imágenes fue que, a diferencia de instrumentos como el electroencefalograma (EEG) y la magnetoencefalografía (MEG), que estaban bastante limitados para medir la actividad cercana a la superficie del cerebro, la IRMf permite a los investigadores observar el interior de nuestro cerebro, preparando el camino para una nueva comprensión de la exacta magnitud y complejidad de lo que sucede en el interior de nuestras cabezas. Fue como si hubiéramos pasado un siglo intentando explorar todo un continente a pie y de pronto tuviéramos acceso a fotografías desde helicópteros, aviones y satélites.

¡Y qué extraordinaria imagen empezó a surgir! La mente subconsciente:

- Es la responsable de miles de procesos y subprocesos del metabolismo fisiológico, de funciones que el cerebro consciente prácticamente no conoce.
- Administra y selecciona millones de bits por segundo de información sensorial, de la cual nuestro cerebro consciente sólo se percata de una mínima parte.
- Archiva, ordena y mantiene un almacén de recuerdos que, aunque los científicos todavía no han podido llegar a cuantificar, probablemente ascienda a billones.
- Controla funciones corporales que nuestro cerebro consciente desconoce, incluidos los minuciosos y complejos detalles del movimiento y del equilibrio, de la respiración, del parpadeo, del uso de las manos y de los dedos, de los conjuntos coordinados del movimiento, que incluyen caminar, hablar, conducir un vehículo, etcétera.

George Miller, que nos aportó el concepto de fragmentación, también cuantificó la diferencia entre la capacidad operativa de la mente consciente y la subconsciente. Según el doctor Miller, la mente consciente lanza un promedio de 20 a 40 disparos neuronales por segundo, mientras que la subconsciente lanza un promedio de 20 a 40 *millones* de disparos neuronales por segundo. Es decir, al medir la actividad de la mente subconsciente en comparación con la mente consciente, estamos contemplando una proporción de aproximadamente de uno entre un millón.

Lo que resulta ser aproximadamente la proporción del peso de un elefante respecto, a ver si lo adivinas: al de una pulga.

Un iceberg debajo de la superficie

En una de las paredes de nuestra consulta hemos colgado la foto de un iceberg para que nos recuerde que ésta es la realidad de la naturaleza humana.

En general, sólo una décima parte de la masa del iceberg se encuentra por encima del nivel de agua, lo que significa que hay casi un 90 por ciento debajo. Se parece a la forma en que está organizada la mente humana, sólo que aquí las cifras varían un poco. En lo que a tejido físico respecta, un 15 por ciento de la masa cerebral está dedicada a procesos conscientes: se parece a las proporciones de la punta del iceberg. Pero cuando nos referimos al procesamiento de bits de información, la función consciente de la mente representa una *diezmilésima parte de un 1 por ciento* de la función total del cerebro.

Es decir, el cerebro es un iceberg que está sumergido en un 99,9999 por ciento por debajo de nuestro nivel de conciencia consciente.

Podemos acceder a diminutos fragmentos de esa parte sumergida cuando queremos, por ejemplo, recordar lo que queríamos comprar en el supermercado cuando recorremos sus pasillos. (No obstante, debido a la fragmentación, ¡cuando se trata de más de siete artículos es mejor hacer una lista antes de ir!) Recordar una imagen mentalmente de alguien que conocías en la escuela o de la casa donde te criaste. Recordar un número de teléfono.

Pero no puedes recordar *todos* los números de teléfono que conoces, ni los rostros de *todas* las personas que has conocido, aunque estén todos en esa parte del iceberg de tu mente que se encuentra sumergida. Si pudieras recordar todo eso de pronto, la mente consciente se saturaría tanto de información que se bloquearía y no sería capaz de funcionar. Para funcionar te *has de* concentrar.

La mente consciente se concentra en una gama muy limitada de lo que está aconteciendo en nuestra vida en un momento dado. Tiene la capacidad de cambiar ese enfoque y emprender una acción nueva, pero normalmente no se involucra en la mayoría de los pasos que conlleva *realizar* esa acción. Cuando decides recordar algo —un número de teléfono, un rostro del pasado—, la mente consciente inicia la búsqueda. Como el capitán que está en el puente de un portaaviones, da las órdenes, pero éstas son llevadas a cabo por la tripulación, es decir, tu subconsciente.

Utilizar la mente consciente es como estar en medio de un inmenso museo por la noche cuando las luces están apagadas. Estás ahí en medio de la gran oscuridad y tu mente consciente es el rayito de luz de una linterna de bolsillo: puedes alumbrar un estante, alguna cosa en concreto, pero no todas a la vez.

Esto significa que puede ser difícil saber en qué creemos realmente.

Las creencias son grandes patrones de pensamiento. Si los pensamientos son los torrentes de agua que bajan por la ladera de la montaña, las creencias son los surcos en el suelo por donde circula el agua. Como vimos en el capítulo 2, creamos nuestras creencias formando tejido neuronal y conexiones sinápticas nuevas. En gran parte, se encuentran en la mente subconsciente. Se consideran subrutinas. Al igual que la respiración, si lo intentamos podemos concentrar nuestra atención en una creencia, pero el 99,9999 por ciento de las veces, como sucede con nuestra respiración, no pensamos en nuestras creencias, sencillamente, dejamos que *actúen*.

Por lo general, esto funciona bien. Pero cuando nos hemos formado creencias que están en conflicto directo con nuestros deseos conscientes, intenciones, valores y metas en la vida, entonces, «Houston, tenemos un problema». Porque aunque la pulga desee ir al oeste, el elefante puede decidir ir hacia el este o hacia el norte, y entonces no hay mucho que podamos hacer, salvo seguir montados, y como descubrió la pulga, el trayecto puede ser muy duro.

Dos mentes

La mente subconsciente funciona principalmente por asociación. Conecta unas cosas con otras. Es decir, presta atención a la resonancia y siempre actúa como telón de fondo. Eso significa que cuando tenemos una experiencia en nuestra mente consciente, nuestro subconsciente está ocupado buscando experiencias del pasado que le resuenen o que de algún modo sean parecidas. Su refrán: «¿A qué podemos recurrir para afrontar esta situación?»

Parte de este pensamiento comparativo puede asomar al plano del pensamiento consciente. No obstante, la mayoría se produce en un nivel tan profundo del subconsciente que no somos conscientes del mismo, y entonces podemos encontrarnos reaccionando a situaciones de formas que no nos parece que tengan ningún sentido lógico. (Como Clay, el piloto de aviones que se puso a gatear.)

Ésta es la razón por la que las experiencias fuertes de nuestra infancia pueden influir tanto en nuestra vida actual: mientras la pulga de nuestra mente consciente se concentra en lo que está sucediendo ahora, el elefante de nuestro subconsciente siempre está recurriendo a aquello que le resulta familiar dentro de los inmensos archivos de nuestro pasado. Aunque las asociaciones o conexiones no sean tan evidentes, la mente subconsciente está programada para descubrir esas similitudes, y es muy buena en su trabajo.

Desde la perspectiva de la supervivencia, esta estrategia es totalmente lógica: la mejor forma de predecir el futuro es la experiencia del pasado. Si notamos el tufillo de un aroma, un sonido o una imagen que nos recuerda a ese tigre hambriento con el que nos tropezamos hace años, es muy útil recurrir al instante a ese recuerdo de nuestro almacén y lanzar esos mensajes de alerta a las amígdalas y las glándulas suprarrenales lo antes posible. El subconsciente puede actuar casi un millón de veces más rápido que la mente consciente, y *lo hace*.

Pero esta estrategia de referencia-y-alerta no es útil si la información original estaba distorsionada. Basura dentro, basura fuera, como solían decir los informáticos. Si hay un defecto en el supuesto inicial, todo aquello en lo que bases ese supuesto también estará defectuoso. Por lo tanto, si basamos una creencia en experiencias microtraumáticas o traumáticas de la infancia como *Todas las personas a las que quiero me abandonarán* o *Soy un farsante un fracasado*, son los archivos a los que recurrirá nuestro elefante para decidir qué ruta seguir.

Repetimos, el subconsciente es adepto a descubrir esas pistas. La proporción de lo que *sentimos* —es decir, lo que nuestro subconsciente recoge— respecto a lo que *percibimos* conscientemente es de un millón y uno respectivamente. Eso es mucha información. Y si tus percepciones conscientes y conclusiones subconscientes no se corresponden, ¿adivinas cuál domina a la otra?

Por ejemplo, hablemos de nuestras relaciones.

Conoces a una persona. Lo primero que sucede, incluso antes de que puedas sonreír y decir «¿Me permite que le abra la puerta?», es que tu subconsciente está procesando millones de bits de información a la velocidad de la luz, en busca de posibles similitudes entre esa persona y este encuentro y todas las personas y todos los demás encuentros de tu pasado. Rasgos físicos, expresiones faciales, maneras, ropa, vocabulario, olores, sonidos, cualquier cosa, y luego enviará miniconclusiones a las partes internas de tu cerebro: *No es de fiar; No puedes confiar en él, puede que te traicione; Se está mofando como aquel niño que se rió de ti cuando ibas a tercero; Tiene las cejas como las de tu padre, y recuerda cómo te criticaba siempre tu padre...*

Es probable que no seas consciente de la mayor parte de esto, pero influye sutilmente en tus percepciones; con frecuencia *muy* sutilmente. De forma consciente piensas: «Oye, parece un buen chico». Pero en tu subconsciente, millones de sinapsis están gritando: «No te acerques a este chico, no puedes confiar en él, ¡te va a hacer daño!»

De pronto eres la pulga, piensas que te vas a la playa con un amigo nuevo y el elefante está galopando hacia el bosque en dirección contraria. Y lo mismo sucede no sólo con las relaciones románticas, sino también en los negocios, en clase, con las amistades, en las relaciones humanas de todo tipo y en todos los contextos.

Esto nos aclara más lo que le sucedía a Stefanie. La mayor fuente de dificultades para ella era que conscientemente intentaba ir en una dirección, pero sus creencias subconscientes la llevaban en dirección contraria.

Podemos ver el conflicto en esa experiencia inicial de la infancia. Al llegar a casa dando saltos de alegría con los veinticinco centavos de dólar en la mano, estaba contenta y orgullosa, hasta que la reacción de sus padres le transmitió el mensaje de que en vez de sentirse orgullosa debía sentirse avergonzada por lo que había hecho. De adulta seguía viviendo intensamente un conflicto muy similar. Por una parte, trabajaba mucho para triunfar en sus negocios, en su comunidad, en su vida familiar, en conseguir lo que ella consideraba como metas nobles, pero por la otra todavía había un mensaje acechándola que decía algo como «De cualquier cosa que *creas* que puedes sentirte orgullosa, en *realidad* deberías avergonzarte».

La pulga de la cultivada, hábil y muy inteligente conciencia de Stefanie estaba concentrada en medrar en los negocios, lo que no sólo beneficiaría a su familia, sino también a miles de familias, y en ese proceso estaría haciendo una maravillosa contribución a la sociedad.

Pero ésa no era la dirección en la que quería ir su elefante.

¿Recuerdas a Clay, el piloto de guerra al que le aterraban las alturas? La pulga de Clay estaba encantada saliendo a cenar al restaurante giratorio de la última planta de un hotel muy alto de su zona, pero su elefante se negaba a acercarse al lugar.

Utilizando una expresión conocida, podríamos decir que Stefanie tenía «dos mentes»* respecto al éxito, y que Clay tenía «dos mentes» respecto a si estaba a salvo suspendido allá en lo alto. Y en ambos casos, esto sería una verdad literal, dos mentes: una consciente y una subconsciente. La pulga y el elefante.

Ésta es la razón por la que nuestro Proceso de los Cuatro Pasos empieza por hacer exactamente la misma pregunta que hizo la pulga al fi-

* *Two minds*, es una expresión idiomática que significa «estar indeciso». *(N. de la T.)*

nal de nuestra historia: ¿Hacia dónde se dirige el elefante? ¿En qué *creemos* verdadera y profundamente?

¿Cómo sabemos hacia dónde se dirige el elefante?

Steve Hopkins ha sido siempre una persona tan simpática y sociable por naturaleza que jamás hubieras sabido que tenía un problema, pero lo tenía.

—Cuando salimos a cenar —nos explicaba su mujer cuando vinieron a vernos a nuestra consulta—, Steve llama antes al restaurante para que nuestra cena esté lista en cuanto lleguemos. Quiere comer y largarse cuanto antes.

—No es lo que *quiero* —dijo Steve—. Es lo que *tengo* que hacer.

Steve, director de ventas de una gran empresa y en camino de subir peldaños en la vida, estaba en una posición que le obligaba a relacionarse continuamente. Sus clientes nunca sospecharon lo que en realidad le sucedía, pero él sufría por dentro cada vez que tenía que asistir a un acto social. Deseaba con todas sus fuerzas entrar en el restaurante y marcharse sin pasar más tiempo del que fuera absolutamente necesario. Idealmente, estaría fuera en cuestión de minutos y en la cama a eso de las 20.30.

—Sé que esto vuelve locos a mi mujer y a mis hijos —prosiguió—. Al poco de llegar a algún sitio, me empiezo a sentir incómodo y tengo que salir por pies. Sé que es raro y no sé de dónde me viene esto. Sencillamente, soy así.

El elefante de Steve tenía la última palabra y le arruinaba la vida, ¿y por qué?

Con una técnica que vamos a ver en un momento, identificamos que a Steve podía haberle sucedido algo significativo cuando iba a sexto o séptimo.

—Ah, ya sé exactamente qué fue —nos dijo—. Nos mudamos.

Cuando tenía once años su familia se mudó a una casa nueva en otro barrio y tuvo que cambiar de escuela. De pronto, pasó de ser popular a ser un desconocido y a estar solo. Al ser bastante bajo para su edad, los otros chicos pronto empezaron a meterse con él y no tenía nadie que le defendiera.

Este capítulo en la vida de Steve no duró eternamente. Sociable por naturaleza, incluso a esa edad, supo adaptarse y al poco tiempo había hecho nuevos amigos. Pero esa experiencia fue como el choque de un asteroide que dejó su huella, y ahora, de adulto, tenía pánico a enfrentarse a actos sociales. Esa experiencia a los once años todavía le estaba diciendo que podían meterse con él y ridiculizarle.

Un caso clásico de *No estoy a salvo.*

Le guiamos a través del Proceso de los Cuatro Pasos. Su esposa nos llamó al día siguiente. «Anoche fuimos a un restaurante —nos informó entusiasmada— y estuvimos allí sentados, comiendo y charlando durante más de una *hora.*»

Seguimos trabajando con Steve, volviendo a una serie de acontecimientos tempranos concretos, ordenándolos y disipando su impacto, uno por uno. Al cabo de unas semanas su hija nos dijo: «Es increíble ver a mi padre relacionándose socialmente. La otra noche salimos con un grupo de treinta personas ¡y aguantó toda la velada!»

Además, su nueva sensación de bienestar pronto le reportó beneficios económicos extras. Como viajar en aerolíneas comerciales siempre le había provocado mucha ansiedad, se había gastado una pequeña fortuna en jets privados para su esposa y para él, dinero que ya no tenía que gastarse.

Caso cerrado..., salvo por un episodio realmente curioso. Un día Steve nos llamó para hablarnos de otro cambio, uno que no había previsto.

Hacía unos treinta años, se había caído de un tejado durante una tormenta eléctrica y se había partido el cuello. No quedó paralítico de milagro, y pronto recobró el pleno uso de sus miembros, pero desde entonces había tenido problemas en la espalda y cervicales. A pesar de ir a quiroprácticos, ortopedistas, y a todo aquel que se le hubiera ocurrido, no había podido hallar un alivio total, y el dolor seguía minándole.

Hasta ahora. «No sé qué hicisteis —nos dijo— pero me ha desaparecido el dolor crónico en la espalda y en el cuello.»

Por supuesto, no fue lo que hicimos *nosotros*, sino lo que hizo *él*: identificó y aclaró su trauma, lo que permitió que por fin despareciera la niebla de sufrimiento.

El problema había sido que, a pesar de que se había curado la lesión de su caída, el eco del trauma no se había sanado. En los segundos que hicieron falta para que se produjera ese accidente, un asteroide de miedo se había incrustado en la existencia de Steve: miedo a caerse, miedo a morir, temor por su familia. Sus músculos habían almacenado el trauma emocional asociado con la lesión en esa área, y aunque el acontecimiento en sí mismo desapareció en cuestión de segundos y los efectos evidentes de la lesión se curaron en cuestión de meses, el eco de todo el impacto emocional siguió incrustado en el entramado de su neuromusculatura durante todas esas décadas. Y como en el caso de David, el periodista, trabajar un tema había resuelto otro totalmente distinto, porque para el subconsciente, *no* era tan diferente, sino otra faceta resonante del mismo tema: *No estoy a salvo.*

Steve no tenía ningún problema fisiológico en los músculos del cuello. Pero éstos sabían algo que su mente consciente no sabía: sabían lo que había en la mente del elefante.

Eran *parte* de la mente del elefante.

La doctora Candance Pert, que durante veinte años fue jefa de sección del departamento de química cerebral del laboratorio de neurociencia clínica de los Institutos Nacionales de la Salud, es una de las investigadoras más destacadas sobre la relación entre la salud y los traumas físicos y emocionales.

«A las personas les cuesta mucho diferenciar entre el dolor físico y el emocional —dice la doctora Pert—. Muchas veces nos estancamos en acontecimientos emocionales desagradables del pasado que quedan almacenados en todos los niveles de nuestro sistema nervioso, incluso en el celular. Mis investigaciones de laboratorio me indican que todos los sentidos (vista, oído, olfato, gusto y tacto) son filtrados y los recuerdos son almacenados, a través de las *moléculas de las emociones*, principalmente los neuropéptidos y sus receptores en cualquier nivel cuerpo-mente.»

Antes los científicos creían que los neuropéptidos se encontraban principalmente en el cerebro, hasta que la doctora Pert y otros investigadores demostraron que tenemos células receptoras similares por todo nuestro cuerpo o, dicho con otras palabras, que la inteligencia está repartida por todo nuestro cuerpo, y no exclusivamente en nuestro cráneo. Y esa inteligencia sabe mucho más de lo que nuestra mente consciente *sabe* que sabe.

En cierto modo, la memoria muscular es en realidad un aspecto de nuestra inteligencia subconsciente. El trabajo del subconsciente no se limita sólo a ciertas partes del cerebro, sino que está distribuido por todo el cuerpo. Funcionalmente hablando, los músculos y otros tejidos forman parte de la mente subconsciente.

Y podemos utilizar esa inteligencia corporal para saber lo que realmente está pensando nuestro subconsciente.

Tu cuerpo lo sabe

Probablemente, te estés preguntando, cómo sospechamos que a Steve le había pasado algo cuando estaba en sexto o séptimo. Utilizamos una técnica denominada *feedback neuromuscular*.

Normalmente, se conoce como *test muscular* o *kinesiología aplicada*. Con este sencillo proceso podemos acceder a una tremenda cantidad de información. A veces la persona a la que le hacemos el test no es consciente de la misma. Desde detalles sobre la salud del paciente y su estado mental actual hasta pormenores sobre su propia biografía y dinámica familiar.

Una de las cosas que nos encanta de esta técnica es la gran simplicidad de su premisa. La idea básica es que el cuerpo tiene un conocimiento infalible, exacto y completo de sí mismo. En algún nivel muy primario, sabemos mucho más sobre nosotros mismos de lo que imaginamos. Nuestra sofisticada mente consciente puede no tener acceso a esa enorme cantidad de conocimiento corporal, pero nuestros músculos y nervios periféricos sí la tienen.

En cierto modo, es algo de sentido común. Lo revelamos en nuestro lenguaje. Por ejemplo, cuando estamos a punto de darle a una persona alguna noticia con una fuerte carga emocional, tanto si es buena como si es mala le decimos: «¿Estás sentado?» ¿Por qué? Porque instintivamente sabemos que una emoción fuerte puede hacer que nuestros músculos fallen de repente. Probablemente, conozcas el significado del acrónimo empleado en el *texting** LOL ROFT —*laughing out, rolling on the floor* (literalmente, reírse a carcajadas rodando por el suelo)—. Antes de que se pusiera de moda enviar mensajes de texto decíamos: «Me caí de la silla riéndome a carcajadas».

Éstas son más que meras figuras de lenguaje. Las respuestas emocionales fuertes tienen una repercusión inmediata en nuestra neuromusculatura. De hecho, los estudios científicos han demostrado que el estrés que suscita la repetición regular de una afirmación falsa debilita los músculos en un 5-15 por ciento. No se nota mucho, pero es lo bastante evidente como para darnos perfecta cuenta del mismo. Es más, esto sucede tanto si la persona a la que se le está haciendo el test sabe o no *conscientemente* que esa afirmación es falsa.

La mente consciente nos engaña, pero el cuerpo siempre nos dice la verdad.

Vamos a hacer un resumen de cómo actúa el *feedback* neuromuscular: dices algo mientras mantienes un brazo estirado, y la persona que te hace la prueba ejerce presión hacia abajo suave pero firme. Si lo que dices es cierto, tu brazo resistirá la presión y permanecerá en su sitio. Pero si es falso —*tanto si eres consciente de ello como si no*—, tu brazo se debilitará y cederá a la presión del que te hace la prueba.

El *feedback* neuromuscular nos abre una ventana a todo un mundo nuevo de información. Esquiva años de pensamientos conscientes, conceptos y opiniones, y revela directamente nuestras creencias subcons-

---

* Neologismo formado con las palabras *text* y *messaging*, indica el envío masivo de mensajes de texto a un grupo de usuarios. *(N. de la T.)*

cientes más profundas transmitidas por nuestros nervios y músculos periféricos.

Ventana a la verdad

En nuestra descripción de la primera visita de Stefanie a nuestra consulta, omitimos un detalle esencial: antes de revisar toda su historia, dedicamos unos minutos a hacer algunas pruebas de *feedback* neuromuscular.

Cuando Stefanie estiró el brazo, le dijimos: «Cuando tenías cinco años o incluso cuando aún no los habías cumplido, te pasó algo traumático». Su brazo se debilitó y bajó, cediendo a nuestra suave presión hacia abajo, lo que quería decir: *No es cierto, no me pasó nada profundamente traumático cuando tenía cinco años o cuando aún no los había cumplido.*

«Cuando tenías seis», proseguimos. Otra vez se debilitó el brazo: no, tampoco fue a esa edad. «Cuando tenías siete.» *Bingo.* El brazo de Stefanie se mantuvo firme, lo que indicaba un *sí* rotundo. Fuera cual fuera el acontecimiento que estábamos buscando, sucedió a los siete años, y su neuromusculatura lo sabía.

Cuando hubimos averiguado la edad exacta en que se produjo la colisión del asteroide en el mundo de Stefanie, enseguida supo a qué nos estábamos refiriendo.

En lo que a ella concernía, ese acontecimiento en torno a los veinticinco centavos de dólar que le había dado su tía era algo de su infancia, algo que había quedado muy atrás. Nada de particular, agua pasada. Pero *no* era agua pasada: sus nervios y fibras musculares todavía vibraban con el impacto emocional que había dejado la experiencia. Su mente consciente le había dicho: «Eh, no pasa nada», pero su cuerpo todavía le estaba gritando: «Es un *enorme* problema, ¡todavía estoy afectado por ello!»

Todos estamos muy bien protegidos, así es como salimos adelante. Nuestra gran capacidad para el autoengaño nos permite negar la realidad para sentirnos más cómodos en el presente. El *feedback* neuromuscular traspasa la barrera de la negación, va más allá de la fachada que dice: «Ah, superé eso hace mucho tiempo», y ve claramente lo que está pasando en lo más profundo de nuestro ser.

Un rato más tarde en esa misma visita, le practicamos un poco más de *feedback* neuromuscular para ayudarle a comprobar más en detalle lo que estábamos viendo. Le pedimos que repitiera la frase: «Soy la directora ejecutiva de [el nombre de su compañía]» y el resultado fue que el brazo permaneció firme. Hasta aquí nada de particular. Luego le hicimos decir: «Quiero ganar mucho dinero», y para su gran sorpresa, *su brazo se debilitó.*

Le hicimos la prueba de «Quiero que mi familia sea feliz». La respuesta fue que el brazo se mantuvo firme. Era cierto. Su pulga y su elefante estaban de acuerdo: los dos querían *eso.* Pero cuando le hicimos decir «*Yo* quiero ser feliz», su brazo se volvió a debilitar. Su pulga quería ser feliz. Su elefante tenía otras ideas.

Cómo realizar el *feedback* neuromuscular básico

Para una simple demostración de cómo actúa el *feedback* neuromuscular, tan sólo necesitas disponer de unos minutos con una persona que quiera hacer la prueba *(tester).* La persona no necesita que le des ningún tipo de información; lo único que ha de hacer es seguir unas instrucciones muy sencillas. (También ponemos a tu disposición un vídeo con unas breves instrucciones en la página web de este libro: www.codetojoy.com.)

1. Primero neutraliza el sistema

Para aseguraros de que vais a obtener resultados fiables, es muy útil que tanto el *sujeto* (tú) como el *tester* (tu amigo) dediquéis un minuto a equilibrar el sistema neuromuscular con un sencillo ejercicio respiratorio. Nosotros lo llamamos *respiración con las manos cruzadas*, y así es cómo se hace:

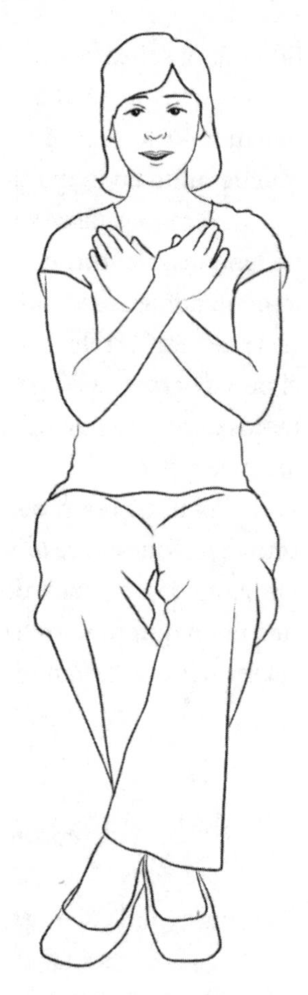

Respiración con las manos cruzadas

- Siéntate y cruza el tobillo izquierdo por encima del derecho.
- Coloca tu mano izquierda por encima del pecho, de modo que los dedos descansen sobre el lado derecho de tu clavícula. Ahora cruza tu mano derecha por encima de la izquierda, de modo que los dedos de tu mano derecha descansen sobre el lado izquierdo de tu clavícula.
- Toma aire por la nariz y expúlsalo por la boca. Cuando inspires, tu lengua tocará el paladar justo detrás de los dientes incisivos. Cuando espires, coloca la lengua justo detrás de los dientes frontales inferiores.

Sigue respirando de este modo, lentamente, de forma regular y relajada, durante unos dos minutos.

Verás que esto no sólo te ayuda a obtener resultados fiables en lo que viene a continuación, sino que es probable que te ayude a tener más claridad y a estar más relajado. Volveremos a este ejercicio en el capítulo siguiente y conoceremos más detalles sobre los efectos que tienen este ejercicio y otros similares sobre nuestro cuerpo y por qué.

No obstante, por el momento, vamos a dominar el abecé del *feedback* neuromuscular.

2. Siéntelo

Para empezar, poneos uno frente al otro. Tú (el sujeto) estiras lateralmente uno de tus brazos con la palma hacia abajo. Mientras mantienes el brazo en esa posición, tu pareja (el *tester*) coloca los dedos de una de sus manos encima de tu muñeca y empuja hacia abajo, suavemente pero con firmeza, mientras resistes la presión hacia abajo intenta mantener el brazo estirado.

Al principio el *tester*, presiona hacia abajo con la fuerza suficiente para sentir el grado de resistencia que ejerces. Ninguno de los dos bloqueará el brazo o forzará nada. Ésta será la fase de *calibrar el instrumento*: estáis averiguando cuánta fuerza es necesaria para equiparar la presión hacia abajo del *tester* con la resistencia del sujeto.

Puedes usar tanto el brazo derecho como el izquierdo. Si experimentas algún tipo de problema físico o dolor en uno de los dos brazos, simplemente usa el otro.

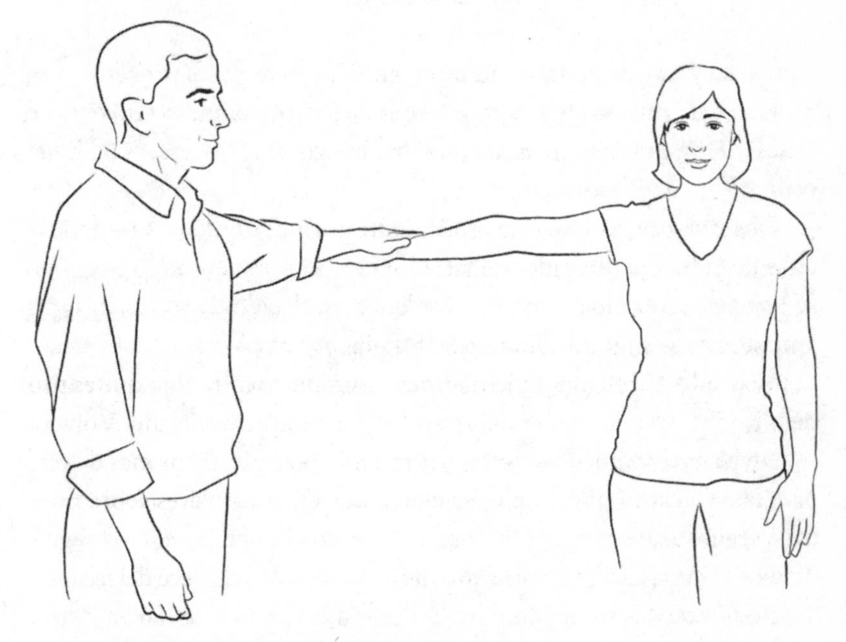

Feedback neuromuscular

3. Prueba una afirmación verdadera

Haz que tu pareja te someta a prueba mientras dices «Me llamo...» y di tu verdadero nombre. Deberías poder mantener el brazo estirado igual que antes.

4. Prueba una afirmación falsa

Ahora dile a tu pareja que te vuelva a someter a prueba mientras dices «Mi nombre es...», y esta vez di otro nombre, no el tuyo. Es decir, miente. Normalmente, tus músculos se debilitarán lo suficiente como para no poder resistir la presión hacia abajo del *tester*, y tu brazo cederá.

5. Prueba otro grupo de afirmaciones verdaderas o falsas

Descansa y sacude el brazo un momento, luego repite el proceso.

Esta vez, prueba un grupo diferente de afirmaciones verdaderas o falsas: «Hoy es lunes» o el día que sea. Luego di «Hoy es...» cualquier otro día, no el día correcto.

Observa que lo que estás midiendo normalmente es una reducción de la fuerza muscular de tan sólo el 5-15 por ciento. Tu brazo no se hundirá espectacularmente ni se quedará flácido. Pero tendrás que aprender a distinguir la diferencia. En muchos casos el sujeto se quedará fofo e incapaz de mantener su brazo estirado cuando el «resultado es débil».

Diviértete un poco con esto; prueba una serie de afirmaciones verdaderas o falsas. Por ejemplo, solemos usar «Dos más dos igual a cuatro», seguido de «Dos más dos igual a siete» o «Tengo [tu edad]» seguido de «Tengo [cualquier otra edad]».

No te excedas haciéndolo hasta llegar a cansar o a agotar tu brazo. Pero juega un poco con él hasta notar la diferencia entre fuerte y débil.

No es una prueba de voluntades, ni el *tester* ni el sujeto deben hacer mucho esfuerzo. No se trata de que el *tester* te fuerce el brazo hacia abajo, sino de que los dos trabajéis juntos para calcular la capacidad de resistencia del brazo.

Ahora, utilicemos esta herramienta para indagar lo que está sucediendo en tu subconsciente. Habrás observado que en la visita de Stefanie, utilizamos el *feedback* neuromuscular en dos ocasiones: una vez para averiguar cuál era su experiencia negativa del pasado y otra para averiguar cuál era la creencia autolimitadora. Hagamos ahora lo mismo contigo, empezaremos por averiguar cuál es la experiencia del pasado.

Utilizar el *feedback* neuromuscular para identificar experiencias importantes del pasado

Cuando leíste el capítulo 1, identificaste una serie de acontecimientos y experiencias de tu pasado que pudieron haber tenido un impacto negativo duradero en tu vida. Puedes usar el *feedback* neuromuscular para determinar cuáles son los más importantes para tu problema actual.

Puede haber una serie de acontecimientos importantes, pero vamos a identificar *el más significativo*, es decir, la experiencia que ha tenido el impacto negativo más fuerte en ti.

Empezaremos con la lista de acontecimientos del pasado más importantes que escribiste en el capítulo 1. Ahora somete a prueba cada acontecimiento, del mismo modo que sometiste a prueba las frases sencillas sobre tu nombre o la fecha.

«*La muerte de la abuela* tiene un impacto importante en mi problema actual.»

«*La muerte de la abuela no* tiene un impacto importante en mi problema actual.»

Recuerda que has de hacer afirmaciones, no preguntas. Cada afirmación que sometas a prueba ha de ser una declaración en presente: «Esto es así» o «Esto no es así».

Cuando hayas identificado los acontecimientos más importantes, puedes pulir esa afirmación:

«*La muerte de la abuela* es la influencia más negativa en mi vida en estos momentos.»

«*La muerte de la abuela* no es la influencia más negativa en mi vida en estos momentos.»

En el capítulo 1 te sugerimos que identificaras cada uno de los acontecimientos pasados negativos importantes en unas pocas palabras. Ahora podrás ver lo útil que es. Es mucho más fácil poner a prueba afirmaciones cortas y sencillas que largas y complicadas.

Para simplificar, aquí te será útil reducir tu búsqueda a un solo acontecimiento del pasado. Por supuesto, es casi seguro que habrá más de uno que te haya impactado, y con el tiempo, podrás trabajarlos todos. Pero cuando haces el Proceso de los Cuatro Pasos por primera vez, es más útil concentrarse sólo en un acontecimiento.

Después podrás regresar y hacer el proceso por segunda vez, concentrándote en otro hecho, y luego en un tercero, y así todas las veces que desees. En el caso de Stefanie, la ayudamos a identificar y a borrar tres acontecimientos pasados, uno a uno. En el caso de Steve Hopkins, fueron seis.

Pero ahora elige uno en el que quieras concentrarte.

Utilizar el *feedback* neuromuscular para identificar tus creencias autolimitadoras

Cuando hayas revisado los acontecimientos de tu pasado, podrás utilizar el mismo proceso para evaluar las creencias autolimitadoras que has trabajado en el capítulo 2.

«*No estoy a salvo* es mi creencia autolimitadora más fuerte.»

«*No estoy a salvo no* es mi creencia autolimitadora más fuerte.»

Etcétera.

Igual que te ocurrió con los acontecimientos del pasado, puede que hayas descubierto más de una creencia autolimitadora. De hecho, hay muchas probabilidades de que así sea. La mayoría de las personas no se enfrenta sólo a una, sino al menos a dos o tres de estas creencias. Pero repetimos, es más útil elegir una, *la más importante*, y trabajar sólo con ella por el momento.

Tal como hemos dicho en el capítulo 2, no hay respuestas incorrectas: el Proceso de los Cuatro Pasos es un sistema muy flexible. Aunque elijas una creencia que no encaja exactamente con lo que realmente te está sucediendo, vas a notar mejoría de todos modos. Lo único es que cuanto mejor localices los acontecimientos que te han afectado y las creencias que te están afectando ahora, más rápida y espectacular será la mejoría.

¿Funciona esto realmente?

«¿Cómo sé que esto está funcionando realmente y que la otra persona no está presionando más sobre mi brazo?» Ésta es una pregunta bastante frecuente. Al fin y al cabo, ¿no podría ser éste un ejemplo del efecto placebo, una sugestión mental?

Es una pregunta lógica. Nosotros también nos la hicimos cuando empezamos a explorar el proceso hace muchos años. Pero los resultados del *feedback* neuromuscular se pueden comprobar objetivamente con las herramientas e instrumentos de la ciencia.

Una de las confirmaciones más sorprendentes del *feedback* neuromuscular surgió hace más de una década, en un estudio realizado en 1999, por Daniel Monti, catedrático de la Facultad de Medicina Jefferson de Filadelfia. Monti y sus colaboradores eligieron a un grupo de ochenta y nueve estudiantes de medicina y les hicieron decir sistemáticamente afirmaciones verdaderas y falsas. (En el lenguaje del estudio, estuvieron «expuestos a estímulos semánticos congruentes e incongruentes».)

No había factor humano en esas mediciones. Utilizaron dinamómetros computerizados (un medidor de fuerza) para medir la fuerza ejercida sobre los músculos deltoides (hombro) de los sujetos. La respuesta muscular, tal como fue medida por estos instrumentos físicos objetivos, era regularmente un *17 por ciento más débil* cuando los sujetos decían afirmaciones incongruentes (es decir, falsas).

Tal como hemos dicho, este proceso no es una prueba de la fuerza bruta. Sin embargo, una vez tuvimos la interesante oportunidad de comprobar los límites puramente físicos de este procedimiento cuando vino a nuestra consulta uno de los atletas más fuertes del mundo, a quien llamaremos Dan.

Dan, en aquellos momentos era el número dos de levantamiento de potencia en el mundo. Había venido desde la Costa Este para participar en un campeonato en California. Durante su visita, le preguntamos si le importaría que le hiciéramos algunas pruebas de *feeback* neuromuscular, y aceptó de buen grado.

Dan era el hombre más corpulento que habíamos visto mi colega y yo. Cuando estiró el brazo para las pruebas, parecía como si pusiéramos la mano encima de un tronco. Dijo su nombre mirando en nuestra dirección. Como cabía esperar, no pudimos moverle el brazo. (Ese hombre tiene la potencia de un caballo.) Luego, también mirando en nuestra dirección, volvió a decirnos su nombre, pero esta vez uno falso. No tuvimos dificultad en bajarle el brazo.

No se lo podía creer. Estaba convencido de que era un truco. «Déjame probar de nuevo», nos pidió. Lo hicimos. Esta vez, intentó con todas sus fuerzas mantener el brazo estirado. Simplemente, no pudo hacerlo.

Ésta es la belleza de la prueba muscular: es sencilla y *funciona.*

Resolver problemas

«¿Y si mi tester *no nota la diferencia?»*

Debes asegurarte de que tu *tester* espere unos momentos después de que hayas dicho tu afirmación para aplicar suavemente la presión. También debes cerciorarte de que la presión es suave y gradual, no inmediata o brusca.

«¿Y si los resultados no son claros o son incoherentes?»

Debes cerciorarte de que te concentras en la afirmación que estás poniendo a prueba, y no limitarte a decirla en voz alta pensando en otra cosa o en otra persona. El *feedback* neuromuscular funciona igual tanto si dices la frase en voz alta como si la repites mentalmente, por lo tanto, si mientras repites la frase oralmente te estás concentrando en otra cosa, eso alterará los resultados.

Lo mejor para el sujeto y para el *tester* es no mirarse a los ojos mientras están haciendo la prueba, pues para el primero sería demasiado fácil buscar pistas sutiles en el rostro del sujeto. El *tester* ha de hacer todo lo posible por ser neutral, para actuar como un agente objetivo y mecánico.

Si te preocupa la objetividad del *tester* respecto a lo que ha sucedido en tu pasado y tus creencias limitadoras, o no te sientes bien hablando de algunas creencias con él o ella, también puedes poner a prueba estas afirmaciones haciéndolas en silencio. En ese caso, le dirás al *tester* que repetirás la afirmación mentalmente, y que le harás una señal con la cabeza cuando sea el momento de efectuar la comprobación. De este modo no sabrá lo que estás poniendo a prueba.

«¿Y si tus respuestas se manifiestan al revés, por ejemplo, como reacción a "Dos más dos igual a siete" tu brazo se queda fuerte en lugar de débil?»

Si ves claramente la diferencia, es decir, que tus respuestas se manifiestan al revés de como debería ser, entonces sentaos los dos y practicad otros dos minutos de *respiración con las manos cruzadas* para asegurar que vuestros organismos están equilibrados y son neutrales.

Si después de esto seguís sin obtener resultados claros, dejadlo por el momento y pasa al capítulo siguiente. En el capítulo 4, veremos más técnicas para limpiar y equilibrar nuestro sistema; quizá prefiráis esperar hasta haber realizado esos ejercicios y luego volver a explorar el *feedback* neuromuscular en ese momento.

«¿Y si no tienes a nadie que pueda hacerte de tester*?»*

Aunque requiere tiempo y práctica, puedes ser tu propio *tester*. En nuestra website www.codetojoy.com hemos colgado un resumen de cómo hacerlo.

Sin embargo, también es importante comprender que, aunque el *feedback* neuromuscular es una poderosa y valiosa herramienta, no es esencial aquí. Si de momento no tienes a nadie que pueda hacerte de *tester*, también puedes practicar eficazmente cada uno de los pasos del Proceso de los Cuatro Pasos.

De hecho, hay tres herramientas básicas que te ayudarán a descubrir cuáles son los acontecimientos específicos negativos del pasado y tus creencias autolimitadoras del presente con las que puedes trabajar:

1. La prueba de tu vida

En cierto modo, podemos averiguar cuáles son nuestras creencias profundas observando los resultados que hemos obtenido en nuestra vida. Podemos decir que estamos preparados para una relación larga y para aceptar el compromiso que conlleva (lo que dice la pulga) y desconcertarnos cada vez que nos falla otra relación (el elefante).

Para esto hace falta que revises sinceramente tu vida. ¿Cuál es el verdadero estado de tus relaciones, salud, trabajo, profesión?

2. Tu propia intuición

Nadie lo sabe mejor que tú mismo. Y aunque la mente consciente no se entera de más del 99 por ciento de lo que está sucediendo en el subconsciente, tú eres *subconscientemente* consciente de todo ello, al cien por cien.

¿Cómo te sientes cuando te despiertas cada mañana?

3. El feedback *de los demás*

Aunque es cierto que nadie lo sabe mejor que nosotros mismos, también es cierto que solemos tener puntos ciegos, y éstos suelen producirse en las áreas que necesitamos ver con más claridad. Las personas que están a nuestro alrededor, especialmente los allegados, pueden gozar de mayor objetividad.

Del mismo modo que nuestros familiares pueden saber acontecimientos traumáticos de nuestra infancia que ni siquiera recordamos, puede haber familiares o amigos que tengan una visión veraz de las creencias por las que nos regimos. Es decir, pueden ver mejor al elefante que tú mismo.

El problema del pensamiento positivo

Comprender la gran disparidad entre las funciones consciente y subconsciente —la falta de comunicación entre la pulga y el elefante, podríamos decir— ayuda a explicar las profundas limitaciones del asesoramiento y de otras formas de terapia cognitiva. En lo que se refiere a esa niebla de sufrimiento persistente e invasiva, como hemos dicho en la introducción, hablar de ello no sirve de mucho.

Muchas veces, cuando exploramos la biografía de las personas e identificamos los acontecimientos del pasado que pueden estar provocándoles su sufrimiento, nos dicen: «Ah, ya hemos tratado este tema en terapia». Realmente, puede que se sintieran mejor al hablar de ello y que incluso notaran alguna mejoría en su vida. Sin embargo, el 99 por ciento de las veces sólo lo han tratado en un plano consciente, y eso es como la espuma de la cresta de una ola, nada tiene que ver con las poderosas y profundas corrientes que hay por debajo. Es el subconsciente lo que realmente determina el estado de nuestros sentimientos.

Ésta es la razón por la que los sistemas populares de crecimiento personal, como el pensamiento positivo y las afirmaciones, rara vez son tan eficaces como esperan que sean las personas que los practican. Recuerda, la atención consciente actúa como una linterna de bolsillo en una enorme habitación a oscuras: es un pequeño y potente foco de luz, pero sólo puede iluminar la diminuta zona a la que alumbras, y sólo la ilumina mientras la estás enfocando. En cuanto mueves el foco para alumbrar otra parte, la primera zona vuelve a quedarse a oscuras. Puedes poner todo tu corazón y alma en el pensamiento consciente, «Merezco que me amen, merezco que me amen, merezco que me amen», y en cuanto vuelves a tu rutina y ya no enfocas la linterna de bolsillo de tu corteza prefrontal en ese pensamiento, tus rutinas subconscientes vuelven a la carga con su mensaje un millón de veces más potente: *No valgo nada y no merezco que me quieran.*

El problema con el pensamiento positivo es que, aunque sea positivo, *sigue siendo pensamiento*. Y eso es como utilizar la fuerza de una pulga para desviar el rumbo de un elefante.

Esto no significa que no valga la pena que nos concentremos en nuestra consciencia consciente. *Hay* buenas técnicas que pueden ser muy útiles, que es la razón por la que la terapia conductista es eficaz. Prestar atención (conciencia consciente) a tu forma de pensar en las cosas puede cambiar tu estado emocional. Viene a ser como aprender a tocar un instrumento musical, aprender un idioma o aprender *algo* nuevo: al principio, has de concentrarte conscientemente y practicar hasta que se convierta en un hábito.

El problema es que cuando manejamos estas estructuras de creencias cargadas de emociones y profundamente arraigadas que han quedado incrustadas en nuestro sistema nervioso debido a las colisiones de los asteroides de las experiencias traumáticas tempranas es difícil cambiarlas. Es como doblar un muelle metálico: mientras lo sujetes en esa posición, se quedará así, pero en el momento en que lo sueltes, volverá a su forma inicial. Para conseguir un verdadero cambio duradero en estas creencias profundamente arraigadas, hemos de abordarlas desde el nivel celular más profundo.

Éste es el propósito del paso 2, que veremos en el siguiente capítulo.

Paso 1: Identificar

Propósito: identificar tus creencias autolimitadoras predominantes

a. Identifica tus «colisiones de asteroides»

- Crea una lista de acontecimientos pasados que creas que pueden tener un fuerte impacto negativo en cómo te ves a ti mismo y cómo ves tu mundo.
- Revisa esta lista y determina qué acontecimiento es el que parece que ha tenido el impacto más profundo y significativo.

b. Identifica tus creencias autolimitadoras predominantes

- De esta lista de las siete creencias autolimitadoras, selecciona aquellas con las que más te identifiques.

  No estoy a salvo.
  No valgo nada.
  Estoy indefenso.
  No merezco que me quieran.
  No puedo confiar en nadie.
  Soy malo.
  Estoy solo.

c. Verifica los elementos que has identificado

- Utiliza el *feedback* neuromuscular para ayudarte a revisar ambas listas hasta llegar a identificar el acontecimiento más significativo de tu pasado y la creencia autolimitadora que más prevalece.

4

Un trastorno en la fuerza

> ***Sentí un gran trastorno en la Fuerza, como si millones de voces gritaran aterrorizadas y de pronto fueran silenciadas.***
>
> OBI-WAN KENOBI, en *La guerra de las galaxias*

«Estábamos escondidos en nuestra iglesia, mi familia y otras personas del pueblo. De pronto, entraron unos hombres con machetes. Mi padre se giró hacia mí y me dijo: "Corre, Chantal, corre, y pase lo que pase, ¡no mires atrás!"»

Chantal sólo tenía tres años cuando irrumpieron aquellos hombres en la iglesia donde se escondía su familia. Ella pudo escapar, pero su padre no. En el transcurso de aquel horrible verano de Ruanda en 1994, perdió a toda su familia y a todos los vecinos de su pueblo, sólo sobrevivieron ella y otro niño. Desde entonces, su vida había estado plagada de *flashbacks* y pesadillas, trastornos del sueño y toda la gama clásica de los síntomas del estrés postraumático. En 2006, doce años después del genocidio, llegó a Ruanda un equipo de investigadores que formaba parte de una misión para estudiar una nueva y atípica metodología de terapia para el trastorno por estrés postraumático.

La directora del equipo, Caroline Sakai, psicóloga de voz suave procedente de Honolulu, guió a Chantal en un sencillo proceso, en el cual le pedía que se hiciera *tapping** en puntos concretos de su piel. Mientras la joven lo hacía, la investigadora le pedía amablemente que le describiera de nuevo esa terrible escena.

«Empezó a sollozar —recuerda la doctora Sakai— pero entonces, cuando proseguimos con el tratamiento, dejó de llorar y empezó a sonreír. "¿Qué te está sucediendo en estos momentos?", le pregunté. "Recuerdo a mi padre jugando conmigo", respondió Chantal.»

Era un recuerdo que había olvidado por completo y que no había vuelto a recordar hasta ese momento.

«Quince minutos después, se estaba riendo —dice Sakai—. Me contó lo feliz que era por haber vuelto a tener recuerdos felices de su familia.» Y cuando Chantal volvió a pensar en esa terrible escena en la iglesia, dijo que, aunque todavía recordara lo sucedido, ya no tenía esa fuerza como si le estuviera sucediendo *ahora*. Se había difuminado en la distancia, como si fuera algo muy lejano.

Tras esa sencilla sesión, los *flashbacks* y las pesadillas de Chantal desaparecieron. Ésa fue la primera noche en doce años que durmió.

La revolución de la psicología de la energía

Chantal era una de los cincuenta huérfanos de Ruanda que participaron en el estudio. De los cuatrocientos niños residentes en el orfanato, casi doscientos eran supervivientes de la matanza de 1994, y en ese grupo, los investigadores habían seleccionado a cincuenta que según el inventario de síntomas estándares tenían los peores síntomas de trastorno por estrés postraumático (TEPT). Tras una sola sesión, cuarenta y siete de los cincuenta ya no presentaban síntomas de TEPT. Sin embargo, lo más destacable fue que cuando Caroline y su equipo regresaron a Ruanda un año más tarde los resultados se mantenían. Los terri-

---

* Darse ligeros golpecitos sobre ciertos puntos de acupuntura. El *tapping* es una técnica de liberación emocional. *(N. de la T.)*

bles síntomas de los niños no habían desaparecido sólo temporalmente. Habían *desaparecido* del todo.

Este importante estudio de Ruanda no es un caso aislado. Desde principios del año 2000 se han venido realizando muchos estudios que demuestran la eficacia de un nuevo modelo de tratamiento que se ha denominado *psicología de la energía.*

- En un estudio con adolescentes traumatizados se hizo un seguimiento a dieciséis muchachos adolescentes de Perú que habían sufrido graves abusos. Ocho recibieron tratamiento y ocho no. Como con los huérfanos de Ruanda, los ocho que recibieron tratamiento ya no mostraban síntomas de TEPT tras la primera sesión, y los resultados se mantuvieron estables al cabo de un año.
- En un estudio piloto al azar y a doble ciego realizado en Suramérica que duró aproximadamente unos cinco años y medio, de casi cinco mil pacientes con una amplia gama de trastornos de ansiedad, unos fueron asignados al azar al grupo experimental que recibiría tratamientos inspirados por la psicología de la energía y otros al grupo de control que recibiría tratamiento de terapia conductista cognitiva convencional y/o la medicación. Los pacientes fueron evaluados al cabo de un mes, de tres meses, de seis meses y de un año por profesionales independientes que no sabían a qué grupo pertenecía cada paciente. Al final de la terapia, el 90 por ciento del grupo experimental mostró mejoría, al contrario que el 63 por ciento del grupo de control, y el 76 por ciento del grupo experimental se consideró que estaba libre de síntomas, en comparación con el 51 por ciento del grupo de control.
- En una prueba controlada al azar con veteranos de guerra excombatientes, cuarenta y nueve veteranos mostraron grandes mejorías después de seis meses de tratamiento, y cuarenta y dos de los cuarenta y nueve —seis de siete— ya no mostraban síntomas por encima del baremo del TEPT. En el seguimiento que se realizó a los seis meses, permanecían estas mejorías.

A día de hoy, se han realizado estudios en los que se han utilizado estas técnicas en casos tan diversos como el adelgazamiento y mantenimiento del peso a largo plazo, fobias, ansiedad ante los exámenes, depresión, ansiedad y fibromialgia, además de trastornos por estrés postraumático, y hay muchos otros en proceso, incluido un estudio sobre el dolor crónico asociado al cáncer y dos estudios a gran escala sobre el estrés postraumático con veteranos en el Hospital Walter Reed Memorial y el Centro Médico Columbia Pacific de San Francisco.

El trabajo con veteranos excombatientes es especialmente sorprendente, dada la gravedad del estrés postraumático que suelen padecer y la preponderancia de esta condición. Al igual que las manifestaciones más graves de la ansiedad y de la depresión, el TEPT grave se suele considerar *tratable pero no curable.* Pero los nuevos estudios parecen contradecir los conocimientos actuales.

Por ejemplo, una de las terapeutas del estudio de los veteranos excombatientes mencionado describió su trabajo con Keith, un soldado de infantería que sirvió en el Delta del Mekong durante la Guerra de Vietnam. Keith había visto unas cuantas cosas en ambos bandos, y ahora, después de tres décadas desde su período de servicio, todavía le atormentaban *flashbacks persistentes.* «A veces —le decía a la terapeuta— me parece ver soldados del Viet Cong escondiéndose detrás de los arbustos y de los árboles.» Los *flashbacks*, los pensamientos desagradables, un insoportable sentimiento de culpabilidad y un grave insomnio acompañado de pesadillas prácticamente le habían incapacitado. La gran cantidad de tratamientos a que le habían sometido en la Administración de Veteranos, incluidos individuales y de grupo, no le habían servido.

Keith hizo seis sesiones de una hora de psicología de la energía con la terapeuta, durante las cuales le pedía que se hiciera *tapping* en puntos específicos mientras rememoraba sus recuerdos de guerra y otras experiencias estresantes. Al final de las seis sesiones, Keith dormía ininterrumpidamente entre siete y ocho horas, sin pesadillas y dijo que sus otros síntomas también habían desaparecido.

Una entrevista que le hicieron seis meses más tarde y otras pruebas que le realizaron demostraban que su mejoría seguía igual desde ese día.

Esto es lo que comparten todos estos destacados estudios: en vez de utilizar medicamentos para tratar el *cuerpo*, o asesoramiento y modificación de la conducta para tratar la *mente*, todos ellos se centraron en un tercer aspecto del organismo humano, el que salva la distancia entre la mente y el cuerpo: el *biocampo*.

Tú: una batería recargable, que habla y camina

La medicina moderna convencional, basada en la fisiología y en la anatomía y su repertorio de medicamentos, cirugías y otras intervenciones alopáticas, fundamentalmente trata el cuerpo físico. Incluso la medicina psiquiátrica es básicamente un tratamiento físico, ya que se ocupa de los síntomas de la mente utilizando el efecto químico de los medicamentos alopáticos.

Por otra parte, la psicología convencional básicamente trata la mente: mediante la conversación, la modificación de la conducta, etc., intenta modificar cómo percibes las experiencias y lo que piensas de las cosas, y a través de ello, la forma en que estructuras tus conductas.

Pero estas dos visiones en sí mismas se quedan cortas respecto a nuestra nueva comprensión de la salud humana. Este nuevo modelo contempla al ser humano como un organismo compuesto de tres aspectos: cuerpo, mente y *biocampo*: un medio conductor que solapa e integra el cuerpo y la mente.

Los científicos y los médicos que trabajan con la energía creen que el biocampo está compuesto por al menos tres sistemas de energía principales:

- Los catorce *meridianos* de acupuntura.
- Los chacras o centros de energía que forman un sistema vertical a lo largo de toda la columna vertebral, normalmente se habla de siete centros (aunque en algunos sistemas de chacras se mencionan hasta doce).

- El *biocampo* en sí mismo, un sutil campo electromagnético que empieza en la piel y se extiende hacia fuera, alcanzando un grosor de varios centímetros.

Para simplificar, en este libro utilizaremos el término *biocampo* para referirnos a todos estos sistemas juntos como uno solo.

Quizá la forma más sencilla de ver el biocampo e incluso de demostrar su existencia sea contemplar la *polaridad* general del cuerpo.

Todos los fenómenos eléctricos y magnéticos tienen la propiedad de la polaridad, es decir, organización en torno a dos polos de carga eléctrica opuesta. Esto sucede en todos los fenómenos a cualquier escala, desde la propia Tierra, la batería de tu teléfono móvil, hasta una partícula subatómica.

Por lo tanto, también te incluye a *ti*.

Durante la primera mitad del siglo XX, el investigador de la Universidad de Yale, Harold Sacton Burr, descubrió algo fascinante y fundamental sobre el biocampo: como cualquier otro fenómeno eléctrico, todos los organismos muestran una polaridad eléctrica norte-sur. (Para leer más sobre el doctor Burr y su fascinante historia acerca de la investigación del biocampo, véase el «Apéndice B: Aceptar el biocampo».) Las mediciones que se tomaron durante una operación quirúrgica con un galvanómetro sensitivo revelaron un patrón distinto de cargas eléctricas positivas y negativas en cada uno de los órganos: en la parte superior del hígado, del corazón, del páncreas, etc., había una carga eléctrica negativa, y en la parte inferior de los mismos, positiva. Asimismo, en la parte superior de la cabeza, de la lengua y del paladar y en la cara externa de las manos y de los pies, había una leve carga eléctrica negativa, mientras que en la parte inferior de la barbilla, de la lengua y del paladar y en las palmas de las manos y las plantas de los pies se encontró una leve carga positiva. Incluso cada una de nuestras neuronas tiene una polaridad eléctrica.

En esencia, todos somos una batería humana con una polaridad eléctrica general, así como con un complejo entramado de subpolaridades eléctricas. Con el tiempo el doctor Burr llegó a cartografiar este entramado de polaridades eléctricas de un ser humano con una salud normal.

Cuando perdemos el equilibrio de nuestra salud física o emocional y psicológica, esa polaridad natural puede llegar a desorganizarse o invertirse.

Puedes poner a prueba fácilmente tu propia polaridad para ver si está en equilibrio o invertida utilizando el sencillo método del *feedback* neuromuscular que aprendimos en el capítulo 3.

1. Palma en la cabeza

Coloca tu mano suavemente en la cabeza, con la palma boca abajo. Da igual qué mano uses. Mantén el otro brazo extendido hacia el lado y haz que tu *tester* ejerza una ligera presión hacia abajo.

2. Dorso de la mano en la cabeza

Ahora gira la mano y coloca el dorso de la mano sobre tu cabeza. Pídele a tu *tester* que vuelva a ejercer presión.

Recuerda que la diferencia entre notar el brazo fuerte y notarlo débil es ligera, normalmente de un 5-15 por ciento. Por lo general, bastará esto para notar una clara diferencia.

Habitualmente, la posición con la palma de la mano encima de la cabeza (1) arrojará como resultado fuerte, y la posición con el dorso de la mano encima de la cabeza (2) arrojará como resultado débil. Esto se debe a que la parte superior de la cabeza posee una leve carga negativa y la palma una leve carga positiva, por lo que en cierto modo forman un circuito. Sin embargo, el dorso de la mano, tiene una pequeña carga negativa; por lo tanto, cuando se coloca encima de la cabeza, se están uniendo dos cargas negativas, y al igual que cuando se tocan los dos polos negativos de dos pilas, notarás una pequeña resistencia o interferencia.

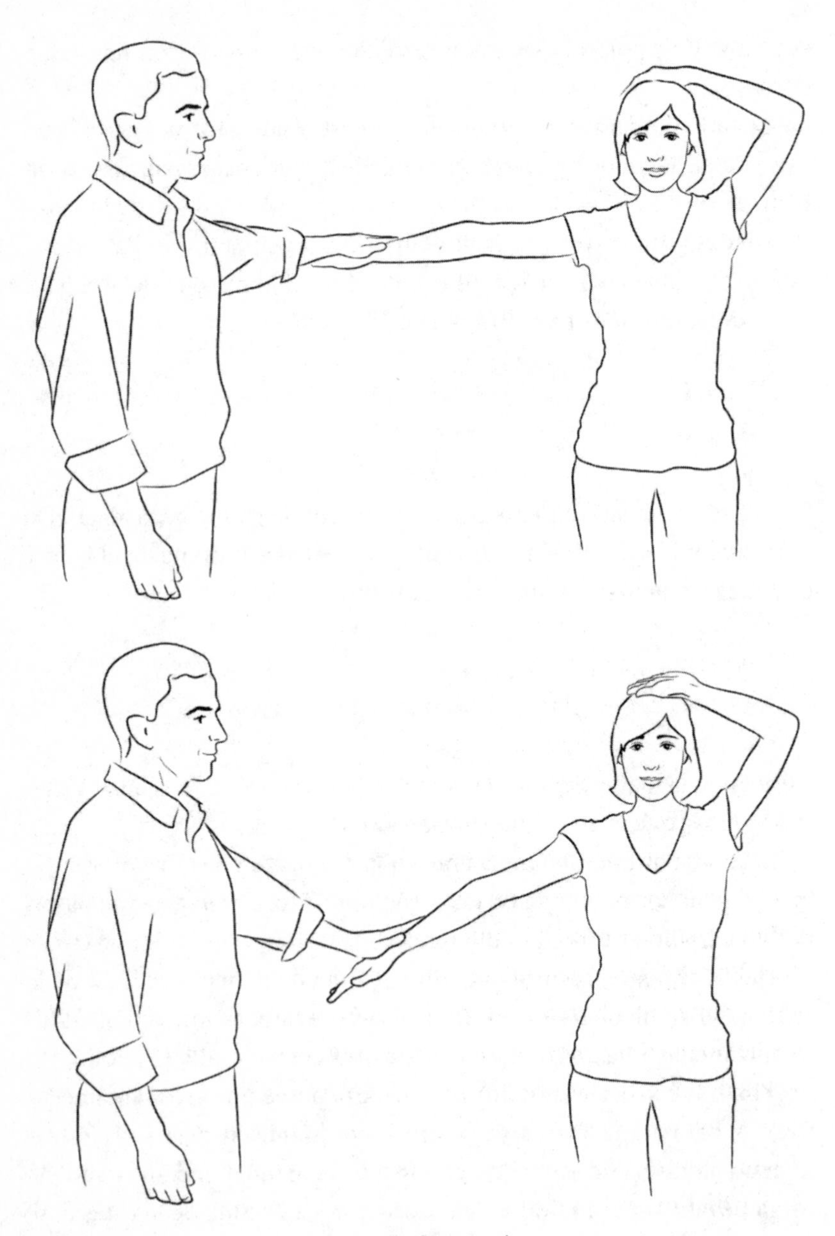

Polaridad normal

¿Y si obtienes resultados opuestos? Es decir, ¿si cuando pones la palma encima de la cabeza, da débil, y cuando pones el dorso, da fuerte? Esto indica que estás experimentando cierto grado de inversión o desorden de las polaridades. O puede que encuentres que no notas ninguna diferencia cuando haces la prueba en las dos posiciones. Esto también indica una interrupción o desorden de la polaridad. (Véase la ilustración en la página siguiente.)

Más adelante veremos algunas sencillas técnicas para corregir las inversiones o desórdenes de polaridad, pero antes vamos a ver si entendemos mejor qué factores pueden provocar que suceda esto y qué repercusión pueden tener en nuestra salud y bienestar.

Inversión de la polaridad

¿Qué sucede cuando tienes la polaridad invertida?

Las personas que tienen un desorden crónico suelen padecer cansancio y estados bajos de energía. Puede que les cueste más concentrarse y que tengan más tendencia a sentirse como si estuvieran bajo los efectos de una droga. Pueden tener problemas como invertir u omitir números o confundir nombres, falta de coordinación, ser anormalmente torpes, que se les caigan las cosas o chocar con ellas más de lo habitual. Casi se podría decir que es como poner al revés, la batería de un coche de juguete: cuando le des al botón de «IR», el coche se moverá, pero hacia atrás. Por ejemplo, puede que cuando te sientas a trabajar en tu mesa de despacho te encuentres bien, pero al cabo de dos horas te des cuenta de que no puedes concentrarte, de que todo lo haces mal.

Puedes interpretar esto de muchas formas: «Hoy no puedo pensar. Hoy no soy yo. Este problema es demasiado difícil. Sufro el bloqueo del escritor. No estoy preparado para este reto. Hoy tengo un mal día». Pero no hay días malos: los días son sólo días. Hay muchas posibilidades de que en circunstancias como éstas lo único que ande mal es que estás experimentando una inversión temporal de la polaridad o un desorden temporal del biocampo.

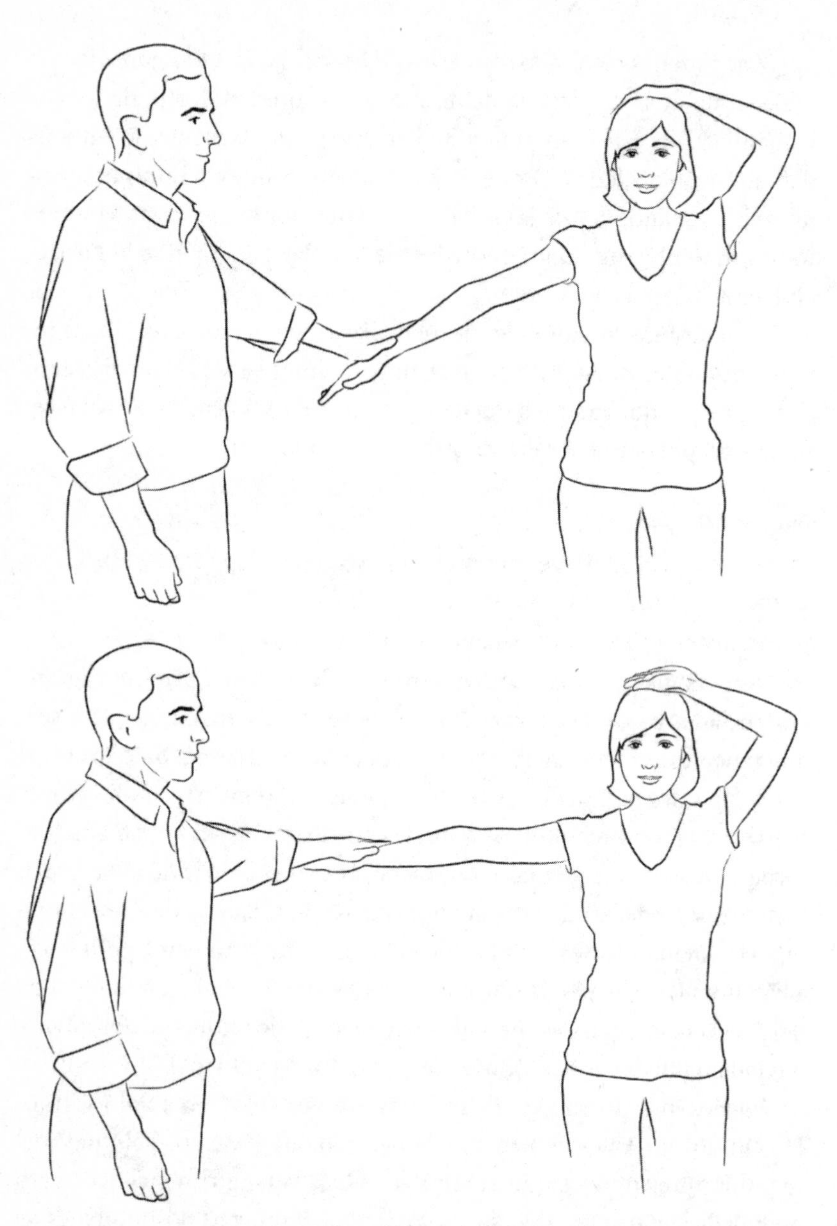

Inversión de la polaridad

Cuando tienes algún problema o desorden en la polaridad, tu estado de ánimo puede verse afectado y hacer que estés más pesimista, deprimido, confundido o preocupado, incluso que te sientas perdido o sin esperanza. La inversión o desorden crónico de la polaridad puede conducir a un patrón de conducta de autosabotaje. Te has propuesto adelgazar siete kilos, sin embargo, sin saber cómo, a media noche te encuentras delante de la nevera comiéndote el helado que quedaba en la terrina. (Otra vez, ¡como el coche de juguete que iba marcha atrás!)

¿Qué hace que se invierta o desorganice la polaridad del biocampo?

El primer factor que hay que tener en cuenta es la fuerte interferencia de los campos electromagnéticos que nos rodean. En el mundo moderno, la mayoría vivimos rodeados e inundados de campos electromagnéticos, especialmente en las ciudades. Vivir o trabajar cerca de una línea de alta tensión es uno de los factores más perturbadores. Las personas que trabajan muchas horas delante del ordenador, especialmente ordenadores desprotegidos, que llevan teléfonos móviles pegados al cuerpo o pasan muchas horas cerca de televisores tienen más tendencia a padecer trastornos y problemas crónicos.

Las luces fluorescentes son una influencia medioambiental bastante común que interfiere en la polaridad natural de nuestro biocampo. Si te preguntas por qué siempre te notas cansado por la tarde en tu trabajo o en la escuela, lo primero que has de pensar es: *¿Paso muchas horas en un lugar iluminado con fluorescentes?*

Las personas que trabajan con productos químicos fuertes, como disolventes, también pueden padecer inversiones frecuentes de la polaridad y desórdenes eléctricos. Las que son especialmente sensibles pueden tener algunos problemas con los ingredientes que se utilizan en los productos del hogar, como productos de limpieza, detergentes o champús, o por los gases que se desprenden después de haber enmoquetado o que emanan de los materiales de construcción, especialmente, en las construcciones nuevas. Hoy en día, casi todos nos servimos nosotros mismos el combustible del coche, y si respiramos los vapores o nos manchamos las manos con el combustible, puede afectarnos inmediatamente.

Esto no quiere decir que todos estos factores medioambientales *vayan* a trastocar tu polaridad natural, sólo que son posibles factores. No todas las personas padecerán problemas por las mismas influencias o en el mismo grado. Y en general, en la práctica, no hay que esperar eliminar por completo estas influencias, ni tampoco es necesario. Sin embargo, ser conscientes de los factores que pueden tener una fuerte influencia perturbadora puede ayudarnos a dar los pasos necesarios para reducirlos.

Luego están los factores humanos y emocionales de nuestro entorno. Los traumas, las aflicciones y las emociones negativas fuertes pueden trastocar nuestra polaridad del mismo modo que lo haría una línea de alta tensión. Incluso perturbaciones menores pueden trastocar nuestra polaridad normal momentáneamente. Estás cocinando y quemas algo. Estás realizando una llamada comercial y alguien te cuelga el teléfono. Un atasco de tráfico, un retraso en el aeropuerto, una discusión en el trabajo o en casa.

Asimismo, el estrés de las otras personas que nos rodean también puede afectarnos. Del mismo modo que podemos inducir corriente en un cable colocándolo junto a otro cable que lleve corriente, el desorden eléctrico de otra persona que esté físicamente cerca de nosotros puede trastocarnos y provocar una perturbación eléctrica y un problema de la polaridad mediante inducción. Algunas personas que padecen estas inversiones crónicas llevan encima una nube estática parecida a la de Pig Pen, uno de los personajes del comic *Snoopy*. Cuando entra una persona en el sitio donde nos encontramos y decimos que nos da «malas vibraciones», podríamos estar diciendo la verdad literal.

Cuando las personas sufren inversiones crónicas o desórdenes eléctricos de la polaridad, ya sean provocados por productos químicos tóxicos en su entorno laboral, líneas de alta tensión, un jefe o compañero de trabajo tóxico o una relación estresante, sea cual sea la causa, las inversiones crónicas pueden deteriorar gradualmente nuestra salud.

Corrige tu polaridad

La buena noticia es que, tal como hemos dicho en el capítulo 1, estamos perfectamente diseñados para ser organismos capaces de autocorregirnos y autosanarnos. Aunque es probable que la mayoría, o todos, padezcamos alguna inversión o desorden de nuestra polaridad de vez en cuando, también es cierto que realizamos una amplia gama de actividades humanas que tienen una influencia de polaridad-correctiva.

Hay dos ingredientes esenciales en cualquier corrección de la polaridad:

1. Respiración completa, regular y sin obstáculos.
2. Cruzar la línea media del cuerpo en ambas direcciones.

El ciclo de la respiración, con su alternancia rítmica de inspirar y espirar, es uno de los procesos fundamentales del cuerpo para mantener su organización eléctrica. Moverse o colocarse de forma que cruces la media línea del cuerpo, como haces espontáneamente con los movimientos bilaterales coordinados de gatear, caminar, correr o nadar (especialmente, nadar en el mar, cuya agua salina tiene más conductividad eléctrica para restaurar el equilibrio que el agua dulce, por no decir que el agua clorada), hace que los dos hemisferios del cerebro interactúen y restablezcan su paridad.

Esta sencilla fórmula —respirar profundo y cruzar la línea media— te debería resultar familiar, ya que has aprendido un sencillo ejemplo de corrección de la polaridad en el capítulo 3: la respiración con las manos cruzadas (véanse páginas 111-112). Allí explicamos el ejercicio diciendo simplemente que debería «equilibrar tu sistema neuromuscular». Pero, para ser más exactos, actúa restableciendo la polaridad eléctrica normal del biocampo.

Veamos de nuevo este sencillo ejercicio desde el punto de vista de la polaridad.

- En éste y en todos los ejercicios de este tipo, alternar conscientemente la inhalación y la exhalación favorece la alternancia rítmica de la carga eléctrica.
- Tocar el paladar (al inhalar) con la punta de la lengua y luego la parte inferior de la boca (al exhalar) ayuda a restablecer la organización eléctrica del biocampo. Asimismo, dirigir la respiración a través de la nariz al inhalar y a través de la boca al exhalar ayuda a restablecer la organización polar, por las cargas eléctricas opuestas en el paladar y en la parte inferior de la cavidad bucal.
- Cruzar los brazos para que la mano derecha descanse en la parte izquierda del cuerpo, y viceversa, es un ejemplo de lo que queremos decir con lo de *cruzar la línea media.*

Esto aclara más por qué en el capítulo 3 os recomendamos que dedicarais un minuto a hacer la respiración con las manos cruzadas en las situaciones donde el *feedback* neuromuscular daba resultados falsos. En la mayoría de los casos, las lecturas falsas de afirmaciones sencillas y objetivas (como decir tu nombre, una fecha o dos más dos igual a cuatro) se deben a una inversión o desorden de la polaridad, ya sea que la experimente el *tester* o el sujeto. En la mayoría de los casos, un minuto o dos de respiración con las manos cruzadas corregirá la situación.

Hay muchas formas en que hacemos esto de manera espontánea. Por ejemplo, cuando caminamos, normalmente movemos la mano derecha junto con la pierna izquierda, luego la mano izquierda con la pierna derecha, y así sucesivamente. Esto no sólo crea un equilibrio físico, sino también eléctrico.

Más adelante, en este mismo capítulo, veremos algunas técnicas adicionales para corregir la polaridad, pero nueve de cada diez veces uno o dos minutos de respiración con las manos cruzadas bastará. Nosotros solemos pedirles a nuestros pacientes que hagan unos minutos de respiración con las manos cruzadas casi al principio de la sesión, y es increíble cuántas veces vemos que experimentan un alivio importante, incluso a veces espectacular, simplemente haciendo este paso.

Por ejemplo, no hace mucho visitamos a una mujer que tenía graves problemas de salud y en su vida personal. Tras escuchar un poco de su historia, la guiamos durante un par de minutos en una respiración con las manos cruzadas, sólo para limpiar la atmósfera y poder proseguir con la sesión de una forma más productiva. Al cabo de un minuto, nos miró con la perplejidad propia del inicio de un placer inesperado. «¡Eh! ¿Hay más luz en la habitación?», preguntó.

Antes ya habíamos tenido respuestas similares, de hecho, lo habíamos visto miles de veces. Sólo corrigiendo la polaridad, muchas veces vemos que las personas sufren una espectacular transformación. Cuando empiezas a utilizar habitualmente correctores simples de la polaridad, no es raro ver que cambian todo tipo de cosas en tu vida. No te cansas tanto, tienes más concentración, estás menos torpe. Es sutil, pero con el tiempo, es profundo. Cuando se enciende esa luz, puede ser un acontecimiento de los que cambian tu vida.

Vacía la nube que hay en la taza

Un joven buscador de la verdad fue a ver a un anciano monje sabio y le preguntó si podía decirle cuál era el camino hacia la paz y la dicha perfecta. El monje le invitó a entrar y a sentarse a tomar una taza de té.

Cuando se sentaron, el joven empezó a contarle todo lo que había estudiado, todos los años que llevaba buscando la verdad y todo lo que había aprendido en sus viajes. Mientras el buscador de la verdad hablaba, el anciano asentía con la cabeza y sonreía, asentía y sonreía. Al cabo de un rato, mientras el joven seguía hablando, el monje trajo una tetera hirviendo y dos tazas. Empezó a echar el té en la taza del joven y echaba, y echaba, y echaba.

De pronto, el joven se dio cuenta de que el té se estaba desparramando por toda la mesa y que caía al suelo. Se puso de pie de un salto y gritó: «Anciano, ¿estás loco? ¡La taza se está desbordando!»

El monje dejó la tetera sobre la mesa y miró serenamente a su invitado, en ese momento, el joven alcanzó la iluminación.

Sin decir una sola palabra, el anciano había indicado que su invitado estaba tan lleno de sus propias ideas y pensamientos que era inútil decirle nada sobre su nueva vida. Cualquier cosa que le hubiera dicho habría sido como derramar el té en el suelo.

Ésta es justamente la razón por la que nuestros intentos de llenarnos de creencias positivas nuevas y buenos hábitos, o de resolver viejos patrones de pensamiento y de conducta, se ven frustrados tantas veces: no hay cabida para creencias nuevas hasta que no vaciamos las viejas. Esto explica la razón por la que métodos tan populares como el pensamiento positivo y las afirmaciones rara vez son eficaces en y por sí mismas. Intentar instaurar una nueva creencia positiva mediante la repetición de afirmaciones, visualizaciones, repeticiones mántricas, tablones de la visión o incluso medios subliminales, sin limpiar primero nuestro organismo de la nube estática y de sus persistentes ecos de creencias autolimitadoras, es como intentar echar agua fresca y limpia en una taza que ya está llena de agua putrefacta y salobre.

Como hemos visto en los primeros capítulos de este libro, los sucesos dolorosos de nuestro pasado suelen crear una masa de desechos psicológicos, como si se hubiera levantado una nube de polvo tóxico en la atmósfera de nuestra vida. Puedes imaginártelo como una acumulación de electricidad estática que, a menos que la descarguemos y liberemos, seguirá circulando indefinidamente.

Esta nube estática tiene aspectos psicológicos y fisiológicos, es decir, afecta a nuestra mente y a nuestro cuerpo. Sin embargo, no es ni psicológica ni fisiológica en sí misma, sino *energética*. No está arraigada básicamente en la mente o en el cuerpo, sino en el biocampo, y si queremos disipar esa niebla de sufrimiento y conseguir cierto equilibrio funcional de cuerpo y mente, tenemos que ir directamente al biocampo.

Hay formas naturales de descargar este tipo de carga eléctrica en desorden. A través de los sueños, por ejemplo, podemos drenar parte de esa nube estática mientras dormimos. Diversos tipos de ejercicios y actividad física pueden ayudarnos a descargarla, mitigarla o suavizarla en cierta medida. Pero si queremos experimentar una transformación importante y disipar patrones profundamente arraigados de pensamientos y de creencias que nos han estado afectando durante años, en nuestro Proceso de los Cuatro Pasos necesitamos una técnica más concentrada, sistemática y predecible.

Mediar entre la pulga y el elefante

David Feinstein, que trabajó en el equipo psiquiátrico del hospital John Hopkins en la década de 1970 antes de interesarse en el nuevo campo de la psicología de la energía, dice que un estudio realizado en la Universidad de Harvard en el que se emplearon tecnologías de visualización de imágenes cerebrales para observar en tiempo real los efectos de la acupuntura sobre el cerebro, podría arrojar luz sobre el mecanismo responsable de los increíbles índices de éxito en los estudios como el de la experiencia de Ruanda de Caroline Sakai. El doctor Feinstein explica:

> Lo que han demostrado los estudios de Harvard es que cuando estimulamos ciertos puntos de acupresión enviamos una señal a la amígdala que se encarga de reducir la excitación. Esto explica muchas cosas respecto a cómo actúa la psicología de la energía.
>
> Cuando tenemos una respuesta condicionada a cierto recuerdo —como celos, ira o miedo—, ese recuerdo excita la amígdala. Pero cuando activas el punto correcto de acupresión a la vez que estás rememorando ese recuerdo, envías simultáneamente la señal de *reducir* la excitación. Cuando envías esta señal de desactivación varias veces, se convierte en la nueva normalidad. Literalmente, cambias la respuesta asociada a ese recuerdo.

Traer el recuerdo a la mente estimula la amígdala, provocando la respuesta de estrés. Pero estimular al mismo tiempo el punto de acupresión envía un impulso opuesto o sedante. En realidad, estamos reentrenando a la amígdala y a los senderos que llegan a ella para interpretar el recuerdo de un modo diferente. En otras palabras, al dirigirnos directamente al biocampo, nos saltamos el proceso cognitivo y reacondicionamos la respuesta neuronal subconsciente. El doctor Feinstein llama a este proceso *terapia de exposición asistida por la acupresión.*

¿Recuerdas lo que sucedió con Chantal? La doctora Sakai le hizo recordar el suceso traumático del asesinato de su familia mientras se hacía *tapping* sobre los acupuntos. Es decir, esto correspondía exactamente con la descripción que daba el doctor Feinstein. Su amígdala recibía dos mensajes distintos: el recuerdo estaba estimulando la respuesta traumática, pero tocar los acupuntos enviaba una respuesta opuesta, un mensaje tranquilizador.

Esto es lo fascinante sobre esta secuencia. Traer un recuerdo a la mente es un acto cognitivo consciente (la pulga). Sin embargo, la amígdala y sus senderos neuronales son dominios del subconsciente (el elefante). Lo que estaba describiendo el doctor Feinstein es un proceso de mediación entre las facultades conscientes y subconscientes —la pulga y el elefante— *recurriendo directamente al biocampo.*

«Esto no es algo que simplemente lo haces porque te lo propongas —según expone el doctor Feinstein—, porque es una respuesta fisiológica basada en los senderos neuronales que construyes cuando se produce un acontecimiento traumático.»

Esta secuencia se refleja claramente en nuestros dos primeros pasos del Proceso de los Cuatro Pasos.

En el paso 1, identificas un recuerdo doloroso en concreto o la experiencia del pasado que más se relaciona con el estado de estrés mental que deseas liberar, así como la creencia negativa y autolimitadora específica asociada a ese recuerdo. Luego, con esos elementos cognitivos frescos en tu mente, inicias el paso 2 para borrarlos, desenredarlos y disiparlos.

Paso 2

Antes de que podamos disolver y eliminar esos patrones negativos y sustituirlos por los nuevos y positivos que deseamos tener, hemos de despejar la nube estática de nuestro biocampo. Ése es el principal propósito del paso 2.

Durante las últimas décadas, en nuestra práctica hemos utilizado un extenso inventario de herramientas y metodologías, incluidos métodos como la desensibilización y reprocesamiento por movimiento ocular (DRMO) y el *tapping* en los acupuntos que empleó Caroline Sakai en Ruanda. No obstante, para el Proceso de los Cuatro Pasos, queríamos utilizar algo más sencillo. Lo que estás aprendiendo ahora es una síntesis de muchas metodologías, de las que hemos extraído su esencia para crear un protocolo que sea práctico y eficaz.

El paso 2 consiste en dos sencillos ejercicios: la respiración con las manos cruzadas y el *grounding* (conectar con la tierra).

La respiración con las manos cruzadas

Este ejercicio suele corregir la inversión o el desorden de la polaridad. Aunque no tengamos la polaridad invertida, la respiración con las manos cruzadas te ayudará a despejar el zumbido estático, y a reequilibrar y agudizar el biocampo. Los pacientes suelen sentirse más ligeros, con más claridad y de mejor humor al cabo de sólo uno o dos minutos de practicar la respiración con las manos cruzadas. Además de su función en el Proceso de los Cuatro Pasos, también lo puedes practicar aisladamente, de una forma sencilla y rápida, casi en cualquier momento y lugar.

Aunque ya lo vimos en el capítulo 3, lo revisaremos aquí de nuevo:

- Siéntate y cruza el tobillo izquierdo por encima del derecho.
- Coloca tu mano izquierda por encima del pecho, de modo que los dedos descansen sobre el lado derecho de tu clavícula. Ahora cruza tu mano derecha por encima de la izquierda, de modo que los dedos de tu mano derecha descansen sobre el lado izquierdo de tu clavícula.
- Toma aire por la nariz y expúlsalo por la boca. Cuando inspires, tu lengua tocará el paladar justo detrás de los dientes incisivos.

Cuando espires, coloca la lengua justo detrás de los dientes frontales inferiores. Puedes hacerlo con los ojos cerrados o mirando al suelo para reducir los estímulos visuales.

Grounding

Tras unos minutos de practicar la respiración con las manos cruzadas, haz el siguiente ejercicio para estabilizar y afianzar tu biocampo:

- Siéntate con la espalda recta y relájate. Coloca ambas manos, una encima de la otra sobre tu plexo solar, justo debajo del final de tu caja torácica. Siente la respiración en tu abdomen, cómo se proyecta hacia fuera y cómo se hunde.
- Ahora cierra los ojos y visualiza un cable que cuelga hacia abajo desde tu cuerpo hasta la tierra.
- Retén esa imagen, inspira y espira lentamente, durante aproximadamente un minuto.

El ejercicio de *grounding* es una analogía de la toma de tierra de un aparato eléctrico. También transmite al subconsciente el sentimiento de estar firmemente arraigado, en la realidad, en tu identidad, en la verdad de tus propios puntos fuertes y tus habilidades.

Métodos opcionales

Combinar la respiración con las manos cruzadas durante dos minutos, seguida de un minuto de *grounding*, es un segundo paso muy potente y suele ser suficiente para corregir la polaridad del biocampo nueve de cada diez veces. Sin embargo, hay varios ejercicios alternativos para corregir la polaridad que pueden ser útiles en casos extremos o en momentos de más estrés que el habitual.

Gateo cruzado

A veces la respiración con las manos cruzadas no basta para corregir la polaridad de una persona. Puedes valorar si éste es tu caso simplemente mediante el *feedback* neuromuscular, tal como hemos descrito antes: con la palma de la mano encima de la cabeza y el dorso de la mano encima de la cabeza.

En los casos en que la respiración con las manos cruzadas no corrige por sí sola la polaridad invertida, solemos utilizar un ejercicio al que llamamos *gateo cruzado.*

- De pie, levanta tu rodilla izquierda hasta la altura de la cadera y dale una palmadita suave con la mano derecha.
- Luego hazlo con la otra pierna y la otra mano, levanta la rodilla derecha y dale una palmadita con la mano izquierda.
- Sigue alternando, palmeando suavemente cada rodilla con la mano opuesta, a ritmo de andar. Respira normalmente mientras haces el ejercicio. Hazlo durante un par de minutos.

Parece bastante sencillo y directo. Pero curiosamente no es tan fácil como parece a simple vista, sobre todo al principio.

Habrás oído el refrán «Has de gatear antes de andar». Hay mucho de cierto en ello. De hecho, gran parte del desarrollo neurológico que se produce en los niños pequeños se debe al acto de aprender a gatear. La compleja secuencia de movimiento, con la integración izquierda-derecha, repercute en la integración izquierda-derecha de los hemisferios cerebrales, y se ha demostrado que los bebés que han tenido obstáculos, bloqueos o se han saltado la fase del gateo, tienen consecuencias neurológicas negativas.

Es interesante observar que los casos en que la respiración con las manos cruzadas por sí sola no restaura la polaridad eléctrica normal, la persona puede tener dificultades en captar el ejercicio de gateo cruzado. Las personas que tienen inversiones crónicas de la polaridad, suelen ser torpes o tener mala coordinación. Muchas veces hemos visto pacientes que han de practicar el gateo cruzado durante uno o dos minutos para captar la mecánica del ejercicio, y luego, de repente no sólo pueden hacerlo con facilidad y sin problemas, sino que pueden hablar al mismo tiempo. Literalmente, se puede ver la reorganización de su polaridad desplegándose a tiempo real.

El paso de Diamond

Como hemos dicho antes, actividades normales como caminar, correr o nadar conllevan los componentes básicos de la corrección de la polaridad: respiración completa y cruzar rítmicamente la línea media. A veces, hasta un breve paseo puede desbloquearnos. Los escritores y otros artistas creativos de la historia han descrito esto: después de un breve paseo vigoroso, notas como que todo vuelve a la normalidad.

John Diamond, uno de los grandes pioneros del *feedback* neuromuscular, recomendaba un sencillo medio para corregir la polaridad, que era caminar de un modo un poco exagerado y lo denominó el *paso de Diamond.*

El truco del paso de Diamond es caminar rápido acentuando el movimiento de balanceo de los brazos para que crucen totalmente la línea media del cuerpo. Es decir, el brazo derecho se balancea hacia delante y cruza el cuerpo, bien hacia la izquierda, seguido del balanceo hacia delante del brazo izquierdo o bien hacia la derecha.

Para utilizar este ejercicio para corregir una inversión de la polaridad, hará falta un paseo de unos diez minutos.

Respiración alterna

La respiración alterna es muy famosa entre los practicantes de yoga, es una práctica muy importante y muchas veces está tan depurada que se convierte en una ciencia compleja. Si padeces inversiones persistentes o crónicas de la polaridad, practicar varias veces al día una versión sencilla de este patrón respiratorio estructurado en derecha-izquierda puede ser un corrector que te aporte «fuerza extra»:

- Coloca el pulgar derecho encima del orificio nasal derecho, tápalo. Inhala a través del orificio izquierdo.
- Suelta el pulgar y presiona con tu dedo índice el orificio nasal izquierdo, tápalo. Ahora exhala a través del orificio derecho.
- Sigue con este patrón de alternar, inhalando a través del orificio izquierdo y exhalando a través del derecho, diez veces.
- Ahora invierte el proceso, esta vez usando el pulgar y el dedo índice de tu mano *izquierda*, inhalando por el orificio derecho y exhalando por el izquierdo. Repítelo diez veces.

Hacer todo este ejercicio, diez veces de un lado y diez veces del otro, te llevará unos dos o tres minutos.

Puede parecer un poco complicado, especialmente cuando se padece un desorden eléctrico. Cuanto más lo practiques, más natural te parecerá.

¿Derrame o mancha?

No todas las experiencias dolorosas dejan una marca duradera. Hay decepciones que se pueden suavizar y arreglar con el paso del tiempo, heridas que se alivian con un buen llanto, dudas y temores que se pueden mitigar con un buen oyente. Asimismo, hay mejorías personales, cambios en nuestro estado mental y pasos hacia delante en nuestra maduración como seres humanos que podemos dar a través de nuestra voluntad consciente. A veces, las afirmaciones y el pensamiento positivo realmente *hacen* su trabajo.

Pero luego hay cambios que sencillamente no se pueden realizar sólo a través del esfuerzo solitario de nuestras buenas intenciones.

Algunos asuntos emocionales son como derrames, manchan pero no son difíciles de borrar. ¿Se burlaron de ti en la escuela? ¿Te regañaron tus padres, te gritó un entrenador, sufriste una dolorosa ruptura cuando ibas al instituto? Sí, dolió, pero nueve de cada diez veces no es algo que no puedas arreglar con un poco de jabón, agua caliente y pañuelos de papel.

Sin embargo, hay otros hechos que son más que derrames. Son *manchas* y por más que frotemos no podemos sacarlas.

Si tu creencia de que no puedes tener éxito está muy arraigada y se basa en el patrón de un microtrauma del pasado, quizás puedas cambiarla... por el momento, haciendo un acopio de voluntad e intención. Pero si primero no has borrado las creencias negativas subyacentes y otros patrones de interferencia profundamente instaurados en tu subconsciente, la antigua creencia inevitablemente volverá a afirmarse a sí misma.

Sin embargo, si primero *borras* la basura antigua y creas una buena base para tu nueva creencia, ésta podrá instalarse de forma permanente. Cuando borras adecuadamente el estrés que está codificado en el recuerdo del pasado, ya está: *se ha ido*. Igual que le pasó a Chantal, la superviviente de Ruanda, y a Keith, el veterano de Vietnam, los recuerdos no desaparecen, pero pierden su fuerza y ya no duelen.

Llegados a este punto, estás preparado para instalar un nuevo conjunto de creencias nuevas y positivas. Eso será lo que trataremos en el capítulo 5.

Paso 2: Borrar

Propósito: reequilibrar tu sistema de energía corporal y prepararte para crear nuevos patrones

a. Respiración con las manos cruzadas (dos minutos)

- Siéntate y cruza el tobillo izquierdo por encima del derecho.
- Coloca tu mano izquierda por encima del pecho, de modo que los dedos descansen sobre el lado derecho de tu clavícula. Ahora cruza tu mano derecha por encima de la izquierda, de modo que los dedos de tu mano derecha descansen sobre el lado izquierdo de tu clavícula.
- Toma aire por la nariz y expúlsalo por la boca. Cuando inspires, tu lengua tocará el paladar justo detrás de los dientes incisivos. Cuando espires, coloca la lengua justo detrás de los dientes frontales inferiores. Puedes hacerlo con los ojos cerrados o mirando al suelo para reducir los estímulos visuales.

b. *Grounding* (un minuto)

- Siéntate con la espalda recta y relájate. Coloca ambas manos, una encima de la otra sobre tu plexo solar, justo debajo del final de tu caja torácica. Siente la respiración en tu abdomen, cómo se proyecta hacia fuera y cómo se hunde.
- Ahora cierra los ojos y visualiza un cable que cuelga hacia abajo desde tu cuerpo hasta la tierra.
- Retén esa imagen, inspira y espira lentamente, durante aproximadamente un minuto.

c. Métodos opcionales

- Utiliza el *feedback* neuromuscular para revisar la polaridad de tu biocampo.
- Para inversiones o problemas persistentes o crónicos, también puedes practicar:

  Gateo cruzado: unos dos minutos.

  Paso de Diamond: al menos diez minutos.

  Respiración alterna: diez ciclos en las dos direcciones, durante dos o tres minutos.

5

Tu código personal de la felicidad

Creo que puedo, creo que puedo.

La pequeña locomotora que sí pudo

«No estoy segura de que tenga mucho sentido intentarlo.» La paciente que vino a nuestra consulta estaba sentada lánguidamente, apática y derrotada. «Me han dicho que no llegaré a mi próximo cumpleaños. ¿Qué tipo de metas debo esperar alcanzar aquí?»

Lydia era una higienista dental jubilada de sesenta y tantos años, lo que hoy en día se considera una persona relativamente joven. Por naturaleza, debería esperar vivir algunas décadas más. Sin embargo, hacía aproximadamente un año, le habían diagnosticado un tumor maligno en el cerebro. A pesar de la operación y de la radioterapia su pronóstico no era bueno. No era de extrañar que Lydia estuviera bastante deprimida, y ésa era la razón por la que su internista y oncólogo nos la habían remitido.

Cuando oímos su relato biográfico, nos dimos cuenta de que la vida de Lydia estaba plagada de sucesos, incluida una infancia difícil con un padre que era extremadamente autoritario e incluso malvado. De adulta se casó con un hombre que seguía un patrón de conducta muy parecido al de su padre. Su matrimonio terminó en un amargo divorcio. Luego vino el cáncer.

Se le había caído el pelo durante el tratamiento. No obstante, cuando vino a vernos, le estaba empezando a salir de nuevo, pero en esa primera visita nos confesó que odiaba su aspecto actual. A nosotros nos parecía que tenía muy buen aspecto y se lo dijimos. Pero no nos creyó. A continuación también nos dijo que no le gustaba mucho la voz que tenía en esos momentos. Le dijimos que tenía una voz muy bonita y un hermoso pelo. No le decíamos esas cosas para que se sintiera mejor. Lo hacíamos porque era cierto. Lydia es una persona encantadora y se notaba. Pero en ese momento de su vida era prácticamente incapaz de aceptarse.

La dirigimos en el Proceso de los Cuatro Pasos, concentrándonos en las creencias profundas que se había formado en la infancia a raíz de las críticas constantes de su padre. Empezó a notar un cambio, pero no fue espectacular (al menos, no enseguida), y concertamos más visitas para ayudarla a trabajar los distintos temas de su vida. A medida que nos íbamos viendo e íbamos trabajando los pasos del proceso, fue floreciendo paulatinamente.

La primera vez que vino a la consulta, en su historial médico había una nota que decía que nos la remitían para «tratar la ansiedad y la depresión». Al cabo de unas cuantas visitas, había una nueva anotación que decía: «Depresión y ansiedad resueltas».

Resuelto no es una palabra que los médicos asocian con frecuencia a la frase *ansiedad y depresión*. Pero no fue sólo su estado de ánimo lo que se resolvió. Todo en la vida de Lydia empezó a cambiar a partir de ese momento. Hasta su salud física comenzó a mejorar. Casi sin darse cuenta estaba radiante y llena de vida, y sus tumores empezaron a reducirse. Sus médicos estaban totalmente desconcertados, pero no podían negar la realidad de lo que estaba sucediendo ante sus propios ojos. Su pronóstico cambió. Volvió a haber cumpleaños en el futuro de Lydia.

¿Qué sucedió? El cambio que se produjo en esta paciente fue en varios niveles al mismo tiempo. Al ser consciente de sus creencias autolimitadoras, junto con algunas de las experiencias tempranas que las habían propiciado, hizo un cambio cognitivo, pero al despejar la nube estática de escombros de su biocampo, también pudo realizar ese cambio en un nivel profundo de su subconsciente. Y cuando la niebla de sufrimiento se levantó, pudo empezar a tener una imagen distinta de ella misma.

En cierto sentido, Lydia se curó porque fue capaz de *verse* sana.

Las imágenes: el lenguaje del subconsciente

El poder de las imágenes para dar forma a nuestra realidad es de vital importancia en el Proceso de los Cuatro Pasos. Si el subconsciente es el elefante que modela y dirige nuestras acciones, y en gran parte, nuestro destino, las imágenes son el medio para comunicarnos con él. Las imágenes son el lenguaje del subconsciente.

Los seres humanos tenemos una habilidad muy especial: somos capaces de crear en nuestra mente un modelo realista de los acontecimientos externos y utilizar ese modelo interno, de un modo extraordinario, para influir y dirigir el resultado externo de los acontecimientos.

En cierto sentido, es esta habilidad para crear imágenes mentales poderosas de las realidades externas lo que ha hecho posible el desarrollo de la civilización humana, tal como señala nuestro colega V. S. Ramachandran en su maravilloso libro *Lo que el cerebro nos dice*. Ramachandran dice que esta capacidad innata para crear imágenes, se encuentra en lo que se ha apodado llamativamente «neuronas espejo», circuitos neuronales que se activan cuando observamos las acciones de los demás y que replican sus puntales neurológicos dentro de nuestro cerebro, como si fuéramos nosotros mismos los que realizáramos las acciones.

«Es como si las neuronas espejo fueran las propias simulaciones de realidad virtual de la naturaleza de las intenciones de los otros seres», dice Ramachandran.

El nuevo conocimiento de las neuronas espejo nos ayuda a explicar todo un campo de investigación de más de cien años de antigüedad, que dice que las imágenes que retenemos en nuestra mente pueden tener un impacto tangible en nuestra conducta y habilidades físicas.

Muchos de estos estudios se han concentrado en la habilidad del «ensayo mental» para mejorar el rendimiento de los atletas. Por ejemplo, en un conocido estudio realizado en 1977, un grupo de setenta y dos jugadores de baloncesto universitario fue dividido en cuatro grupos; todos ellos fueron sometidos a una serie de quince sesiones de prácticas en la cancha durante un período de seis semanas. Las sesiones eran idénticas en todo, salvo en que, antes de la práctica, tres de los cuatro grupos realizaban diez minutos de preparación. Los jugadores del primer grupo hacían cinco minutos de relajación y a continuación cinco minutos de visualización donde se imaginaban encestando desde la línea de tiro libre. Durante esas sesiones de cinco minutos, les decían que recordaran las impresiones sensoriales de estar en la cancha.

«Intentad sentir todas las sensaciones en el momento en que os acercáis a la línea de tiro —les decía una voz pregrabada a los jugadores cuando se sentaban, cerraban los ojos y escuchaban atentamente—. Posiblemente notaréis el latido de vuestro corazón. Las piernas cansadas y temblorosas o débiles. Puede que os caiga el sudor por la espalda o por el cuello. Puede que notéis que el público está más callado; incluso podéis notar el peso de sus miradas sobre vosotros. Dedicad un momento a sentir todas vuestras sensaciones cuando os acercáis a la línea de tiro...» Los jugadores finalizaban cada sesión visualizando que hacían tiros perfectos.

El segundo grupo sólo recibía cinco minutos de relajación, junto con otros cinco minutos de un falso ejercicio de concentración que se hacía sólo para llenar el tiempo (es decir, para que los grupos A, B, y C tuvieran cada uno sus diez minutos completos de preparación). El tercer grupo, hacía cinco minutos de visualización con el falso ejercicio de concentración. El cuarto grupo no recibió ninguna preparación especial, sólo su práctica habitual de ejercicios repetitivos y práctica de tiro libre.

Tras las seis semanas de entrenamiento, los cuatro grupos se encontraron en la cancha. Los jugadores del primer grupo, el de los que habían practicado la relajación y la visualización, demostraron una significativa mejoría estadística en su rendimiento; el segundo y el tercer grupo habían mejorado *ligeramente*. El cuarto grupo no experimentó ningún avance. En otros estudios posteriores se obtuvieron resultados similares donde se emplearon procesos de visualización semejantes para deportes como el karate, el servicio en el tenis y el tiro con pistola.

Con las pruebas de los nuevos métodos de visualización de imágenes del cerebro, los científicos han podido observar lo que sucede en tales experimentos: cuando un sujeto se *imagina* haciendo algo, se activan las mismas áreas y sendas en el cerebro que cuando lo está *haciendo* realmente.

«Una de las razones por las que podemos cambiar nuestro cerebro simplemente imaginando —dice Norman Doidge en *El cerebro que se cambia a sí mismo*— es porque, desde un punto de vista neurocientífico, imaginar un acto y hacerlo no es tan diferente como parece.» Y esto no es un fenómeno puramente mental: estas imágenes vívidas pueden tener consecuencias físicas reales.

El doctor Doidge describe un experimento extraordinario realizado a principios de la década de 1990 por los doctores Guang Yue y Kelly Cole. Se estudiaron dos grupos, uno que realizó una serie de ejercicios físicos específicos y uno que sólo se imaginó haciendo esos mismos ejercicios. Ambos grupos siguieron haciendo esto cinco días a la semana durante cuatro semanas. Al final del estudio, el grupo que había realizado físicamente los ejercicios había aumentado la fuerza de los músculos implicados en un 30 por ciento, mientras que el otro grupo —el que había practicado los mismos ejercicios *sólo en su imaginación*— había reforzado esos mismos músculos en un 22 por ciento.

Es decir, el segundo grupo tan sólo imaginando que estaba haciendo los ejercicios había reforzado físicamente los músculos implicados en más de dos terceras partes, tanto como el grupo que hizo realmente los ejercicios.

Cambiar nuestros genes

Si el ensayo mental puede reforzar nuestros músculos y mejorar nuestros resultados haciendo canastas, ¿puede hacer algo más espectacular?

Por ejemplo, ¿puede mejorar nuestra salud física, e incluso ayudarnos a recuperarnos de una enfermedad? Por supuesto que sí y Lydia no es la primera persona que ha tenido esa experiencia. Al igual que en el atletismo, hay muchas pruebas que vinculan las imágenes positivas con la salud fisiológica.

Probablemente, el caso más conocido sea el del ensayista y editor del *Saturday Review*, Norman Cousins, cuyo triunfo sobre su grave enfermedad del colágeno a través de la risa y de las imágenes positivas (junto con grandes dosis de vitamina C) se narra en su libro, editado en 1979, *Anatomía de una enfermedad o la voluntad de vivir*. El libro de Cousins ofrece un impresionante ejemplo del efecto que pueden tener los pensamientos y sentimientos sobre la salud humana, y ayudó mucho a que esta idea empezara a abrirse paso en el pensamiento occidental.

Lo que hace que el caso de Cousins sea tan convincente es que se recuperó de una grave enfermedad concentrándose en sus emociones e imágenes mentales, no sólo una vez, sino *dos*. En 1980, al cabo de diez años y medio de haber publicado *Anatomía de una enfermedad o la voluntad de vivir*, padeció un infarto cardíaco que casi le mata. Decidido una vez más poner su propia vida en sus manos y en su mente, inició otro régimen de autocuración y posteriormente describió su programa de autorrecuperación en su libro *The Healing Heart*, editado en 1983.

«La fuerza-vital puede que sea la más incomprendida de la tierra —escribió Cousins—. William James dijo que los seres humanos suelen vivir demasiado encerrados en sus limitaciones autoimpuestas. Es posible que estas limitaciones disminuyan cuando respetemos más el impulso natural de la mente humana y del cuerpo hacia la perfección y la regeneración. Proteger y cuidar ese impulso natural bien podría ser el mayor ejercicio de libertad humana.»

Nuestro colega Bruce Lipton es un pionero en el campo de la *epigenética*, el estudio de los factores que influyen en nuestros genes. Según las investigaciones del doctor Lipton, nuestros genes no se activan o desactivan de pronto porque estén programados por alguna fuerza hereditaria sobre la cual no tenemos ningún control. De hecho, nuestros genes están bajo la influencia del entorno, incluida la bioquímica del torrente sanguíneo, a la cual le afectan mucho nuestros pensamientos y emociones.

Cuando cambiamos nuestras creencias, como dice el doctor Lipton en su histórico libro *Biología de la creencia*, cambiamos nuestra bioquímica, al menos en parte, lo que a su vez repercute en los genes. Es decir, cambia tus creencias y cambiarás tu salud, tu conducta y el destino de tus células.

«Los pensamientos positivos tienen un profundo efecto en la conducta y en los genes... —escribe el doctor Lipton—, y los pensamientos negativos tienen un efecto igualmente poderoso. Cuando nos damos cuenta de cómo estas creencias positivas y negativas pueden controlar nuestra biología, podemos usar este conocimiento para crear una vida rebosante de salud y felicidad.»

Ponte en tu propia piel

Otro factor clave para entender lo que le sucedió a Lydia (y a Norman Cousins) es el concepto de *función ejecutiva*, que significa la capacidad para controlar las circunstancias y el rumbo de tu propia vida. En psicología se denomina *autoeficacia*.

El concepto e importancia de la autoeficacia fue promulgado a principios de la década de 1970 por el eminente psicólogo canadiense Albert Bandura, uno de los psicólogos más influyentes del siglo XX. Según Bandura, la *autoeficacia* se refiere a nuestras creencias sobre nuestra capacidad para «ejercer influencia en los acontecimientos que influyen en [nuestras] vidas». Es decir, significa actuar sabiendo que vas en el asiento del conductor de tu vida. Poseer autoeficacia básicamente implica ponerte en tu propia piel.

Éste es uno de los principales conceptos del Proceso de los Cuatro Pasos. Cuando posees autoeficacia, significa que la fuente y el centro de control de tu vida están dentro, no fuera. Las desgracias y otros factores externos no pueden acabar contigo por completo, porque te ves como la *causa,* en lugar de verte como el *efecto* de las circunstancias. No siempre puedes «arreglar» la circunstancia o resolver el problema externo, pero siempre puedes cambiar tu percepción del mismo. Es decir, aunque no puedas resolver el problema, siempre puedes resolver el dilema.

Esto no quiere decir que no tengas que ocuparte de las circunstancias externas. Está claro que es importante mantener un sentido saludable de la realidad exterior. Pero poseer autoeficacia significa que la principal fuente de validación procede de dentro, no de fuera. Las alabanzas de los demás, los diplomas y los galardones, las aprobaciones y el prestigio, incluso el amor de tus seres queridos, todo esto son validaciones externas. Si tu sentido del yo depende de esas fuentes externas, estás destinado a sufrir a merced de las circunstancias.

Las personas con mala autoeficacia, dice Bandura, dudan constantemente de sus propias capacidades:

> [Las personas con mala autoeficacia] se apartan de las tareas difíciles que ven como amenazas personales. Tienen pocas aspiraciones y no son capaces de mantener sus compromisos con las metas que se han propuesto alcanzar. Cuando se enfrentan a tareas difíciles, viven en sus deficiencias personales, en los obstáculos que se interponen en su camino y en todo tipo de resultados adversos, en vez de concentrarse en actuar con éxito. Reducen sus esfuerzos y se rinden fácilmente ante las dificultades... No les hace falta fracasar demasiado para perder la fe en sus capacidades. Son víctimas fáciles del estrés y de la depresión.

Por el contrario, ésta es la descripción de las personas con una gran autoeficacia:

> Las personas con mucha seguridad en sus capacidades afrontan las tareas difíciles como retos que superar en vez de como amenazas que han de evitar [...]. Ellas mismas se marcan metas para ponerse a prueba y mantienen su compromiso con las mismas. Ensalzan y mantienen sus esfuerzos ante los fracasos. Recuperan rápidamente su sen-

tido de autoeficacia tras los fracasos o reveses [...] [y] se enfrentan a situaciones desafiantes con la certeza de que pueden ejercer el control sobre ellas. Esta visión eficaz genera logros personales, reduce el estrés y la vulnerabilidad a la depresión.

Sharon, que tenía treinta y tantos años, era una agente de campo del FBI. Un año o dos antes de venir a nuestra consulta, se había enamorado de Harry, otro agente, mientras trabajaban juntos en un caso. A pesar de la estricta política del FBI de evitar la confraternización entre los agentes, los dos empezaron a vivir juntos en secreto. Sin embargo, Sharon pronto se dio cuenta de que Harry no estaba preparado para comprometerse a largo plazo. Tenía el corazón destrozado, pero tuvo claro que la relación tenía que acabar y rompió.

Ya había pasado más de un año, y cuando Sharon empezaba a sentir que ya había superado la ruptura, les asignaron participar juntos en un programa de entrenamiento que duraría seis meses. Sharon estaba en un aprieto: temía que se convirtiera en una situación intolerable, pero no podía explicar su dilema a sus superiores, porque se suponía que esa relación no debía haber ocurrido nunca.

Cuando empezó el entrenamiento, Sharon se dio cuenta de que le estaba causando semejante trastorno que apenas podía funcionar con normalidad. Cada día llegaba a casa sintiéndose fatal, con un nudo en el estómago y muchas veces llorando. Un amigo, al ver su sufrimiento, le recomendó que viniera a nuestra consulta.

Cuando siguió el Proceso de los Cuatro Pasos, se dio cuenta de que sus creencias sobre los hombres incluían la imagen clásica de ser rescatada por un caballero montado en un caballo blanco. Inconscientemente, había acarreado esta imagen durante años, junto con la creencia que la acompañaba que era: «No puedo cuidar de mí misma, necesito a alguien que cuide de mí».

Esta imagen, junto con todo lo que representaba, era el foco central de su angustia actual. Había entregado el control sobre su propio destino a esta imagen del jinete y había minado por completo su autoeficacia.

Cuando hubo identificado su creencia destructiva, pudo acceder a sus propios recursos y cuidar de sí misma emocionalmente y en la práctica. Se puso en su propia piel y reclamó su autoeficacia, así pudo superar los cinco meses de entrenamiento que le quedaban con facilidad y compostura.

La autoeficacia no es una propuesta de blanco o negro, o de todo o nada. La mayoría sentimos algún grado de autoeficacia en algunas o incluso muchas áreas de nuestras vidas, sin embargo, puede faltarnos en otras. Puede que nos vaya bien en nuestra vida laboral, pero no en la familiar, o viceversa. Puede que funcionemos bien en general, pero que haya ciertas áreas en las que nos sentimos incompetentes o que sabemos muy poco de ellas, como David, el periodista competente, pero sin sentido de orientación.

Sharon era totalmente capaz en su trabajo como agente de la ley. De hecho, la naturaleza de su trabajo requería poseer una habilidad extraordinariamente fuerte para pensar deprisa y controlar las circunstancias, y ella era buena en lo que hacía. Pero cuando se adentraba en el ámbito de las relaciones personales aparecían las creencias autolimitadoras instauradas en su infancia y le decían: «No puedes hacer nada bien».

Asimismo, a Lydia no le iba mal en su vida hasta que se jubiló de su profesión como higienista dental, porque en su trabajo y profesión su sentido de autoeficacia estaba intacto, y esto era como una especie de ancla en su vida. Cuando se jubiló, ya no ejercía su función ejecutiva en ese ámbito profesional, y las circunstancias empezaron a adueñarse de su vida.

Lo que necesitamos para superar nuestras creencias limitadoras del pasado y vivir nuestra vida ideal es estar en plena posesión del sentido de función ejecutiva en todos los ámbitos de nuestra vida, es decir, ponernos totalmente en nuestra propia piel.

Resulta que esto es algo que hemos estado intentando hacer desde el día en que nacimos.

El camino para llegar a ser tú

Como recién nacido te maravillabas de este mundo de imágenes y sonidos. Hacías gorgoritos, estirabas el brazo y tocabas, poniéndote en la boca todo lo que podías manipular porque era tu forma principal de conectar con ello y saber más de ese mundo. Pronto avanzaste en tus exploraciones cuando empezaste a gatear, a ponerte de pie y a caminar. Estabas asimilando nuevas observaciones a cien kilómetros por hora, en lo que sin duda fue el período de aprendizaje más acelerado de tu vida.

Sin embargo, en todo lo que aprendiste, hubo algo que todavía no habías captado: que existe algo que se llama *tú*.

Luego, a eso de los dos años, sucedió algo. Pregunta a alguno de tus padres y te dirán qué fue: empezaste a decir «¡No!» Te decían que hicieras algo y te negabas, y no educadamente. Veías a otro niño que tenía un juguete y lo señalabas (o agarrabas) y reivindicabas con un «¡Mío!» Encontraste una infinita variedad de formas creativas de rechazar, declarar e insistir.

No todos los niños muestran esta conducta a los dos años cumplidos, ni todos la manifiestan del mismo modo, pero todos atravesamos esta fase. De hecho, es una etapa de crucial importancia en el desarrollo. No es de negación, sino de aserción.

Es la etapa en que aprendemos a discernir entre esta cosa llamada «yo» y todo lo demás. Desarrollamos una conciencia de nosotros mismos como seres autónomos y con autodeterminación. Es cuando empezamos a establecer nuestra identidad individual, junto con nuestra capacidad para negociar nuestra existencia en el mundo. Es el inicio de lo que de adultos se convertirá en nuestra función ejecutiva totalmente desarrollada.

En gran medida, este viaje externo es también un reflejo de lo que está sucediendo físicamente en el desarrollo de nuestro cerebro y sistema nervioso, especialmente en lo que respecta a una sustancia rica en grasa denominada *mielina*.

La mielina es el material que producen nuestros cuerpos para recubrir nuestras fibras nerviosas, formando una envoltura grasa que aísla los nervios y, como el caucho o el aislamiento plástico de los cables eléctricos de nuestra casa, evita que los impulsos eléctricos se cortocircuiten o dispersen por sus alrededores. El aislamiento concentra la capacidad de los nervios para transmitir impulsos y les permite hacerlo hasta cien veces más rápido, algo así como actualizar nuestra conexión a Internet, como pasar a la banda ancha.

Cuando nacemos nuestro cerebro tiene muy poca mielina. Cuando el sistema nervioso empieza a mielinizar (es decir, a formar la capa aislante de mielina alrededor de los nervios), comienza por la médula espinal y las estructuras más primitivas del cerebro, procediendo de forma bastante gradual hacia las partes del cerebro responsables de funciones superiores, dejando para el final las partes más sofisticadas del procesamiento mental en la corteza cerebral.

En los primeros años de vida el cerebro está muy desmielinizado —todavía no trabaja con banda ancha, por así decirlo—. La corteza frontal no se desarrolla lo suficiente como para tener algún grado significativo de función ejecutiva hasta los nueve o los diez años, e incluso entonces el proceso dista mucho de haberse completado.

Hasta finales de la década de 1990 se creía que el proceso de mielinización se completaba a los dieciocho años. Sin embargo, las investigaciones más recientes han revelado que esto no sucede plenamente hasta los veintitantos años. Es decir, que hasta los veinticinco años o más no tenemos la base fisiológica de la función ejecutiva desarrollada por completo.

Nuestra infancia hipnótica

De adultos tenemos la capacidad de salir de una situación y verla objetivamente. Podemos considerar lo que está motivando a las otras personas implicadas y cómo puede estar afectándoles la situación. El nivel de abstracción nos confiere una tremenda capacidad para procesar y comprender los acontecimientos; capacidad que no tenemos de pequeños.

Cuando somos muy jóvenes, todo lo que sucede a nuestro alrededor y lo que nos sucede a nosotros es sobre *nosotros*. Hasta los nueve o diez años todavía no poseemos la capacidad de abstracción, e incluso entonces no está tan desarrollada como la tendremos cumplidos los veinte.

Antes hemos mencionado que normalmente no recordamos con claridad las cosas que nos ocurrieron cuando teníamos dos o tres años. Pero ¿por qué debería ser así? Al fin y al cabo, estos acontecimientos tuvieron tanto impacto como los acontecimientos más recientes. Si podemos recordar con claridad los acontecimientos que nos sucedieron hace cinco, diez o veinte años, ¿por qué no los que nos sucedieron cuando teníamos dos?

En gran parte, eso se debe a que nuestro cerebro no estaba lo suficientemente desarrollado para procesar estos sucesos con las habilidades de adulto de la función ejecutiva y autoeficacia. No poseíamos las habilidades del lenguaje o la objetividad conceptual como para poder denominar o razonar esos acontecimientos cuando estaban sucediendo. Hoy, como adultos, procesamos la mayoría de lo que nos sucede en expresión verbal. Pero cuando intentamos concentrarnos en esos hechos de nuestra infancia temprana, nos resulta muy difícil. Literalmente, nos faltan las palabras para rememorarlos, porque nunca llegamos a asignárselas. Sólo los recordamos como conjuntos indistintos y no verbales de sentimientos y emociones.

La falta de función ejecutiva significa que no podemos *observar* la situación, que no podemos dar un paso atrás y verla con objetividad. Nos falta la habilidad para diferenciar lo que es real de lo que no lo es. No tenemos filtros, sencillamente lo absorbemos todo como una esponja.

En términos psicológicos, atravesamos esos primeros años en un estado hipnótico, lo que significa un estado entre la vigilia plena y el sueño, en el que somos parcialmente conscientes pero profundamente sugestionables, donde las puertas de nuestro subconsciente están abiertas de par en par.

En cierto modo muy real, nuestra infancia transcurre en un estado muy parecido a un trance hipnótico con los ojos abiertos. Tendemos a aceptar como cierto todo lo que nos dicen nuestros padres u otros adultos. Si tu padre dice: «Eres increíble, puedes hacer todo lo que te propongas», entonces, en lo que a ti respecta, ésa es la verdad. Por desgracia, también actúa a la inversa, si te dice: «No vales nada, no sirves para nada», entonces *eso* se convierte en tu verdad.

Repetimos que esto no es un concepto verbal: no es como si dices mentalmente: «Yo, Caitlyn, soy un ser humano inútil». No, no tienes ni idea de lo que significa la palabra *inútil*, al menos intelectualmente. Tu corteza cerebral no tiene la mielinización o las habilidades verbales necesarias para componer todo eso. Como no le pones palabras a lo que estás experimentando, no tienes un recuerdo verbal asociado a tu experiencia. Pero emocionalmente captas todo el impacto del mensaje: *No estoy bien. Me pasa algo malo.* Y esa creencia es tan poderosa que años después, en tu vida de adulto, a pesar de tus logros y del resto de pruebas que demuestran que eso no es cierto, todavía mantienes esa firme creencia.

Según Bessel van der Kolk, el trauma tiene un impacto concreto en el *cíngulo posterior*, que es la parte del cerebro donde agrupamos nuestra percepción interna sobre nosotros mismos; en términos técnicos, es la parte *interoceptiva* del cerebro. Las personas que están traumatizadas, explica el doctor Van der Kolk, tienen más dificultades con la autoconciencia porque el centro neuronal de su sentido del yo ha sido literalmente dañado. Cuando no se tratan los traumas, con el tiempo, pueden bloquear nuestro sentido de autorreflexión y autoexamen.

Asimismo, añade, sanar un trauma puede desarrollar y hacer más profunda esa parte autorreflexiva del cerebro.

Tu infancia perfecta

Imagina que creciste con los padres perfectos; personas que te apoyaban en todo, que te defendían, que alababan cada uno de tus logros, que te daban ánimos en cada revés y que siempre estaban de tu parte. Imagina cómo sería tener unos padres que siempre te dijeran lo grande que eres, el potencial que tienes, lo que creen en ti, que puedes hacer todo lo que te propongas, que si escuchas a tu corazón y vives la vida que realmente deseas superarás todos los obstáculos y que nada te podrá fallar.

Es muy probable que tu infancia no fuera exactamente de ese modo. Puede que tus padres fueran maravillosos. Pero ningún padre o madre es perfecto o perfecta, por muy buenas que sean sus intenciones. Todos somos seres humanos, y como padres, estamos expuestos a tener días «malos», sufrir con nuestras propias preocupaciones y a cometer errores. Muchas de nuestras equivocaciones como padres probablemente sean de poca importancia y se puedan superar con facilidad, pero algunas pueden tener un impacto significativo y duradero.

Y cuando éramos pequeños, también había amigos y compañeros de juego, los otros niños del colegio, los profesores y entrenadores, los padres del barrio y todas las demás influencias de nuestra vida. Las burlas, las regañinas, las discusiones, las injusticias y otros arañazos y magulladuras emocionales típicas de cuando estás creciendo.

No, probablemente, no tuviste una infancia perfecta. Pero ¿y si la hubieras tenido?

Imagina que *hubieras* tenido esos padres perfectos y que además sólo hubieras tenido los amigos que más te apoyaron y sólo los mejores profesores. ¿Cómo serías ahora? ¿Cómo sería tu vida y te sentirías hoy si te hubieran educado y te hubieras desarrollado de tal modo que tuvieras un sentido inquebrantable de confianza en ti mismo y en la bondad fundamental del mundo que te rodea?

Bueno, ésa es justamente la vida que *puedes* vivir, porque eso es justamente lo que hace el Proceso de los Cuatro Pasos. Tiene el mismo impacto en lo más profundo de ti que hubieran tenido esos padres perfectos a lo largo de los años, sólo que lo haces tú mismo. Cuando sigues los pasos de este proceso, tomas las creencias que conscientemente quieres que rijan tu vida y las instalas en tu ser en ese mismo nivel preverbal y preexpresado en el que experimentaste tu aprendizaje original de pequeño. Te saltas todas las estructuras y limitaciones del intelecto y de la expresión oral, del pensamiento cognitivo, e imprimes tus nuevas intenciones en un nivel muy primario.

El Proceso de los Cuatro Pasos, en esencia, equivale a darte una infancia perfecta. Estás imitando una dinámica primaria, invocando el mismo proceso básico, pero haciéndolo de una forma más estructurada y mucho más rápida.

Ésta es la finalidad del Proceso de los Cuatro Pasos. Es un instrumento para ayudarte a completar el proceso de ser tú.

Paso 3

El paso 3 reúne los elementos de todo lo que hemos visto hasta ahora. Utiliza los poderes cognitivos de la mente consciente y las poderosas fuerzas del subconsciente, incorpora ejercicios que nos ayudan a reorganizar nuestra polaridad eléctrica y que se centran directamente en el biocampo, y une todo esto con poderosas imágenes.

Este paso tiene tres partes:

1. Crear la imagen de una *papelera terapéutica* y utilizarla para tirar todos los elementos de sufrimiento de tu vida.
2. Generar la *promesa de autoaceptación* y combinarla con una *nueva creencia de poder personal* para crear tu propio *código de la felicidad.*
3. Materializar estos conceptos y hacerlos reales en tu subconsciente a través de una serie de *escenas de tu vida ideal.*

Crear una papelera terapéutica

Imagina mentalmente un recipiente. Lo llamaremos «papelera terapéutica», pero puede ser cualquier tipo de recipiente. Si lo prefieres, puedes visualizar un cubo, un cuenco o un pozo profundo. «Papelera» no es más que una metáfora: el concepto es *contención.*

En este recipiente vas a poner los temas y problemas que deseas eliminar, incluidas tus creencias autolimitadoras y recuerdos de acontecimientos negativos del pasado, así como cualquier factor negativo en tu vida actual que desees cambiar. La función de la papelera terapéutica es que vas a ejercer tu poder ejecutivo para definir y controlar la situación, y que estás usando esta habilidad para contener el sufrimiento, los esfuerzos, las heridas o los retos que te han bloqueado hasta ahora.

La imagen de la papelera (o de cualquier contenedor que hayas elegido) es una señal a tu subconsciente de que ocupas el asiento del conductor en tu vida y de que los trastornos y asuntos a los que estás haciendo referencia van a estar contenidos. No se van a volver a derramar en tu vida. Estás creando una barrera.

A veces los pacientes nos preguntan: «¿Cómo sé si lo estoy haciendo bien? ¿Y si no soy una persona visual?» No te preocupes. Aquí no te puedes equivocar, y no has de ser un artista visual para hacer esto. Hemos tenido pacientes que nos han dicho: «No soy bueno visualizando cosas». Bien, les hemos dicho. Cierra los ojos un momento, ahora, ¿puedes imaginar la forma de una manzana? Por supuesto. ¿Cómo lo has hecho? Visualizándola, todo el mundo puede hacerlo.

- Cierra los ojos e imagina tu papelera terapéutica.
- Arroja en ella todos los elementos de tu niebla de sufrimiento.

Echa en la papelera terapéutica las creencias negativas y autolimitadoras y cualquier otro elemento que hayas identificado en el paso 1, todas las heridas, los esfuerzos, los recuerdos y acontecimientos dolorosos del pasado.

Si se te ocurre alguna otra cosa negativa mientras estás haciendo este ejercicio, aunque sea algo que no recordaste antes cuando hacías el paso 1, échala aquí. No tengas miedo de que se llene demasiado. Es tu papelera: tiene capacidad para todo lo que necesites. Todo lo que no funcione en tu vida, todo lo que te haga sentirte abrumado, cualquier pensamiento, sentimiento o penuria que interfiera en tu vida actual y del pasado que puedas recordar: tíralo a esa papelera.

- Ahora, en los dos o tres minutos siguientes, visualiza la papelera terapéutica desapareciendo o alejándose lentamente.

Una sencilla forma de hacerlo es imaginar que colocas la papelera en la superficie del agua, de un lago o del mar y observar cómo se aleja flotando hasta desaparecer en el horizonte. O puedes imaginar que le atas un globo por su asa y se eleva gradualmente hasta quedar oculta por las nubes.

Hemos tenido pacientes que han imaginado su papelera terapéutica como un cohete que despegaba hacia el espacio; como un inodoro gigante en el que tiraban de la cadena; como un contenedor que recogía el camión de la basura y se lo llevaba; como una cueva en la montaña que desaparecía bajo tierra tras un terremoto. No importa qué imagen utilices. Lo que importa es que decidas claramente en qué imagen te quieres concentrar y que ésta incluya dos ingredientes esenciales: *contención* y *liberación*.

Si no se te ocurre ninguna otra cosa, la imagen que recomendamos por defecto es una gran papelera de paja que colocas en el agua y que se va alejando poco a poco, adentrándose en el mar y traspasando la línea del horizonte.

Hay un concepto fascinante en psicología que se denomina el *principio de Zeigarnik*, por el psicólogo ruso Bluma Zeigarnik, que en la década de 1920 descubrió que las personas recordaban mejor objetos y tareas incompletos que completos. Por ejemplo, los camareros recuerdan una comida sólo mientras el pedido todavía está en proceso de preparación. Cuando ya se ha servido la comida, el pedido se desvanece de la memoria a corto-plazo (es decir, consciente) del camarero. Simplificando, el principio Zeigarnik promulga:

Recordamos lo que está inacabado o incompleto.

Dicho de otro modo, cuando una tarea o un asunto *se han* completado, entonces —y *sólo* entonces— desaparecen de la vista. Nos preocupamos por las cosas que no se han terminado. Los temas por resolver que tienes en tu vida se asientan en tu psique como correos electrónicos por responder en tu bandeja de entrada psicológica y energética. Sin embargo, cuando ya has respondido los correos —¡puf!—, inmediatamente salen de la bandeja de entrada. Esto significa que cuando has resuelto genuinamente la nube que rodea un acontecimiento traumático de hace años, esa nube ha desaparecido, ya está, la has liberado.

Esto es así, tanto si eres consciente de ello como si no. Stefanie no era consciente de que la regañina de sus padres por los veinticinco céntimos de dólar todavía estaba en su bandeja de entrada cincuenta años después, pero así era, esperando una respuesta. Cuando siguió el Proceso de los Cuatro Pasos, *desapareció*.

Tu creencia de poder personal

Antes hemos dicho que literalmente cultivamos nuestras creencias a raíz de formar nuevos senderos nerviosos, como un jardín ornamental dinámico de la mente. Aquí está el corolario más radical: si podemos cultivarlas, entonces podremos *recultivarlas*. Es decir, podemos cultivar intencionadamente *nuevas* creencias.

En el paso 3 borras las creencias negativas de la vida e instauras otras positivas.

Para prepararte para esto, en primer lugar te pediremos que recuerdes la creencia autolimitadora que identificaste en el paso 1 y que la transformes en otra creencia opuesta y cargada de poder personal. Por ejemplo, si tu creencia autolimitadora más fuerte es «No estoy a salvo», la creencia opuesta y con poder personal podría ser «Estoy completamente a salvo y seguro».

Aquí tienes una lista de las siete creencias autolimitadoras más comunes con sus corolarios positivos.

1. No estoy a salvo.
Estoy totalmente a salvo y seguro, todo está en orden.

2. No valgo nada.
Valgo mucho y me merezco todo el éxito.

3. Estoy indefenso.
Soy poderoso y capaz.

4. No merezco que me quieran.
Soy una persona encantadora y me aman.

5. No puedo confiar en nadie.
Estoy rodeado de personas de confianza y amigos que valen la pena.

6. Soy malo.
Aporto cosas buenas a todas las personas que conozco.

7. Estoy solo.
Soy un hijo de Dios o del universo.

Puedes formularlas a tu manera, según tu situación. Tanto si sigues tu propia versión como si utilizas una de las que hemos mencionado, lo que queremos es que escribas tu nueva creencia de poder personal para que puedas acceder fácilmente a ella. Usa pocas palabras.

Afirmaciones de autoaceptación

El siguiente elemento de este paso es una simple afirmación de autoaceptación:

Me acepto profunda y completamente.

Hay una serie de razones por las que esta simple afirmación es tan poderosa e importante. La autoaceptación es un *concepto de orden superior*, es decir, tiene una clasificación propia. Está por encima de cualquier otra afirmación que hagas. Tanto si se trata de confianza, autoestima, capacidad de resolución, seguridad en una habilidad o cualquier otro talento, sea lo que sea lo que quieras afirmar y construir en tu vida, ha de empezar desde una base de autoaceptación.

Parte de la razón por la que esto es así es porque, antes de que puedas emprender la ruta hacia un nuevo destino, has de saber cuál es tu punto de partida. Aceptarte tal como eres te sitúa en el aquí y el ahora. Hasta que no tengas claro ese punto de partida, cualquier viaje que emprendas estará destinado al fracaso. Si no aceptas algo, es muy difícil cambiarlo, porque no puedes luchar contra algo y cambiarlo al mismo tiempo.

La gran mayoría de las personas que sufren y que desean cambiar sus vidas *no* se aceptan a sí mismas porque temen que hacerlo suponga aceptar esas mismas cualidades o circunstancias negativas que desean cambiar. Pero eso no funciona así. La negación nos deja indefensos. La aceptación nos da poder.

Aceptarse a uno mismo no significa estar satisfecho con tu condición social y abandonar toda esperanza de mejorar. Todo lo contrario: la autoaceptación profunda y completa te coloca en el asiento del conductor, en una posición de fuerza. Te sitúa en un lugar donde el cambio es posible y desde la cual puedes experimentar un gran crecimiento personal.

Muchas veces nos identificamos con nuestras circunstancias, y especialmente con las más difíciles. Si tenemos una enfermedad, una relación deteriorada, un revés económico, podemos empezar a sentir que el problema *somos* nosotros. Pero la autoaceptación profunda significa que «Yo *no* soy la enfermedad», «Yo *no* soy el divorcio», «Yo *no* soy el revés económico». Todo lo que está pasando en mi vida no soy yo, es simplemente aquello por lo que estoy pasando en este momento.

Otra forma de decir esto es que esta afirmación te conduce desde un *locus de control externo* a un *locus de control interno*. Empezar desde un lugar de autoaceptación es reclamar tu autoeficacia.

Me acepto profunda y completamente.

Podemos darle muchos significados e interpretaciones a esta frase. Aquí tienes unas cuantas del infinito número de formas en que podemos expresar nuestra profunda autoaceptación:

Acepto profundamente las cosas tal como son, como punto de partida.

Me acepto profundamente, incluso con todos los defectos o limitaciones que tengo, consciente de que hay cosas que quiero cambiar.

Me acepto completamente, todo lo que he sido y todo lo que seré, con todas mis imperfecciones y todo mi potencial ilimitado.

Me acepto plenamente como hijo de Dios.

Me acepto plenamente como ser espiritual.

Me acepto plenamente como un ser del universo.

Todas están bien y todas son correctas, y si deseas crear otra versión de esta idea para tu uso personal, hazlo con toda libertad. Para nuestro paso 3, nos gustaría utilizar la afirmación más simple, clara y entendible posible. También es importante que, sea cual sea tu afirmación de autoaceptación, resulte muy fácil de recordar, para que no tengas que recurrir a un escrito cuando hagas este paso.

Me acepto profunda y completamente.

«¿Y si esta afirmación no es cierta en mi caso?», nos preguntan algunos pacientes. ¿Y si no sientes realmente que *puedes* aceptarte a ti mismo?

No pasa nada; vamos a decirte que sigas adelante y la repitas de todos modos. Si en estos momentos te encuentras en una situación en la que no puedes aceptarte, considéralo como parte de esa circunstancia que estás incluyendo en tu afirmación de autoaceptación.

Tu código personal de la felicidad

Ahora añadiremos estos dos elementos para crear lo que llamamos el *código personal de la felicidad.* Empezando por esta afirmación de autoaceptación, simplemente le añadimos una afirmación de nuestra creencia de poder personal. Por ejemplo:

Me acepto profunda y completamente, y me siento a salvo y seguro en mi vida.

Me acepto profunda y completamente, y me siento amado y merecedor de ser amado.

Me acepto profunda y completamente, soy competente, capaz y merecedor.

Esta combinación de palabras —una afirmación sencilla de autoaceptación junto con tu nueva creencia de poder personal— es poderosa.

Ahora piensa con qué se relaciona esto en tu vida. Por ejemplo, cuando dices «a salvo», ¿estás pensando principalmente en tu seguridad física en tu barrio o en tu trabajo? ¿En tu salud física? ¿En tus relaciones? ¿En sentirte a salvo en los actos sociales? Sea cual sea tu contexto, ten presentes esos temas cuando haces la afirmación.

Si lo prefieres, puedes personalizar la afirmación, haciendo que sea más específica a tu situación.

Me acepto profunda y completamente, y soy competente en mi trabajo de [añade tu profesión].

Me acepto profunda y completamente, y me siento cómodo en los actos sociales.

Me acepto profunda y completamente, y sin lugar a duda me merezco un matrimonio largo, adorable y feliz.

Te recordamos que para tus propósitos actuales lo mejor es que esta afirmación sea corta, sencilla y fácil de recordar. Por el momento, mientras estás aprendiendo el Proceso de los Cuatro Pasos, te recomendamos que utilices una de estas siete versiones:

Ejemplos de un código de la felicidad personalizado

Me acepto profunda y completamente. Estoy a salvo y todo está en orden.

Me acepto profunda y completamente. Valgo y me merezco todo el éxito.

Me acepto profunda y completamente. Tengo poder y talento.

Me acepto profunda y completamente. Soy adorable y me aman.

Me acepto profunda y completamente. Estoy rodeado de amigos que confían en mí y en los que confío.

Me acepto profunda y completamente. Aporto cosas buenas a todas las personas que conozco.

Me acepto profunda y completamente. Soy un hijo de Dios o del universo.

Promesa de aceptación

Por poderosa que sea esta afirmación, sigue siendo una afirmación en el plano cognitivo. Es decir, que es tu pulga la que habla. Ahora has de conseguir que el elefante también participe. El verdadero poder se activa cuando abres un canal hacia tu subconsciente, al cual accedes a través de tu biocampo.

Éste es el propósito del siguiente elemento de este paso, al que llamaremos *promesa*:

- Coloca tu mano derecha sobre tu corazón, como si estuvieras repitiendo un juramento de lealtad.

En esta zona hay un nudo de nervios, en el espacio intercostal entre la segunda y la tercera costilla, justo debajo de las yemas de tus dedos. Si presionas o frotas esta zona, la notarás un poco blanda. Nosotros la llamamos *zona de remodelación*: frotar esta zona activa una respuesta neurolinfática que actúa como un importante acupunto.

No te preocupes si no estás seguro de haber localizado el sitio exacto. Una presión firme en esta área por encima del corazón activará el nudo de nervios y producirá el efecto deseado.

- Frota esta *zona de remodelación* en el sentido de las agujas del reloj con las yemas de los dedos de tu mano derecha.
- Mientras frotas esta zona, repite cinco veces tu *código personal de la felicidad*, ya sea en voz alta o en silencio.

Frotar este nudo de nervios abre una puerta hacia el biocampo que permite que entre tu afirmación y que llegue hasta el nivel más profundo.

Puedes pensar en ello de este modo: imagina que estás usando un cajero automático para sacar algo de dinero en efectivo. Acabas de insertar tu tarjeta, la máquina ya sabe quién eres, pero eso no basta para completar la transacción y sacar el dinero. ¿Qué es lo que falta? Todavía tienes que introducir tu contraseña, teclear la cantidad que deseas y apretar INTRO.

En nuestro ejercicio, tu afirmación de autoaceptación es la contraseña; tu creencia de poder personal es como decirle a la máquina cuánto efectivo quieres que te dispense, y frotar la *zona de remodelación* equivale a apretar el INTRO.

Contraseña = Me acepto profunda y completamente.

Solicitud de efectivo = Estoy a salvo y todo está en orden.

Apretar INTRO *= frotar* la zona de remodelación.

La *promesa de aceptación* y el *código personal de la felicidad* son la esencia del paso 3. Es la carne del bocadillo, que se encuentra entre las rodajas de las imágenes que le hablan a tu subconsciente. La primera imagen que iba antes de la *promesa de aceptación* era la *papelera terapéutica*. Ahora ha llegado el momento de crear las imágenes que van después de la promesa y que envuelven todo este paso.

Imágenes de tu vida ideal

El último elemento del paso 3 es recordar imágenes de cómo te gustaría que fuera tu vida, para visualizar lo que quieres que funcione bien en ella.

Aquí, la meta es hacerte ver la vida que has descrito en tu creencia de poder personal. Esto puede implicar imaginar escenas de tu vida ideal, como si estuvieras viendo una película sobre ti. O puede suponer, imaginar imágenes individuales, como instantáneas o fotogramas de películas. Y no tienen por qué ser solamente visuales, o ni tan siquiera visuales. Puedes incluir sensaciones, sentimientos, sonidos, olores, cualquier impresión sensorial que evoque vívidamente la vida que deseas vivir:

El olor de algo que se está haciendo en el horno.

El tacto de la piel de otra persona.

El frío de la nieve recién caída en las pistas de esquí.

El frescor del salpicar salubre de las olas en tu luna de miel o en tus vacaciones.

De lo que se trata es de evocar la sensación o sentimiento que te conecta con la emoción positiva que experimentarás en tu nueva vida, la vida a la que le estás dando espacio al desbloquear y eliminar tus viejas limitaciones.

Cuando te pongas a reflexionar, si te parece útil, puedes hacerte una lista de palabras o frases que te ayuden a recordar las imágenes que se te ocurren. Recuerda que no estás buscando palabras, sino los *sentimientos.*

Existen muchas posibilidades de que las raíces de tus creencias autolimitadoras se encuentren en experiencias que sucedieron en una fase muy temprana de tu vida en la que todavía no habías desarrollado el lenguaje de las palabras para poder describirlas. Si esas creencias se han alojado en tu ser como emociones preverbales, es lógico que la mejor forma de sustituirlas sea con nuevas y potentes emociones: sentimientos que superan las palabras.

En el mundo de la venta hay un refrán que dice: «Las personas compran por emoción, luego racionalizan el hecho con la lógica», y esto es especialmente aplicable a tu mente subconsciente. «Comprará» mucho mejor la idea de tu vida cargada de fuerza, positiva, poderosa, dichosa y satisfactoria a través del idioma de las imágenes y emociones que mediante ningún argumento lógico o racional.

Puedes repetir «Tengo una relación adorable y que me llena totalmente» hasta el día del juicio final. Pero dale a tu subconsciente el aroma salado de la ola, la sensación de la arena mojada entre los dedos de tus pies, el sonido de la risa de tu amante y la sensación de sus dedos entrelazados con los tuyos cuando caminabais juntos por la playa, ¡esa serie de imágenes superará con creces cualquier afirmación verbal que se te pueda ocurrir!

Se parece al proceso que se suele enseñar como visualización creativa, pensamiento positivo o afirmación, pero con una diferencia crucial.

Como hemos dicho antes, si primero no despejas la resistencia de tu biocampo y tu subconsciente, cuando practiques el pensamiento positivo, afirmaciones o visualización creativa, lo que fácilmente puede sucederte es que termines discutiendo contigo mismo. Aunque repitas conscientemente «Cada día, de todas las formas posibles, soy mejor y mejor...», tu mente subconsciente está susurrando: «¿De veras? ¡No lo *creo*!», y en cuanto a concursos de voluntad entre la mente consciente y la subconsciente, ya sabes quién gana.

La gran diferencia aquí es que antes de llegar a esta parte del proceso has dado los pasos necesarios para reorganizar la energía de tu cuerpo a fin de que esté en sintonía con tu intención, en vez de estar luchando contra ella, y has «vaciado la taza» de carga emocional y energética en torno a las experiencias negativas del pasado y la creencia autolimitadora que has identificado anteriormente.

Has preparado el terreno para que esas semillas de positividad echen raíces, broten y florezcan.

Variaciones

La imaginación puede ser algo muy personal. En todos estos años hemos tenido pacientes que han adaptado los elementos básicos del paso 3 de todo tipo de formas. No obstante, cuando estés aprendiendo la secuencia y los elementos del paso 4, te recomendamos que los mantengas lo más simples posible. Aunque no varíes nunca y utilices por defecto sólo las imágenes muy básicas y el lenguaje que ofrecemos aquí, seguirá siendo muy personal por las experiencias, recuerdos, sentimientos e imágenes de la vida ideal que tú aportarás.

Sin embargo, hemos pensado que sería útil compartir algunas de las variaciones y aportaciones más comunes al proceso con el que hemos trabajado durante años. Consideremos todas estas opciones: algunas de ellas pueden atraerte de una forma más especial o resultarte más útiles, y otras no.

Variante: imágenes de liberación

Además de dejar que la papelera terapéutica desaparezca gradualmente, puede ser útil atraer imágenes específicas de borrar o de soltar, como éstas:

- Estar debajo de una cascada y dejar que te limpie de todas tus creencias negativas y de las heridas y preocupaciones del pasado.
- Caminar o bailar bajo la lluvia y dejar que te limpie y purifique.
- Bañarte en un lago de montaña con agua pura.
- Nadar por debajo del agua y sentir que todas las creencias negativas se disuelven.
- Darte una ducha de agua caliente y ver que todas las viejas creencias se van por el desagüe.
- Estar de pie bajo un rayo de luz purificante y curativa que baja del cielo.

Otra forma de hacerlo es escribir en un papel los elementos negativos que quieres eliminar y colocar el papel en un bol u otro recipiente, luego enterrarlo o tirarlo. O poner el papel en una chimenea o en una vela y quemarlo. Puedes escribir unas cuantas palabras clave con un rotulador en un globo de helio y luego soltarlo fuera y ver cómo se va flotando. Añadir un poco de acción física a las imágenes puede ser una poderosa forma de fusionar la experiencia mente-cuerpo de dejar ir.

Éstos son rituales de liberación: al definir, contener y luego liberar estos elementos negativos, das permiso a tu subconsciente para que los deje marchar.

Variante: hacer el viaje curativo

Imagina que viajas desde un punto de partida A (donde has estado) hasta un destino, punto B (tu vida ideal), de la forma que te haga sentir más paz y satisfacción. No importa qué forma o contexto elijas, lo que te resulte más natural y correcto para ti será lo mejor.

A algunas personas les gusta visualizarse realizando su viaje como una carrera. A otras les gusta caminar por la playa o caminar por un sendero en el bosque. Otras se visualizan haciendo golf y llevando la bolsa con los palos; otras esquiando. Depende enteramente de ti.

Mientras vas del punto A al punto B, permítete pasar por un entorno bonito que sea de tu agrado. En el camino imagina los árboles, las rocas, los arbustos y cualquier escenario natural que puedas incluir.

Esto no es puramente estética o sólo una técnica de «relajación». Recuerda que las imágenes son el lenguaje del subconsciente. Es una gran herramienta para ayudar a disolver y hacer desaparecer esa insidiosa niebla de sufrimiento que puede que te haya tenido en sus garras durante décadas.

Este escenario puede convertirse en la clave para recordar el efecto Zeigarnik y «cerrar cualquier archivo abierto», es decir, para resolver cualquier tema pendiente. Los árboles, colinas y cualquier otro escenario por el que transcurra tu viaje terapéutico representan los sentimientos y circunstancias que forman parte de los temas que estás dejando ir. No es algo en lo que tengas que pensar obsesivamente. No tienes que ahondar en esos sentimientos o temas o detenerte a examinarlos. Simplemente observa el paisaje al pasar y sigue caminando, corriendo o esquiando. El mero hecho de observarlos es lo que efectivamente cierra los archivos y borra esos temas de la bandeja de entrada de tu psique.

Variante: localiza el sentimiento

Puedes facilitar este proceso localizando el centro de energía específico dentro de tu biocampo donde más resuenan los temas de los que te estás liberando.

Esto es más fácil decirlo que hacerlo. Se parece a colocar tu mano en tu cabeza e irla moviendo lentamente para situar la localización de un dolor de cabeza.

Cuando pienses en las creencias, sentimientos o experiencias negativos del pasado que quieres soltar, coloca tu mano en diferentes partes de tu cuerpo para ver dónde resuena más ese residuo. Puedes notarlo justo debajo de la línea del cinturón, en tu vientre, en tu plexo solar, en tu pecho, en tu garganta o en tu cabeza.

Hay algunas cualidades comunes que suelen resonar en distintas áreas. Por ejemplo, los temas de seguridad personal, seguridad y confianza suelen resonar en el fondo del vientre; la ira o los celos en el plexo solar; el mal de amores, los corazones rotos, la soledad y la tristeza, en el corazón; y los temas de manifestarte tal como eres, ser oído o escuchado, se notan en la garganta.

Temas comunes y sus correspondientes centros de energía

Garganta → Expresión, identidad

Corazón → Amor, corazón roto, soledad, temas con las relaciones

Plexo solar → Ira, celos, envidia, resentimiento

Vientre → Seguridad, confianza, fuerza, presencia

Cierra los ojos e imagina que envías energía a la zona donde sientes ese malestar o bloqueo. Para algunas personas, esto puede suponer una potente reafirmación. Repetimos, esto es opcional no una parte esencial del proceso.

Variante: dirígete a tu función ejecutiva

Puedes identificar tu propia función ejecutiva interna dándole un nombre para poder dirigirte directamente a ella. Hemos tenido pacientes que han optado por llamar «Jefe», «Alma», «Amigo» o «Sanador interno» a su ejecutivo interior, o incluso algunos le han dado un nombre personal como «Sam» o «Susan».

Cuando hayas elegido el nombre que vas a usar, dirígete directamente a tu función ejecutiva y pídele que te ayude a limpiar todo lo que hay en la papelera. Por ejemplo, si decides llamarle Alma podrías decir:

> «Alma, por favor, recoge y tira todo material viejo del pasado que esté interfiriendo en el camino hacia mi vida ideal.»

Aquí, la clave es que tu ser ya sabe cómo curarse a sí mismo. Cuando te haces un arañazo o un corte sin darte cuenta, tu cuerpo sabe cómo curarlo. Tu sistema inmunitario sabe qué hacer frente a una infección. No necesitas darle conscientemente a tu cuerpo todas las instrucciones específicas sobre *cómo* curarlo: *ya lo sabe*.

La mente también sabe cómo curarse naturalmente, si le das los nutrientes y la sintonización correctos. No has de darle todas las instrucciones detalladas. Una vez que te propones la intención de curarte, puedes confiar en que tu mente y tu cuerpo sabrán cómo hacerlo. Lo único que has de hacer conscientemente es concentrar tu intención en el resultado positivo.

Dirigirte a tu función ejecutiva es una forma de ponerte en tu propia piel para poner en marcha el viaje terapéutico. Imagina el cambio de creencia y de percepción que quieres realizar y luego pídele a tu mente curativa que se dirija al subconsciente y cree ese patrón nuevo. Ya sabe lo que ha de hacer: simplemente, pídelo.

Variante: imágenes de adulto

Puedes utilizar una herramienta común y corriente de adulto como imagen de poder para evocar el hecho de que ahora eres un adulto y que eres capaz de interpretar objetivamente los acontecimientos. Es decir, aunque lo que te ocurrió en la infancia pueda haber creado una nube sobre tu vida, si esos mismos acontecimientos se produjeran hoy en día, como adulto podrías afrontarlos de un modo muy distinto, y evocando imágenes de adulto puedes reclamar la función ejecutiva y reinterpretar esos acontecimientos.

Una figura de autoridad, un bravucón u otra figura en tu vida que tuviera poder sobre ti cuando tenías cuatro o siete años ya *no* tiene poder sobre ti hoy, y esas imágenes de adulto ayudan a activar tu psique para que lo recuerdes.

Por ejemplo, cierra los ojos e imagina que tienes las llaves del coche en una mano y la tarjeta de crédito en la otra. Si tu profesión se puede asociar a una herramienta en concreto —para un piloto de carreras o de avión, un volante o los mandos del avión; para un cirujano, un bisturí—, también puedes usarla, siempre y cuando no tenga asociaciones complicadas con la infancia.

Nuestra imagen favorita de adulto es la de las llaves del coche, en parte porque las tienes en la mano tantas veces que suele ser muy fácil tener una imagen vívida.

Por ejemplo, cuando pones acontecimientos pasados y viejos sentimientos en tu papelera terapéutica, puedes imaginar el sentimiento de tener las llaves del coche en tu mano: esto te dice que ahora eres un adulto y que esos viejos sentimientos ya no tienen poder sobre ti.

Esta imagen puede ser como una especie de ancla durante el día, entonces, cada vez que coges las llaves del coche, todo tu ser recuerda que ahora estás viviendo una vida nueva:

Estás a salvo.
Vales mucho.
Eres poderoso y capaz.
Eres una persona encantadora y te aman.
Estás rodeado de personas de confianza y amigos que valen la pena.
Aportas cosas buenas a todas las personas que conoces.
Y no estás solo; eres un hijo de Dios o del universo.

Paso 3: Remodelar

Propósito: desechar creencias negativas y sustituirlas por nuevas creencias de poder personal en su lugar

a. Papelera terapéutica (3 minutos)

- Visualiza una *papelera terapéutica* u otro recipiente que elijas.
- Tira allí todos los elementos negativos del paso 1.
- En los dos o tres minutos siguientes, visualiza cómo desaparece gradualmente o se va flotando, llevándose consigo todos esos elementos negativos.

b. Promesa de aceptación (un minuto aproximadamente)

- Pon la mano derecha sobre tu corazón y con las yemas de tus dedos localiza la *zona de remodelación* (entre la segunda y la tercera costilla).
- Mientras frotas esta zona en el sentido de las agujas del reloj, repite cinco veces tu *código personal de la felicidad* —una afirmación de autoaceptación junto con tu creencia de poder personal— en voz alta o en silencio.

c. Imágenes de tu vida ideal (varios minutos)

- Durante unos minutos visualiza escenas e impresiones de tu vida feliz y cargada de poder personal.

d. Opciones

- Imágenes de liberación.
- Imágenes de un viaje terapéutico.
- Localiza el sentimiento (centros de energía).
- Nombra y dirígete directamente a tu función ejecutiva.
- Imágenes de adulto.

6

Anclar

Simplemente golpea tus talones juntándolos tres veces y repite «Se está mejor en casa que en ningún otro sitio».

GLINDA, en *El Mago de Oz*

Por sencillos que puedan parecer, los pasos que has dado hasta este punto del proceso, son *poderosos* y tienen un profundo impacto. ¿Recuerdas a Chantal de Ruanda, a Keith, el veterano de Vietnam, y a los miles de personas de los distintos estudios que hemos visto en el capítulo 4? Cuando sus pesadillas, *flashbacks* y otros síntomas desaparecieron, *desaparecieron*: incluso meses y años después, no habían regresado.

Cuando identificas un tema y erradicas su origen, localizas la creencia negativa subyacente, limpias tu sistema y reorganizas tu polaridad eléctrica, contienes y disuelves esos elementos negativos y los sustituyes por creencias positivas reforzadas por imágenes vívidas de tu nueva vida de poder personal, no habrás sólo tratado ese tema a la ligera, sino que lo habrás cambiado profundamente.

Pero todavía no hemos terminado: hay un paso más.

Los pasos del 1 al 3 crean algunos cambios profundos respecto a cómo te ves a ti mismo y cómo ves el mundo. El propósito del paso 4 es interiorizar e instaurar tus nuevas creencias de poder personal y nuevos patrones de pensamiento para que pasen a formar parte de ti permanentemente.

El paso 4, introduce dos nuevos elementos en el proceso: un sencillo ejercicio al que llamaremos *sujeción del ancla*, y tu *símbolo de equilibrio* personal. Veamos cada uno por separado.

Sujeción del ancla

Para la sujeción del ancla simplemente coloca una mano en tu frente como si fueras a comprobar que tienes fiebre, y la otra mano justo detrás, en la parte posterior de la cabeza y a la misma altura.

Sujeción del ancla

En la terapia craneosacral y en la quiropraxia se conoce como *sujeción fronto-occipital* (o simplemente *sujeción F/O*). Este ejercicio aparentemente sencillo actúa poderosamente en varios niveles a la vez.

En primer lugar, estamos incrementando ligeramente el flujo de sangre en la corteza prefrontal (zona frontal del cerebro), estimulando las áreas responsables de la imaginación y nuestra capacidad para visualizar el futuro. Al mismo tiempo, también estamos estimulando la circulación de la zona occipital o parte posterior del cerebro, donde está situado el centro de la visión. Al aumentar el flujo sanguíneo, mejora su funcionamiento.

Colocarse la mano en la frente es un gesto natural de eliminar el estrés que todos conocemos intuitivamente. Si alguna vez has cuidado de un niño cuando estaba enfermo, es muy posible que hayas tenido esta experiencia: automáticamente habrás puesto tu mano en su frente. Sí, es una forma de comprobar si tienes fiebre; pero es más que eso, también es relajante y tranquilizante. Actuamos de igual forma instintivamente con nosotros mismos. Por ejemplo, si nos dan alguna mala noticia, puede que coloquemos la mano en la frente y que exclamemos: «¡Dios mío!» (o cualquier otra cosa que se nos ocurra) y que tomemos asiento.

Además de la circulación sanguínea, estamos activando directamente funciones esenciales de nuestro biocampo. Por una razón, las áreas de la zona frontal y posterior de la cabeza están cargadas de acupuntos que se encuentran a lo largo de meridianos esenciales, que tienen un efecto tranquilizante y equilibrador.

En términos más generales, también estamos tratando el centro de energía que corresponde a nuestra cabeza y cerebro. En capítulos anteriores hemos hablado de los distintos centros de energía que hay en el cuerpo (tradicionalmente, se denominan chacras, de la palabra sánscrita «rueda»). La sujeción del ancla es, literalmente, una forma de sujetar uno de estos centros entre las palmas de tus manos. Cada chacra o centro de energía se distingue por su carácter y se asocia a diferentes funciones y efectos en nuestro bienestar general, como hemos visto brevemente en el capítulo 5. Allí, sin embargo, vimos los cuatro centros del vientre, plexo solar, corazón y garganta. Aquí trataremos del centro de energía del cerebro.

Los efectos de cargar y equilibrar este centro específico incluyen:

- Ver el pasado en perspectiva.
- Afianzarse en el presente.
- Tener una imagen más clara de nuestro futuro.

Dicho de otro modo, la sujeción del ancla nos ayuda a afianzar el cambio en nuestros pensamientos, creencias e imágenes mentales en los que estamos trabajando mediante el Proceso de los Cuatro Pasos.

En lo que a imágenes se refiere —recuerda que las imágenes son el lenguaje del subconsciente—, también estamos evocando un fuerte sentido de *contención*, casi como hicimos con la imagen de la papelera terapéutica del paso 3, salvo que en este caso estamos conteniendo unas nuevas creencias de poder personal y las escenas de nuestra vida ideal que creamos al final del paso 3. Justo antes del paso 4, hemos evocado las poderosas imágenes de la vida que queremos vivir; ahora estamos, literalmente, *sujetando ese pensamiento.*

Por lo tanto, la sujeción del ancla actúa de manera poderosa en el plano energético, el plano cognitivo, los planos metafórico y subconsciente y el plano físico al mismo tiempo.

Tu símbolo de equilibrio personal

Tu *símbolo de equilibrio* personal es una sola imagen que, para ti, representa tu triunfo sobre las limitaciones o retos del pasado. Es un símbolo de las nuevas habilidades, facultades más profundas u otros valores y cualidades que son la esencia de esas escenas de tu vida ideal. Representa todo lo que quieres ganar a través de borrar los bloqueos y limitaciones, de aceptar tu autoeficacia y crear una vida tan satisfactoria como desees.

Utilizamos la palabra *equilibrio* para referirnos a esta imagen porque cualesquiera que sean los valores, facultades u otras cualidades que desees crear en tu nueva vida —confianza en ti mismo, amor, éxito económico, seguridad personal, paciencia y estar relajado o cualquier otra cosa— en el fondo representan lo que para ti será una «nueva normalidad», una nueva imagen más satisfactoria y plena de la vida cotidiana. Es decir, es un nuevo nivel de homeostasis, un nuevo estado de equilibrio.

En el capítulo 8, hablaremos más sobre las virtudes del equilibrio, pero por el momento nos limitaremos a decir que el equilibrio es el valor esencial subyacente a todas las metas del Proceso de los Cuatro Pasos. Si hablamos en términos de electricidad, por ejemplo, estamos equilibrando nuestros hemisferios izquierdo y derecho, el lado izquierdo y derecho del cuerpo, y todas las polaridades negativa y positiva de nuestro biocampo. Estamos armonizando las metas y la concentración de ambas, la atención consciente y las facultades subconscientes. También estamos equilibrando lo mental y lo físico, lo externo y lo interno, y el pasado y el futuro.

Hay tres imágenes comunes que nos gustaría ofrecer como símbolos generales para este paso; cada uno representa el equilibrio en un ámbito diferente de la vida:

1. El *corazón*: representa el equilibrio en el amor, las relaciones y en todas las interacciones interpersonales.
2. El *signo del dólar*: representa el equilibrio y el éxito económico, así como un estado armonioso y de éxito en lo que se refiere al trabajo, la profesión y tus recursos personales en general.
3. El *caduceo de Asclepio*: el símbolo tradicional de la salud, para referirnos a la salud física y a la fuerza y el equilibrio personal.

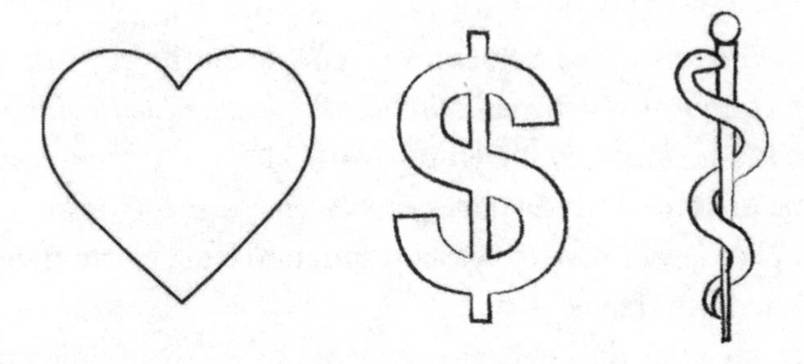

Aquí tienes algunos ejemplos de los símbolos que han adoptado nuestros pacientes en todos estos años como símbolos de equilibrio personal.

El horizonte

Puesta de sol en el mar

Una flor

Un signo de infinito

La balanza de la justicia

Un acróbata en una cuerda floja

Un flamenco sobre una pata

Un león (como símbolo de fuerza y valor)

Un pájaro volando (gracia, libertad, espíritu)

Un lago al amanecer (paz, armonía, nuevo comienzo)

La silueta de un árbol en una colina (fuerza, resistencia, sabiduría)

Una flor (amor, belleza, calma)

Paso 4

Ahora unamos todos los elementos. Recuerda que en el paso 3 has pasado unos minutos visualizando *imágenes y escenas de tu vida ideal.* El paso 3 se funde directamente en el paso 4.

Ahora, mientras todavía tienes esas escenas e imágenes en tu imaginación, aplica la *sujeción del ancla,* respirando lenta y profundamente, durante un minuto más.

A continuación, deja que esas imágenes se vayan difuminando y sigue aplicando la sujeción del ancla durante un minuto más, mientras dejas que tu mente se quede en blanco y se concentre en tu respiración.

Por último, mientras sigues con la sujeción del ancla, visualiza tu *símbolo de equilibrio* y retenlo en tu mente durante un minuto.

Aquí tienes este paso resumido:

- Continúa con las *imágenes y escenas de tu vida ideal* y aplica la *sujeción del ancla* (un minuto).
- Continúa sólo con la *sujeción del ancla*, la mente en blanco, concéntrate en la respiración (un minuto).
- Continúa con la *sujeción del ancla* y visualiza el *símbolo de equilibrio* (un minuto).

Estamos llegando al final del proceso, este último paso lleva sólo tres minutos, sin embargo, genera una poderosa conclusión a todo lo que hemos estado haciendo antes y nos ayuda a afianzarlo bien en nuestro ser.

Los próximos treinta días

No obstante, *todavía* no hemos terminado. Hay un paso más, que va *más allá* del cuarto; es una sencilla rutina para integrar durante los próximos treinta días y más todo lo que has logrado en tu vida con este proceso.

Para asegurarte de que los cambios que has hecho sean permanentes, vamos a dedicar unos minutos cada día, durante los treinta días siguientes (y más, si lo deseas), a realizar una versión reducida de todo el proceso. Puedes contemplarlo como un curso de refresco independiente y con carácter propio. Puedes llamarlo *recordatorio diario*.

Recordatorio diario

- La respiración con las manos cruzadas (dos minutos).
- Promesa y código personal de la felicidad en voz alta o en silencio (cinco veces).
- Sujeción del ancla, visualizar tu símbolo de equilibrio (un minuto).

Haz esto tres veces al día durante los próximos treinta días: por ejemplo, en cuanto te levantas, al irte a dormir por la noche y una vez más a mitad del día, en tu pausa para comer, por ejemplo.

Nuestro propósito en el paso 4 es colocar una imagen que resuma todo lo que ha sucedido en los pasos 1, 2 y 3 y sellarla mentalmente. Pero también estamos haciendo otra cosa. Estamos creando una serie de señales para que en los próximos días, con este sencillo miniproceso que sólo lleva unos minutos, puedas evocar y *reinstalar* rápidamente todo lo que has trabajado en todo el proceso.

Puedes verlo de este modo:

En el paso 4, estás echando un ancla en el lecho del mar para que tus nuevas creencias y patrones de pensamiento no se vayan con las corrientes de los acontecimientos cotidianos. Al mismo tiempo, tal como es la vida, sabes que tarde o temprano *vas* a desviarte. Inevitablemente, nos distraen los acontecimientos de nuestra vida. Cuanto más fuertes sean las corrientes de lo que está sucediendo a nuestro alrededor, probablemente, más deprisa y más lejos nos desviaremos.

Entonces, además de echar el ancla, también usamos el paso 4, para poner una boya en la superficie de nuestra mente que nos servirá de punto de referencia, para que cuando queramos volver donde se encuentra el ancla, la encontremos inmediatamente.

Esa boya es tu símbolo de equilibrio personal.

Treinta días es el período mínimo de tiempo que recomendamos para hacer esto, porque normalmente hacen falta treinta días para que el subconsciente acepte e incorpore un nuevo hábito.

Si estás tratando un trauma fuerte o un acontecimiento doloroso, como una pena profunda o un gran cambio en tu vida, o si por cualquier otra razón sientes que necesitas más apoyo y refuerzo, sigue con esta práctica durante seis semanas o más tiempo. Indudablemente, te ayudará.

Y cuando te notes estresado...

Además de esta práctica diaria de refrescar, el proceso te da herramientas que puedes usar en cualquier momento, durante el resto de tu vida, cuando sientas que lo necesitas.

En cualquier momento en que te notes estresado o con el agua al cuello, o notes que tus nuevas creencias positivas están en peligro, hay tres miniprocesos distintos que puedes usar para volver al camino.

«Pero cuando estoy más estresado —dice a veces la gente—, no tengo tiempo o espacio para estar a solas y realizar ningún proceso, sea de la duración que sea. Ni siquiera puedo pensar correctamente en esos momentos, ¡mucho menos recordar una secuencia complicada!»

Ya lo sabemos. También hemos pasado por esto. Las cosas se pueden complicar y podemos sentir que se descontrolan. Es normal: pero puedes seguir usando estas herramientas, incluso en esos momentos. Hemos diseñado los miniprocesos para que sean herramientas prácticas y extraordinariamente sencillas que puedas realizar en cualquier momento, en cualquier circunstancia, en medio de tu ajetreada vida.

1. Recordatorio diario

Si puedes dedicarte unos minutos, puedes repetir el recordatorio diario de lo que has hecho durante treinta días. Combinar todos los elementos de los pasos 2, 3 y 4 es un poderoso conjunto de señales que reorganizarán tu polaridad eléctrica y te recordarán todo lo que has logrado en el Proceso de los Cuatro Pasos.

2. Mini-recordatorio

Como versión abreviada del recordatorio diario, simplemente puedes visualizar tu símbolo de equilibrio mientras aplicas la sujeción del ancla en tu cabeza.

La belleza de este símbolo es que se trata de un único elemento visual; y sin embargo, como lo has usado para concluir el Proceso de los Cuatro Pasos, contiene en sí mismo las semillas y los frutos de todo el proceso. La mente subconsciente es muy poderosa, y cuando ya has realizado todos los pasos del proceso, lo único que necesitas es un activador que hayas elegido con esmero y tu subconsciente volverá a revisar todo el proceso sin tener que seguirlo conscientemente.

Cuantas más veces lo hagas, más potente se volverá este activador. En muchas circunstancias, aplicar la sujeción del ancla y evocar una imagen de tu símbolo de equilibrio durante tan sólo treinta segundos basta para volver a invocar todos los logros que has conseguido en tu Proceso de los Cuatro Pasos.

3. Respiración con las manos cruzadas

En cualquier momento en que sientas que has perdido el equilibrio, que te notes estresado o estés sufriendo, hacer dos minutos de respiración con las manos cruzadas calmará tu organismo y corregirá tu desorden o inversión de la polaridad.

No sólo es extraordinariamente sencillo, sino que tiene la ventaja práctica añadida de no llamar la atención de los demás. A veces, no resulta práctico hacer la sujeción del ancla o la promesa de aceptación, porque pueden incitar a que la gente se pregunte qué estás haciendo, si te encuentras bien, etc. Pero la respiración con las manos cruzadas es algo que puedes practicar casi en cualquier parte y en cualquier momento sin llamar la atención.

Dos minutos es lo ideal, pero a veces no tienes dos minutos. También está bien. Muchas veces, con un minuto basta para conseguir un cambio positivo.

Anclaje y adicciones

Una de las áreas más intrigantes y prometedoras en las que hemos utilizado el Proceso de los Cuatro Pasos es con las personas que tienen patrones profundamente arraigados de conductas adictivas y compulsivas, y éste es un ámbito que ilustra claramente el valor y el poder del recordatorio diario.

En todos estos años, los pacientes han venido a vernos con centenares de esos problemas. Entre ellos, comer compulsivamente o hacer dieta, atiborrarse y purgarse, el alcohol y la drogadicción, gastar e ir de compras compulsivamente, problemas con el juego, adicción al sexo, pensamiento obsesivo, pornografía y adicción a Internet, y muchos otros.

Repetimos aquí el descargo de responsabilidad que consta al principio del libro: no estamos ofreciendo este proceso como sustituto para tratar problemas clínicos serios, como fuertes adicciones a drogas o trastornos graves de depresión o ansiedad. *El código de la felicidad* está dirigido a los asuntos de la vida cotidiana que padecen tantas personas. Para las adicciones graves y las que tienen una fuerte base química y fisiológica (como las adicciones al alcohol, a los narcóticos y a las drogas duras), suele hacer falta la visión de un equipo de varios profesionales para resolver el problema por completo, que puede incluir elementos como hospitalización y desintoxicación, un grupo de ayuda mutua que trabaje con los doce pasos, programas de tratamiento médico u otras estrategias.

Sin embargo, incluso en los peores casos, el Proceso de los Cuatro Pasos *puede* ser útil para tratar la dinámica emocional subyacente que en su día puso en marcha el proceso adictivo, muchas veces ahorrándole a la persona años de recaída en las viejas conductas.

No obstante, en el caso de las personas que sufren estos trastornos clínicos más graves, en el origen de los mismos suelen encontrarse las mismas creencias negativas y autolimitadoras —creencias sobre su seguridad, autoestima, derecho a ser amadas, indefensión, aislamiento, etc.— como les sucede a las demás personas. De algún modo, abordar estos temas con el Proceso de los Cuatro Pasos es como abordar cualquier otro patrón de sufrimiento que haya en nuestra vida. El Proceso de los Cuatro Pasos es especialmente útil porque permite a la persona tener rápidamente mayor claridad emocional sobre por qué tiene esa adicción. Cuando la persona se da cuenta de la causa, le resulta más fácil controlar la situación, tomar una decisión clara y comprometerse en serio a realizar un cambio duradero.

En estas situaciones, cuando existe una tendencia tan fuerte a recaer en los viejos patrones, es especialmente importante incorporar algunos elementos del proceso a la rutina cotidiana. Según nuestra experiencia, la persona que supera un patrón adictivo tendrá que repetir el recordatorio diario al menos tres veces al día, y continuar haciéndolo como rutina diaria durante dos o tres meses, incluso *después* de que el tema principal ya se haya resuelto, a fin de erradicar los viejos patrones y anclar las nuevas creencias más firmemente.

El hábito de Jason

Jason estaba en su último año de carrera cuando empezó a sentir ansiedad sobre las decisiones que pronto iba a tener que tomar en su profesión. A medida que se acercaba el día de la graduación, su ansiedad aumentaba de tal modo que no podía relajarse lo suficiente para dormir por la noche. Unos amigos le dieron marihuana para relajarse.

Jason la había fumado esporádicamente, pero ahora se había convertido en un recurso que utilizaba cada noche. En unas pocas semanas, la marihuana que solía fumar le deprimía y le desanimaba. En vez de tener más claro lo que quería hacer en su carrera, empezó a sentirse *menos* capaz de tomar esas grandes decisiones. Esto a su vez aumentaba sus ansiedades, lo que le conducía a fumar más. Sabía que estaba en un círculo vicioso en el que se hundía cada vez más, pero se sentía impotente al respecto.

Cuando empezó a practicar el Proceso de los Cuatro Pasos, pronto pudo identificar la creencia negativa de *Estoy indefenso* tras su estado de ánimo depresivo, además de varios acontecimientos que habían tenido lugar en su vida y que habían desencadenado dicha creencia. En unos minutos, su ansiedad por las decisiones en su carrera, junto con el sentimiento de desesperante abatimiento que se había adueñado de él, desapareció y Jason de nuevo volvió a ser él.

Sin embargo, admitió sinceramente que no sabía cómo podría prescindir de su nueva adicción. *Quería* dejar de fumar hierba, y la razón subyacente que le había conducido a ello ya se había disipado, pero aun así sentía que tenía ese hábito muy enganchado, «como si estuviera pegado con Super Glue», nos dijo.

Le sugerimos que dedicara unos minutos a realizar el recordatorio diario cuatro veces al día —al levantarse, antes de acostarse por la noche y dos veces más durante el día— y que además hiciera dos minutos de respiración con las manos cruzadas cada vez que notara que las cosas se descontrolaban.

Jason siguió esta rutina fielmente, y a los pocos días empezó a notar un cambio significativo en su confianza en sí mismo. No obstante, seguía fumando hierba cada noche. Pero continuó con su rutina diaria de practicar los cuatro recordatorios.

Al cabo de otra semana, pudo dormir toda la noche *sin* fumar marihuana, y al cabo de unos días volvió a conseguirlo, y luego varios días seguidos. Al final de la cuarta semana, había dejado la marihuana por completo y se sentía una persona nueva; de alguna forma lo era.

Historia de una fumadora

Margey había estado fumando al menos un paquete y medio de cigarrillos al día durante veinticinco años. Unos cuantos años antes de que viniera a nuestra consulta, había dejado de fumar durante unas semanas, pero cuando los niveles de estrés en su puesto de trabajo empezaron a aumentar, volvió a fumar y desde entonces no había podido dejarlo o ni tan siquiera fumar menos.

Margey tenía problemas respiratorios y estaba muy preocupada por su salud.

«Paso de los cincuenta —nos dijo—, y soy consciente de que he de empezar a cuidarme más. Estoy dispuesta a hacerlo.» Ni siquiera pensaba que fuera a funcionar, pero estaba decidida a intentarlo en serio.

Aparte de los problemas de salud, Margey también odiaba el hecho de que parecía ser incapaz de hacer ese cambio que sabía que tenía que hacer. El sentimiento de impotencia era muy frustrante para ella.

Cuando hizo el Proceso de los Cuatro Pasos por primera vez, su estado emocional cambió de inmediato. Pronto empezó a ver como una posibilidad real el dejar su adicción al tabaco.

Al igual que sucede con muchas adicciones que son de origen químico, le recomendamos que repitiera el recordatorio diario al menos tres o cuatro veces al día, y así lo hizo. No tomó chiclés de nicotina, ni se puso parches ni utilizó ninguna otra ayuda externa.

El tiempo que se necesita para superar una adicción al tabaco varía según la persona. En el caso de Margey, fueron tres semanas.

A la semana de haber venido a nuestra consulta, había pasado de fumar un paquete y medio al día a fumar un puñado de cigarrillos. Al cabo de otra semana, pasó a uno o dos al día, y a finales de la semana siguiente, ni uno. Estaba contentísima.

Su esposo, que todavía fumaba, no se lo podía creer. Y aquí es cuando la historia se vuelve interesante.

Recordarás a Steve Hopkins, el gran director de ventas que tenía graves problemas cada vez que tenía que asistir a un acto social. Con el Proceso de los Cuatro Pasos, no sólo logró relajarse y disfrutar de las veladas con sus amigos, familia y colegas, sino que también pudo volar en vuelos comerciales, en lugar de verse obligado a gastar una fortuna en alquilar jets privados cada vez que tenía que viajar.

Un detalle que no hemos mencionado sobre la historia de Steve ha sido por qué vino a visitarse con nosotros: habíamos ayudado a su esposa Margey a dejar de fumar.

Y éste no es el final de la historia. El día que nos llamó para decirnos lo bien que le iba, empezó a pensar qué más podría cambiar en su vida. Esa noche, escribió en su diario, que compartió con nosotros unos meses más tarde:

> Lo siguiente es considerar dejar de fumar puritos. No estoy seguro de estar preparado para esto, pero quiero considerarlo. Eso mejoraría mi resistencia corporal cuando salgo a correr y juego al tenis, y me resultaría más fácil encontrar habitación en los hoteles. Y me ayudaría a estar más tranquilo a lo largo del día.

En aquellos tiempos, Steve fumaba puritos durante el día. Le hicimos una pregunta: si *dejaba* de fumar, ¿qué podría hacer que no estuviera haciendo ya? «Muy fácil —respondió enseguida—. Correr largas distancias. Antes lo hacía y me encantaba, pero no puedo volver a hacerlo mientras fume puritos. Eso sería un maravilloso regalo que me haría a mí mismo.»

Entonces, le preguntamos cómo le gustaría que empezara el proceso, sabiendo que le iría mejor si era él quien lo decía, en vez de ser nosotros. Sin embargo, nosotros malinterpretamos una parte fundamental de su respuesta. *Pensamos* que había dicho que estaba acostumbrado a fumarse un purito a mitad del día y que quería empezar el proceso de dejarlo eliminando ese purito del mediodía. Le volvimos a guiar en el Proceso de los Cuatro Pasos, concentrándonos en los temas asociados a su sentimiento de impotencia para dejar de fumar, y (como hicimos con Margey) le sugerimos que practicara el recordatorio diario varias veces al día en los días siguientes.

Al cabo de una semana hablamos con él, «había triunfado por completo».

—¿Y eso? —le preguntamos. ¿Había dejado de fumarse ese purito del mediodía?

—No, un purito —dijo—. *Puritos.*

—¿Qué? —Pensábamos que estábamos hablando de dejar de fumar un *solo* purito al día, para que Steve fuera haciendo boca.

—Ni uno —respondió—. No me estaba refiriendo a prescindir de *uno* de ellos. Estaba hablando de dejar de fumar *por completo.*

Hoy Margey camina de seis a diez kilómetros todos los días, se siente de maravilla consigo misma y con su vida y no fuma, y Steve tampoco.

Paso 4: Anclar

Propósito: garantizar que los resultados de los tres primeros pasos sean profundos y duraderos

a. Sujeción del ancla

- Sigue con las *escenas de tu vida ideal* (del paso 3) y aplica la *sujeción del ancla* (un minuto).
- Continúa con la sujeción del ancla, con la mente en blanco, concentrándote en la respiración (un minuto).

b. Símbolo de equilibrio

- Continúa con la sujeción del ancla y visualiza tu *símbolo de equilibrio* personal (un minuto).

Herramientas adicionales diarias

Recordatorio diario

Varias veces al día, durante los próximos treinta días (o todo el tiempo que quieras).

a. Respiración con las manos cruzadas (dos minutos).
b. Promesa y código personal de la felicidad, en voz alta o en silencio (cinco veces).
c. Sujeción del ancla, visualiza tu símbolo de equilibrio personal (un minuto).

Mini-recordatorio

En cualquier momento que te sientas estresado y necesites volver a conectarte.

- Sujeción del ancla, visualiza tu símbolo de equilibrio personal (un minuto).

Respiración con las manos cruzadas

En cualquier momento en que estés sufriendo o que notes que tu polaridad se ha desequilibrado, simplemente, practica dos o tres minutos de respiración con las manos cruzadas.

7

Pasa al siguiente nivel

Cuanto más alto y más adentro llegas, más grande es todo. El interior es más grande que el exterior.

Tumnus el Fauno,
en *Crónicas de Narnia*,
La última batalla, C. S. Lewis

En la mayoría de las historias que hemos relatado en este libro, hemos descrito sólo uno de los temas al que tenía que enfrentarse la persona. A Stefanie la regañaron por aceptar veinticinco centavos de dólar. A Caitlyn sus padres la criticaban. A Richard le pidieron que hiciera una exposición oral cuando iba a tercer curso. El abuelo de Heather falleció.

En realidad, las cosas rara vez son tan sencillas. No somos seres unidimensionales, sino complejos y con muchas capas. Normalmente, descubriremos que en nuestra vida hay más de una creencia negativa que ejerce dominio sobre nosotros, asimismo suele haber muchos asuntos que nos gustaría cambiar; aunque por el momento sólo haya uno que acapare nuestra atención, y el resto se nos ocurran después.

Esto nos sucede constantemente. Lo más habitual es que las personas vengan a vernos buscando ayuda para *algún asunto* en concreto que no funciona bien en sus vidas. Puede ser un miedo o una ansiedad, como el pánico de Caitlyn a los puentes y ascensores; puede tratarse de una crisis actual, como el abatimiento de Heather por su ruptura. Pueden ser asuntos relacionados con su relación principal, con su salud o con algo que afecta su rendimiento en el trabajo, como el tremendo malestar de Richard cada vez que tenía que dar un sermón. Puede ser que se sientan desbordados por las presiones laborales o por el cuidado de los hijos.

Puesto que la mayoría vienen con un tema de presentación, como es lógico, eso es lo primero en que trabajamos: les ayudamos a indagar qué es lo que puede estar tras esa creencia negativa, acontecimientos inesperados o experiencias en sus primeros años de vida, y nos concentramos en disolver ese asunto y en ayudarles a crear nuevas creencias de poder personal e imágenes de una «vida ideal» que atraigan claramente esa nueva creencia a sus vidas.

Pero una vez que está resuelto ese tema de presentación, suelen salir a la luz otros temas que no eran tan evidentes (o que incluso eran invisibles) antes de abordar el tema principal que les trajo a nuestra consulta.

De muestra una analogía:

Supongamos que tienes un dolor de cabeza agudo, una migraña. Te duele tanto que no puedes concentrarte en nada más, ni en el trabajo, ni en tu familia, en nada. No puedes comer ni dormir.

Así que buscas ayuda y consigues controlar la migraña. ¡Ah, qué alivio! «Pero ¿qué es esto?», te dices frotándote la mandíbula con la mano. Ahora, no tienes migraña, pero notas que tienes un leve dolor en un diente. De hecho, ahora que lo piensas te das cuenta de que ya te había estado molestando durante unas semanas. Te dolía tanto la cabeza que no le habías prestado atención al diente.

Muy bien, ahora tienes que ir al dentista. Te hace un empaste. Bueno, ya te encuentras mucho mejor. Pero cuando vuelves a casa, te das cuenta de que te duele la espalda. Te pones a pensar y recuerdas que el fin de semana pasado te excediste trabajando en el jardín, ni siquiera te habías dado cuenta, pero debiste darte algún golpe.

Muy bien: se ha ido el dolor de cabeza, el dolor de diente..., ahora tendrás que encargarte de la espalda.

Por supuesto, los temas que estamos tratando en el Proceso de los

Cuatro Pasos no son tan obvios o sencillos como un dolor de dientes, pero son dolores de otro tipo, y muchas veces cuanto más profundos son más fácil es que queden temporalmente enmascarados por otras heridas inmediatas. A veces, esos dolores profundos se han estado ocultando durante años.

Las capas de Beth

Beth vino a nuestra consulta porque le costaba mucho dormir. Le parecía que oía ruidos sospechosos durante la noche y le aterraba su seguridad personal.

«Es una locura —nos dijo— porque vivo en un barrio muy seguro. Hace siglos que no ha habido un robo. Es más, tenemos un sofisticado sistema de alarma. *Sé* que no corro un peligro *real*, pero no me sirve de nada. Sigo sin poder sacarme de encima ese sentimiento.»

Su esposo solía viajar por motivos de trabajo, a veces varios días seguidos y los temores de Beth se habían agudizado de tal modo que cuando él estaba ausente se pasaba casi todas las noches sin dormir.

Como probablemente ya habrás adivinado, cuando le preguntamos por su historia, pronto descubrimos experiencias en la infancia que habían programado su subconsciente con la creencia de *No estoy a salvo*. La guiamos en el Proceso de los Cuatro Pasos y le enseñamos a repetir el recordatorio diario en casa. En unos días, llamó para decirnos que por fin empezaba a dormir.

Tres semanas más tarde, pidió otra cita.

Cuando vino a la consulta por segunda vez, le preguntamos si tenía algún problema con el sueño.

Nos aseguró que el sueño ya no era un problema.

«¿Y todos esos miedos? Han *desaparecido*. Es increíble», nos dijo.

Había venido a vernos por una razón totalmente distinta: le preocupaba que su esposo Tom la estuviera engañando.

«Estoy obsesionada con esa idea —admitió—. Sé que es una locura. Realmente, no creo que Tom sea capaz de hacer algo así, al menos mi parte racional no lo cree. No se comporta de un modo distinto, y no tengo ninguna prueba ni razón para sospechar. Pero no puedo quitarme ese pensamiento de la cabeza.»

Es más —añadió— se había dado cuenta de que hacía tiempo que tenía esa sospecha. De hecho, hacía más de un año. Pero era ahora, cuando empezaba a dormir y que ya no estaba exhausta, ni la asediaban sus terribles temores por su seguridad personal, cuando había salido a la luz el sentimiento de los celos.

Pasamos un rato con Beth revisando todo el proceso por segunda vez. Como cabía esperar, descubrimos unas cuantas experiencias dolorosas más de su lejano pasado y vimos que había un problema con su creencia sobre su derecho a ser amada.

Beth tenía razón: Tom no le era infiel. El problema era que en un nivel profundo no podía acabar de creer que él le fuera fiel, porque no podía aceptar la idea de que ella fuera lo bastante *digna de ser amada* como para merecer un marido cariñoso y fiel.

Cuando Beth vio los acontecimientos tempranos que habían alimentado esta creencia, enseguida realizó la conexión, y como ya tenía las herramientas para disolver la niebla de sufrimiento, muy pronto lo superó.

Pero la historia no termina aquí. Seis meses después Beth vino a vernos de nuevo.

«Sigo durmiendo bien —nos dijo— y me encuentro de maravilla.»

Tenía muy buen aspecto, estaba radiante, relajada y casi resplandeciente. Nos empezó a decir que había dejado de tener esos pensamientos obsesivos respecto a Tom y que su vida conyugal era estupenda.

Entonces, ¿cuál era la razón de su visita?

«Os vais a reír —nos dijo—, pero ahora que estoy tan tranquila y relajada, me he estado preguntando..., bueno, no sé si tengo el trabajo adecuado.»

Trabajaba de redactora publicitaria en una pequeña empresa de *marketing* donde estaba muy bien considerada, era buena en su trabajo, pero estaba empezando a darse cuenta del hecho de que en el fondo ese trabajo no la llenaba realmente.

«No dejo de pensar qué es lo que debería estar haciendo *realmente* con mi vida.»

Ahora que había resuelto los temas más candentes que le habían estado molestando —su migraña y el dolor de dientes, por así decirlo—, empezaba a profundizar en otro tema. Tenía un sentimiento de indefensión y dudaba de su verdadera capacidad, eso le había estado impidiendo hacer lo que realmente quería, que resultó ser trabajar de periodista de temas medioambientales.

En realidad, para Beth éste era el tema más importante en su vida. Sin embargo, mientras padecía demasiada ansiedad por su propia seguridad como para poder dormir, o estaba obsesionada porque su esposo le fuera infiel, no tenía tiempo ni podía permitirse el lujo de pensar en temas más existenciales como su meta en la vida o si estaba contribuyendo positivamente en el mundo. Una vez que hubo resuelto estos temas, pudo pasar al siguiente nivel en su vida.

Abre tu regalo

A veces, tal como hemos visto en el caso de David, el periodista, o del dolor cervical crónico de Steve Hopkins, solucionar un tema tiene el feliz efecto secundario de solucionar también otros, aunque no nos concentremos específicamente en ellos.

No obstante, con frecuencia, las personas utilizan el Proceso de los Cuatro Pasos varias veces seguidas, como hizo Beth, empezando con el tema prioritario y luego revisando el proceso para otro asunto y luego para otro.

Puede que te ocupes del tema más acuciante y que una vez resuelto descubras que te sientes mucho mejor y sientas que no necesitas seguir con el proceso... por el momento. Sin embargo, al cabo de un tiempo, como le pasó a Beth, quizá te des cuenta o seas consciente de que quieres resolver otra cosa. Puede que desees volver a leer este libro dentro de unas semanas o unos meses.

La gran ventaja de esto es que con cada paso que das el proceso se vuelve más fácil e incluso más poderoso.

Por una parte, cada vez te familiarizas más con el mismo. Por otra, cuanto más polvo y desechos limpies, con más claridad podrás ver lo que has de resolver. Cada vez que trabajes un tema nuevo, te irás sintiendo más ligero y optimista, y tendrás más energía y más confianza, lo que se traducirá de forma natural en ver más beneficios y cambios positivos.

Al igual que Beth, puede que encuentres una serie de capas que tengas que destapar; dos, tres, cuatro o incluso más. ¡Ve paso a paso y disfruta del viaje! Imagina este proceso como si estuvieras desenvolviendo un regalo. Hay muchas capas de papel entre medio, pero el regalo que envuelven vale la pena.

¿Cuál es el regalo? El regalo eres *tú*: tú y tu verdadera vida.

El tesoro enterrado

El Proceso de los Cuatro Pasos es increíblemente útil para aliviar problemas, tratar crisis y resolver hasta los dilemas más complejos. Pero esto no es más que el comienzo. Puesto que tu vida es mucho más que la suma de problemas que resuelves: tu vida es un tapiz de posibilidades.

También puedes usar el Proceso de los Cuatro Pasos para mejorar en cualquier área de tu vida que desees cambiar y eliminar los obstáculos hacia la vida satisfactoria que podrías estar viviendo. Sea cual sea tu situación respecto a tus relaciones, tu profesión, economía, productividad, creatividad o cualquier otra área de tu vida, puedes eliminar cualquier cosa que se esté interponiendo en tu capacidad operativa y en desarrollar todo tu potencial.

Las personas normalmente suponen que actúan cerca de su nivel óptimo o, lo que es peor, quizás al 50 por ciento de su potencial. «Sé que las cosas no son perfectas —nos suelen decir los pacientes—, pero en una escala del cero al diez, imagino que debo estar funcionando al menos al seis.»

Nuestra experiencia nos demuestra algo muy distinto. Por lo que hemos visto en el transcurso de utilizar el *feedback* neuromuscular con miles de pacientes, la mayoría tienen un enorme potencial por descubrir del que todavía no son conscientes.

En nuestra práctica, solemos visitar a personas que tienen un alto rendimiento: atletas profesionales, emprendedores con éxito, figuras mediáticas, etc., pero incluso en este grupo de rendimiento inusualmente elevado es *muy raro* encontrar a alguien que funcione al 50 por ciento de su capacidad. Según nuestra experiencia, una persona con un éxito razonable actúa a un 12 por ciento de su potencial: y eso es *lo más alto* que hemos visto en la escala. En la mayoría de los casos, el 5 por ciento suele ser la norma.

Sólo un 5 por ciento.

Imagina las posibilidades. Imagina si ahora estuvieras funcionando a un 5 por ciento de tu capacidad, y pudieras incrementar ese porcentaje, no al 100 por cien, ni al 50 por ciento, sino sólo al *20 por ciento.*

Lo habrías *cuadruplicado.*

Imagina que hubieras limpiado hasta cuatro veces más, que estuvieras cuatro veces más relajado y cuatro veces más seguro. Imagina la repercusión que podría tener esto en tu estado de energía general y tu sensación de bienestar. En tu sistema inmunitario y en tu capacidad para combatir las enfermedades. En tu eficacia en el trabajo. En tus relaciones. En tu satisfacción, felicidad y dicha en la vida.

Según nuestra experiencia, nada de esto es una expectativa poco razonable. Hay un vasto mundo de realización personal y satisfacción ahí fuera, esperando a que vayamos a disfrutarlo.

A esto lo llamamos el «tesoro escondido» y el Proceso de los Cuatro Pasos es un mapa y una pala que nos ayudará encontrarlo.

¿Qué potencial estás usando actualmente?

Si lo deseas, puedes hacerte una idea de dónde te encuentras en estos momentos respecto a la cantidad de potencial que estás usando actualmente en tu vida. ¿Cómo? A través del *feedback* neuromuscular.

Hemos usado el *feedback* neuromuscular para identificar las experiencias del pasado y las creencias autolimitadoras que han tenido más repercusión sobre ti. ¿Y si intentáramos usar el mismo procedimiento para calcular tu potencial no utilizado?

De hecho, es fácil hacerlo, y lo hacemos constantemente con nuestros pacientes.

Tal como hicimos en el capítulo 3, necesitarás hacerlo en pareja. En primer lugar, prepárate realizando el proceso básico que hemos descrito en ese capítulo.

- *Neutraliza tu sistema.* Tu pareja y tú dedicaréis un par de minutos a la respiración con las manos cruzadas para garantizar que vuestras polaridades están en orden.
- *Siéntelo.* Haz que tu pareja ejerza presión hacia abajo con tu brazo estirado. Debe colocar sus dedos sobre tu muñeca con la fuerza suficiente para sentir la resistencia.
- *Calibra.* Prueba los grupos de afirmaciones verdaderas y falsas: «Me llamo...», «Hoy es...», «Dos más dos igual a cuatro/Dos más dos igual a siete», etc.

Una vez que estéis listos y seguros de que vuestra plataforma de comprobación está funcionando bien, es el momento. Ahora haz que tu pareja te ponga a prueba mientras repites la siguiente afirmación:

> «En mi [trabajo, salud, relaciones u otra área de tu vida que quieras explorar] estoy funcionando al *50 por ciento o más* de mi capacidad.»

Si con esta afirmación consigues que el brazo se mantenga fuerte, es que es cierta: *estás* funcionando al 50 por ciento o más. Si cede, es falsa: *no* estás funcionando al 50 por ciento o más.

En ese caso, baja al 40:

> «En mi [misma área de tu vida] estoy funcionando al *40 por ciento o más* de mi capacidad.»

Si el brazo cede, significa que *no* estás funcionando al 40 por ciento o más; luego prueba la misma afirmación al 30 por ciento, al 20 por ciento, al 10 por ciento, al 8 por ciento, etc. Ve bajando hasta que encuentres la cifra en que el brazo quede fuerte.

Una vez que encuentres el número en que el brazo opone resistencia, pon a prueba la afirmación contraria, para confirmar el resultado. Por ejemplo, si el brazo está firme con esta afirmación:

> «En mi [el área de tu vida que desees comprobar] estoy funcionando al *10 por ciento o más* de mi capacidad.»

Luego pon a prueba ésta:

> «En mi [misma área de tu vida] *no* estoy funcionando al *10 por ciento o más* de mi capacidad.»

Si en la primera afirmación el brazo quedaba firme, en esta segunda (su opuesta) el brazo cederá.

Una vez que has descubierto el nivel numérico específico, apunta esa cifra para luego hacer un seguimiento. Cuando realices el Proceso de los Cuatro Pasos, y en los días siguientes mientras continúas con el recordatorio diario, verás aumentar esa cifra. Mediante las mediciones realizadas a través del *feedback* neuromuscular, hemos comprobado cómo los potenciales activos de las personas se incrementaban espectacularmente en cuestión de minutos, tras haber realizado este proceso de borrado de las barreras para un mayor rendimiento y haber instalado nuevas y poderosas creencias en su sistema nervioso.

La crisis de Rob

En el transcurso de nuestra práctica, hemos trabajado con cientos de atletas, incluidos algunos medallistas olímpicos y campeones mundiales. Pero hay una historia que nos llamó especialmente la atención, porque el problema no era sólo romper algunos muros que reducían su rendimiento, sino ayudar a ese chico a recuperar su vida.

Cuando su padre lo trajo a nuestra consulta, Rob había estado jugando al béisbol universitario durante dos años. Toda su vida había deseado jugar al béisbol y en su primer año en el instituto sus entrenadores ya le habían catalogado como futuro «profesional». En el instituto, Rob había trabajado como un loco, no sólo entrenando sino también en sus estudios, y sus esfuerzos no habían sido en vano: contra todo pronóstico, se las arregló para ser admitido y conseguir una beca en una prestigiosa universidad que podía garantizarle su futuro en el deporte.

Sin embargo, en su primer año le aconteció una desgracia. Ocurrió un feo incidente en el campus, y aunque él no había tenido nada que ver en el asunto, por una serie de desgraciados acontecimientos acabó cargando con las culpas de lo sucedido. El joven que había sido el causante de todo era un jugador todavía más valioso que Rob, y aunque los entrenadores sospechaban que éste había sido acusado injustamente, no hicieron nada por demostrarlo. No se trataba de ningún acto abiertamente ilegal, ni Rob fue claramente castigado, pero la injusticia de toda la secuencia de acontecimientos le hizo caer en picado.

De pronto, Rob fue incapaz de concentrarse en el juego. Sus notas empezaron a bajar. Estaba deprimido y enojado en el campo y en todas partes. Rompió con su novia. Al poco tiempo de haber empezado su segundo año, le suspendieron por una serie de infracciones disciplinarias menores, pero que iban en aumento. Empezó a decir que estaba pensando dejar el béisbol. Y no era sólo el deporte lo que peligraba. Rob se había adentrado claramente en un sendero de autodestrucción.

La familia había pensado en interponer una denuncia, pero le preocupaba que eso también pudiera perjudicar la carrera de Rob, porque podrían tacharle de problemático. Por el contrario, los padres le ayudaron a que cambiara de universidad, con la esperanza de que eso le ayudara a dejar atrás la situación. Pero el problema se trasladó con él a su nuevo entorno, y seguía sin poder concentrarse en sus estudios.

Cuando sus padres le trajeron a nuestra consulta, había pasado aproximadamente un año desde el incidente y su desafortunada consecuencia. En tan sólo doce meses, todo en su vida se había precipitado hacia un abismo.

Al trabajar con Rob, por supuesto, descubrimos que este incidente tenía una resonancia con otro anterior. Cuando tenía diez años tuvo lugar otro hecho por el que se sintió injustamente acusado de algo que no había hecho. Este primer suceso no había sido tan dramático; de hecho, sus padres ni siquiera se habían enterado. Pero había dejado su impronta, y cuando años después sucedió este nuevo acontecimiento, resonó de tal forma que toda la niebla de sufrimiento en torno al incidente anterior, que se había estado cociendo durante una década, regresó con toda su fuerza y consiguió paralizarle.

Tras una sola sesión, la actitud de Rob en la facultad experimentó un cambio de 180 grados. Le visitamos dos veces más para trabajar algunos temas adicionales de su infancia y ayudarle a perfilar sus propias prácticas de seguimiento. Es decir, el recordatorio diario, el mini-recordatorio, repasar cómo aplicar todo el Proceso de los Cuatro Pasos en cualquier otro asunto que pudiera surgirle en el futuro, etc., pero eso fue todo. Tras esas tres visitas, siguió por su cuenta.

Y triunfó. Se hizo muy popular en su nueva universidad tanto académica como socialmente, y volvió a recuperar su juego. La última vez que hablamos con su padre, estaba empezando a jugar como profesional.

Rompiendo techos

Cuando vimos a Brad por primera vez, había pasado por una serie de pruebas: divorcio, batalla por la custodia, bancarrota y graves problemas con el pago de impuestos. Ahora se había vuelto a casar y su familia iba en aumento, había ido superando todos sus problemas económicos, pero todavía seguía luchando. Lo que le preocupaba más que el propio problema económico era que no podía entender que nunca pudiera alcanzar sus metas.

A medida que íbamos hablando de su negocio y de sus finanzas, empezamos a ver con claridad que siempre había chocado contra una barrera económica muy fuerte: podía llegar a ganar unos 100.000 dólares anuales, pero ése era su tope. Varias veces había tenido una oportunidad y había estado a punto de conseguir algo grande, pero o fallaba en el último momento o sin darse cuenta hacía algo que conseguía que le saliera el tiro por la culata.

Brad es un hombre brillante y con talento. Tiene buen don de gentes y no le asusta trabajar. Podría parecer que lo tiene todo a su favor.

«Debería tener éxito —nos dijo—. Por el contrario, parece que todo lo que toco lo echo a perder, no importa lo bien que lo haga, siempre me parece que vuelvo a ese nivel. Es como si alguna fuerza misteriosa me impidiera avanzar.»

Tenía razón, así era *exactamente*, sólo que no era una fuerza misteriosa, sino el poder de una creencia negativa y autolimitadora arraigada en su mente subconsciente.

En realidad, esto es bastante habitual. Muchas veces vemos personas que se tropiezan con una barrera de ingresos, que parece que no puedan sobrepasar cierto nivel de ganancias, o que, cuando lo hacen, les sucede algo que lo sabotea. Si subconscientemente no crees que vales más de 50.000 dólares al año, u 80.000 o 150.000, o la cifra que sea, harás lo que haga falta para no superar ese nivel. *Conscientemente*, puede que tengas todo tipo de motivaciones para mejorar, y todo tipo de razones excelentes por las que te gustaría ganar más, pero dondequiera que vaya el elefante, allí es donde irás tú.

En esa primera visita, hablamos de su infancia y de su educación. Su padre había sido un gran trabajador, siempre se las había arreglado para mantener a la familia y llevar la comida a la mesa, pero sólo eso. El mensaje que Brad aprendió de su padre era que «La vida es dura», quien a su vez lo había aprendido de *su* padre, el abuelo de Brad. En el hogar de Brad reinaba un mensaje básico de escasez, de que nunca había bastante y nunca lo habría.

Cuando era adolescente se había rebelado contra esta actitud generacional y se juró que de adulto iba a huir de este ciclo de escasez y tendría mucho éxito.

Cuando utilizamos el *feedback* neuromuscular para calibrar en qué grado estaba funcionando Brad, el resultado fue un 3 por ciento. Increíblemente, había luchado contra todas esas dificultades, había formado una nueva familia y se las estaba arreglando para salir adelante ¡con un *3 por ciento* de su capacidad! Y esto no es una excepción.

Le hicimos practicar el Proceso de los Cuatro Pasos concentrándonos en la creencia negativa que había heredado de su padre. Cuando volvió para la segunda visita, nos dijo que las cosas habían cambiado mucho en su vida. «Mi esposa está sorprendida ante mi cambio de actitud. Me ha pedido que os diga que es como si estuviera viviendo con otra persona, con la que se casó en un principio.»

También nos habló de una oportunidad que le había surgido durante la semana.

Volvimos a hacerle el *feedback* neuromuscular para ver en qué medida había conectado con su propio potencial. Esta vez obtuvimos un resultado del 30 por ciento o más: *diez veces* más que una semana antes.

En esta ocasión, no la fastidió. Esa oportunidad echó raíces y floreció en una prometedora dirección para su carrera profesional. Un año más tarde, ganaba más de 150.000 dólares anuales y seguía creciendo.

Por supuesto, el dinero no es el camino hacia la felicidad. En todo caso, la felicidad es el camino hacia el dinero. Has de sentir que te lo mereces, que vales, que estás lo suficientemente abierto para disfrutar de cualquier nivel económico que generes y gozar de equilibrio en tu vida.

De hecho, la misma dinámica autolimitadora que suele existir en torno al dinero, también se produce en torno al amor y la felicidad. ¿Alguna vez has estado muy bien con alguien y te has dicho a ti mismo «Esto no va a durar» o has pensado algo parecido? Si te detienes a pensar qué tipo de creencia puede generar una afirmación semejante, sería algo como «No me merezco más que un poco de felicidad...», es decir, una versión de *No valgo nada, No merezco que me quieran, No merezco amor verdadero.*

Son esas creencias negativas y autolimitadoras que suenan como una música de fondo en un segundo plano de nuestra mente las que nos envenenan con pensamientos sobre nuestra capacidad y nuestro derecho. Son mentiras, pero unas mentiras que nos resultan tan familiares que es casi imposible resistirse a ellas. Parafraseando a los Borg de *Star Trek: La siguiente generación*, «Somos tu subconsciente: es inútil que te resistas».

Pero si resistirse es inútil, la transformación no lo es. Tenemos las herramientas en nuestras manos para erradicar, disolver y eliminar esos ecos negativos viejos y oxidados, y cuando lo hayamos hecho, podremos romper los techos artificiales que colocamos sobre nuestra capacidad para conseguir unos ingresos, para conseguir grandes cosas y dejar que nuestras vidas se llenen con relaciones amorosas profundamente satisfactorias.

Esto es exactamente lo que le sucedió a Beth. Como no creía que se mereciera realmente el amor de un esposo maravilloso y fiel, se había empezado a imaginar infidelidades que no existían y estaba saboteando su propio matrimonio. Cuando sus temores e inseguridades habituales se disolvieron, ella y Tom empezaron a disfrutar del tipo de felicidad y satisfacción conyugal que *realmente* se merecían.

De tragedia a triunfo

¿Recuerdas los sueños que tenías cuando eras joven? ¿En los que te imaginabas en esta etapa de la vida, de tu carrera, de tus relaciones, de tus logros?

Muchas personas quieren montar su propio negocio, pero durante toda su vida esquivan seguir su sueño. Muchas personas quieren escribir, tocar música, bailar o expresarse de algún otro modo, pero no lo hacen.

Es una gran tragedia, especialmente por su discreción: es la parte del tesoro escondido que el mundo no llega a ver ni gozar jamás. Cuántas personas no realizan su potencial debido a la culpa, la vergüenza, el miedo, la resistencia o algún otro sentimiento negativo generado por los rechazos y heridas de su pasado. Muchas personas se apartan de sus propios destinos y no se atreven a adentrarse en las vidas que podrían tener simplemente por la falta de convicción de que pueden llegar a tener éxito.

La distancia que hay que recorrer desde esa tragedia silenciosa para transformarla en un triunfo no es larga en absoluto: es una distancia de centímetros, milímetros, a través de la niebla de sufrimiento que nos mantiene bajo su influencia. Cuando la abordamos y la confrontamos, resulta ser tan insustancial como un mal sueño o un poco de niebla.

Quizá no estés donde te gustaría estar en tu vida. Puede que te sientas bloqueado, paralizado o retenido. Quizá te has establecido en cierto nivel en tus relaciones, en tu carrera, en tu salud, en tu disfrute de la vida.

La buena noticia es que *no has de establecerte.*

El Proceso de los Cuatro Pasos puede ser una puerta hacia todos los asuntos o patrones de interferencia que se han interpuesto en tu camino de ser, hacer y disfrutar hasta donde alcance tu imaginación. Hemos visto que esto le ha sucedido a miles de personas como tú.

8

Una vida de prosperidad

Eh, no tengo la respuesta para todo. A decir verdad, en la vida he fracasado tantas veces como he triunfado. Pero me gusta mi vida. Amo mi vida. Y te deseo mi mismo tipo de éxito.

DICKY FOX, en *Jerry Maguire*

En el capítulo 7 hemos hablado de personas que han utilizado el Proceso de los Cuatro Pasos para ser más productivas y eficaces en su trabajo, y cuyos ingresos han aumentado proporcionalmente. Pero eso es sólo una forma de medir su éxito. Aunque en nuestra cultura normalmente equiparemos el éxito al bienestar económico, no es una ecuación exacta en y por sí misma. El éxito —genuino, duradero, pleno y satisfactorio— no es *ser* rico, sino vivir una *vida de prosperidad.*

Cinco senderos hacia una vida de prosperidad

El Proceso de los Cuatro Pasos no funciona aisladamente: también hay aspectos importantes de cómo vivimos todos los días que pueden cambiar a fin de crear el tipo de vida que realmente deseamos.

Con los años de práctica, además de usar y enseñar las herramientas específicas del Proceso de los Cuatro Pasos, hemos desarrollado una serie de recomendaciones de estilo de vida para nuestros pacientes, procedentes tanto de las investigaciones más recientes como de nuestra experiencia clínica. En este último capítulo queremos compartir contigo la esencia de estas recomendaciones.

Son cosas que puedes hacer además del Proceso de los Cuatro Pasos, pues te garantizarán la vida más próspera, plena y satisfactoria que puedas imaginar. Lo denominaremos *Cinco Senderos hacia una vida de prosperidad.*

1. Come conscientemente.
2. Haz ejercicio saludable.
3. Envuélvete en fractales.
4. Crea una lista de gratitud.
5. Busca tiempo para renovarte.

Sendero 1
Come conscientemente

En las últimas décadas del siglo XX hemos visto una revolución en la conciencia sobre el efecto que tiene la alimentación en la salud. Empezando por el célebre informe de 1977 *Dietary Goals for the United States*, un aluvión de estudios estatales y privados elevaron espectacularmente la conciencia pública y profesional sobre el poderoso vínculo entre la nutrición y las enfermedades crónicas, como las cardiovasculares, la diabetes y algunos tipos de cáncer.

Actualmente, nos encontramos en la segunda oleada de esa revolución, a medida que nos vamos haciendo una imagen más clara del efecto que tiene la comida en nuestra salud mental, emocional y psicológica.

Por ejemplo, una serie de estudios realizados en la década de 1990 demostraban la existencia de un claro vínculo entre los ácidos grasos omega-3 y los omega-6 y la salud cardiovascular. Las investigaciones demostraban que los esquimales de Groenlandia, que tienen una dieta tradicional de pescado, ballena y foca (rica en ácidos grasos esenciales [AGE]), tenían una incidencia muy baja de enfermedades cardíacas y niveles excelentes de colesterol, HDL/LDL, y que los habitantes de un pueblo de pescadores típico de Japón que comían mucho pescado tenían una incidencia mucho más baja de enfermedades cardíacas y placas arteriales que los residentes de otro pueblo agrícola que no comían pescado.

Pero esto no es todo. Los investigadores pronto descubrieron que la incidencia de depresión seguía muy de cerca al mismo perfil demográfico: por ejemplo, en poblaciones donde se consumía mucho pescado, el índice de depresión era hasta diez veces inferior al de Estados Unidos.

Un estudio del National Institute on Alcohol Abuse and Alcoholism (Instituto Nacional sobre el Abuso del Alcohol y el Alcoholismo) en Bethesda, Maryland, desveló una sorprendente correlación a la inversa entre el consumo de pescado y la depresión posparto. «En términos generales —informaba el estudio—, las naciones donde se consume mucho pescado (Japón, Hong Kong, Suecia y Chile) tienen la incidencia más baja de depresión posparto, y las naciones con el consumo más bajo de pescado (Brasil, Sudáfrica, Alemania y Arabia Saudí) la incidencia más alta.»

Hay muchas pruebas de que añadir a la dieta fuentes equilibradas y de buena calidad de AGE puede tener un efecto importante positivo en la depresión y en estabilizar el estado de ánimo en general.

El vínculo entre los AGE y el estado de ánimo es sólo un ejemplo; hay otros. Por ejemplo, hay vínculos demostrados entre el estado de ánimo y ciertas vitaminas y minerales que suelen ser más abundantes en una dieta rica en verduras y frutas y menos alimentos refinados. De hecho, hoy en día hay una tremenda cantidad de valiosa información en lo que respecta a la comida y el estado de ánimo, y no tenemos la intención de revisarla aquí con detalle. Lo que les decimos a nuestros pacientes es simplemente esto: presta atención a lo que comes y cómo lo comes, porque influye en lo que piensas y en cómo te sientes. En una frase: *come conscientemente.*

Uno de los estudios a largo plazo más interesantes sobre la práctica dietética diaria es el del National Weight Control Registry (NWCR, Registro Nacional sobre el Control del Peso). En 1994, Rena Wing, de la Facultad de Medicina de las Universidad de Brown, y James O. Hill, de la Universidad de Colorado, empezaron a reclutar gente para participar en una investigación sobre los patrones y los hábitos de las personas que no sólo habían perdido mucho peso, sino que habían podido mantenerse así. Para apuntarte en el registro, tenías que haber adelgazado al menos quince kilos, que lo acreditara un profesional sanitario, y tenías que haber mantenido ese peso durante al menos un año. Es decir, los investigadores estaban intentando descubrir qué factores contribuyen no sólo a la *pérdida* de peso, sino a una saludable *estabilización* del mismo.

El registro empezó con unos setecientos adultos y actualmente cuenta con más de cinco mil personas. Las pérdidas de peso van desde quince hasta ciento cincuenta kilos, la media es de unos treinta kilos y consiguen mantenerla durante un período medio de unos cinco años y medio. Los participantes han utilizado una amplia variedad de métodos para perder peso y mantenerlo. Sin embargo, hay algunas características curiosas en común.

Por ejemplo, el 78 por ciento de los participantes del NWCR desayunan cada día; no un donut rápido y un café, ni un zumo de naranja bebido de golpe, sino un desayuno de verdad.

Quizá cuando eras joven tu madre te dijo lo mismo que millones de madres les han dicho a sus hijos: «El desayuno es la comida más importante del día». Si lo hizo, tenía razón: una comida con una ración equilibrada de proteínas e hidratos de carbono al inicio del día ayuda a crear un patrón estable para el metabolismo durante el resto de la jornada.

Recurrir a un tentempié rico en azúcar puede darte energía al momento, pero lo hace generando un rápido pico de azúcar en la sangre, típicamente, seguido de un precipitado *bajón* que puede alterar con facilidad tu estado de ánimo, provocándote irritabilidad, falta de concentración, etc.

Esto es lo que sucede a lo largo de día. Cuando esperamos demasiado a comer, normalmente tenemos muy poco azúcar en la sangre cuando por fin comemos. («¡Me estoy muriendo de hambre!», decimos aunque es muy poco probable que ni tan siquiera estemos cerca de morirnos de hambre literalmente.) Esto hace que sea más probable que cuando comamos ingiramos mucho más de lo que realmente necesitamos, sobrecargando nuestro sistema digestivo y creando otro nuevo pico de azúcar en la sangre, lo cual conduce a *otro* bajón precipitado en el azúcar en la sangre, y así sucesivamente se va repitiendo el ciclo, hasta que nos estrellamos.

Según nuestros conocimientos actuales sobre nutrición, si nos nutrimos de forma moderada con alimentos nutritivos y saludables cinco o seis veces al día, regulamos nuestro nivel de azúcar en la sangre para no tener fluctuaciones que alteren nuestros estados de ánimo constantemente.

Otro interesante hallazgo del National Weight Control Registry fue que los participantes mostraban una visión *conscientemente estructurada* respecto a la comida. Es decir, tenían un menú y unos patrones de comer bastante bien establecidos y cuidadosamente planificados. Llevaban listas de la compra cuando iban a comprar y no compraban ni comían de manera compulsiva. Es decir, aunque había una gran variedad en sus dietas, tenían una clara *intención* respecto a lo que comían y cuándo lo comían.

Sendero 2
Haz ejercicio saludable

Otro factor común entre los participantes del National Weight Control Registry, como cabía esperar, es *hacer ejercicio*. Nueve de cada diez participantes hacían ejercicio, un promedio de aproximadamente una hora al día, y el 94 por ciento aumentó su nivel de actividad física como parte de su plan para conseguir y mantener un peso más saludable.

Puesto que nuestro estilo de vida moderno se ha vuelto cada vez más sedentario, ha aumentado el interés en actividades físicas específicas para compensar la falta de ejercicio regular. Antes de la década de 1970, la idea de que los ciudadanos normales (o sea, no atletas) salieran a correr sólo por el gusto de hacerlo se consideraba extraña. Luego vino la locura de hacer *jogging*, y desde entonces la gente sale a correr. Ir al gimnasio, a clases de Pilates y de yoga, practicar artes marciales, tener gimnasios en casa...; la diversidad de formas que hemos ideado para sustituir la pérdida del cansancio físico normal en nuestras vidas es una prueba de la ingenuidad humana.

Resulta que hacer ejercicio con moderación no sólo es bueno para el cuerpo, sino para la mente y el estado de ánimo.

En un estudio realizado en la Universidad de Duke, se pidió a un grupo de pacientes que siguiera un programa de treinta minutos de ejercicio tres veces a la semana, que demostró ser «tan eficaz como la medicación para aliviar los síntomas de depresión grave» en cuestión de días.

Los investigadores hicieron un seguimiento de seis meses a los pacientes y observaron que, de los que mantenían la rutina de hacer ejercicio, sólo el 8 por ciento había vuelto a recaer, mientras que el 38 por ciento del grupo que sólo tomaba medicación y *el 31 por ciento de los que hacían ejercicio y tomaban medicación* recayeron.

Este último descubrimiento fue especialmente fascinante porque significa que los sujetos que tomaban antidepresivos y hacían ejercicio ¡tenían hasta cuatro veces *más* probabilidades de recaer que los que sólo hacían ejercicio y no tomaban ninguna medicación! Cuando a James Blumenthal, el director del proyecto, le preguntaron cómo podía explicar este sorprendente hallazgo, respondió: «Los pacientes que [sólo] hacen ejercicio puede que hayan notado una mayor sensación de dominio sobre su estado y hayan desarrollado un mayor sentimiento de realización personal. Puede que hayan sentido más confianza en sí mismos y se hayan sentido más competentes porque han podido hacerlo por sí mismos...»

Resumiendo: los sujetos que se trataron su propia depresión sólo haciendo ejercicio tuvieron la oportunidad de practicar una mayor *autoeficacia*. El hecho de que sintieran que podían influir directamente en su propia salud podía tener en sí mismo un efecto favorable sobre ella.

Los beneficios de hacer ejercicio moderado con regularidad no se limitan a la depresión. El ejercicio suave también ha demostrado mejorar el funcionamiento del cerebro en las personas mayores e incluso puede servir para protegerlas contra el avance del Alzheimer.

Un estudio reciente demostró que dar un buen paseo varias veces a la semana puede tener un profundo efecto en el tamaño físico del hipocampo, una estructura bastante diminuta, en forma de caballito de mar, que se encuentra en una parte muy profunda del cerebro (*hippocampus* es la palabra latina para «caballito de mar») que desempeña un papel muy importante en la formación de recuerdos.

El hipocampo es especialmente vulnerable al impacto de los traumas. Por ejemplo, los investigadores han descubierto que los veteranos de guerra y las víctimas de abusos sexuales que padecen síndrome de estrés postraumático agudo también tienen un hipocampo anormalmente pequeño, y cuanto más pequeño es el tamaño del hipocampo, más grave es la experiencia traumática.

El hipocampo es también una de las primeras zonas del cerebro que da muestras de deterioro en el avance de la enfermedad de Alzheimer. Incluso en las personas sanas, esta parte del cerebro suele empezar a atrofiarse a eso de los cincuenta y cinco o sesenta años y puede llegar a reducirse hasta un 15 por ciento. Pero en las personas con Alzheimer, el hipocampo se atrofiará un 20-50 por ciento más de lo habitual.

A principios de 2011 los investigadores de la Universidad de Pittsburgh asignaron al azar a ciento veinte hombres y mujeres sanos, pero sedentarios, de unos sesenta años, a dos grupos de ejercicio físico. Durante el año siguiente un grupo hizo una rutina suave que incluía el yoga y el entrenamiento de resistencia con bandas elásticas. El otro grupo caminó por una pista tres veces a la semana, haciendo hasta cuarenta minutos seguidos por sesión.

Al final del año, los escáneres cerebrales mostraban que el hipocampo de las personas del grupo que practicaba yoga y entrenamiento de resistencia se había reducido una media de 1,4 por ciento. Esto no tuvo nada de particular: esa reducción se considera normal para las personas de esa edad. Sin embargo, en las personas del grupo que daba paseos regularmente, el hipocampo había *aumentado* casi un 2 por ciento. Un cambio significativo, especialmente si tenemos en cuenta que el hipocampo de estos sujetos debería haberse *encogido*, no *crecido*.

Lo interesante sobre hacer ejercicio es que, como sucede con la dieta, los principios básicos parecen ser el equilibrio y la moderación. A pesar de sus múltiples beneficios, muchas formas de actividad de alto impacto, incluido correr y la mayoría de los deportes, a la larga pueden tener un efecto negativo sobre el cuerpo. De muchas maneras, la forma más sencilla y universal de hacer ejercicio es también la más equilibrada y, a la larga, la más favorable es: dar un paseo.

Los beneficios de caminar son demasiado numerosos para mencionarlos todos. Aporta un beneficio cardiovascular leve. Para las personas de mediana edad o más mayores, la naturaleza de esta actividad favorece la absorción del calcio y por lo tanto ayuda a retrasar la pérdida de masa ósea. Especialmente, cuando se camina rápido, ya que entonces se aumenta significativamente la respiración y el balanceo de los brazos se vuelve más pronunciado, con lo que caminar se convierte en un corrector natural de la polaridad eléctrica del biocampo.

¿Qué supones que descubrió el National Weight Control Registry que era la forma más común de actividad física entre sus participantes? Lo has adivinado: caminar.

Sendero 3
Envuélvete en fractales

Otro de los beneficios de caminar regularmente es que siempre te ayuda a conectar con la naturaleza y esto tiene un efecto positivo en el sistema nervioso. Durante décadas, los estudios han asociado la longevidad a vidas saludables y relativamente libres de estrés con un contacto regular con un entorno natural.

Probablemente, esto no te parezca nada nuevo. Al fin y al cabo, es de sentido común: estar en contacto con la naturaleza te ayuda a calmarte y a estar en paz. Pero ¿por qué? Resulta que la naturaleza actúa de forma científica y a ello se le denomina *fractales*.

Los fractales son los patrones que se repiten a sí mismos en niveles ascendentes de amplificación, los patrones recurrentes, «irregularmente repetitivos» que tan a menudo encontramos en la naturaleza: nubes, olas del mar, hojas, flores y copos de nieve. Lo que distingue a los fractales es que están organizados internamente en una especie de lógica difusa a través de la cual se repiten a sí mismos, pero nunca de formas precisamente idénticas. Por lo tanto, no hay dos copos de nieve iguales, puedes mirar las nubes o los árboles durante horas y no ver nunca el mismo patrón.

Desde su descubrimiento en la década de 1970, por el matemático Benoit Mandelbrot, los fractales han demostrado ser enormemente útiles para cuantificar la compleja estructura que presentan una amplia gama de patrones que suceden de manera espontánea. Estos patrones están en todo, desde la sismología y la mecánica del suelo hasta la fisiología y neurología humana. También han cautivado la imaginación de artistas, científicos y del público en general, y muchas veces se hace referencia a los mismos como «huellas de la naturaleza».

Las investigaciones realizadas por Richard Taylor, de la Universidad de Oregón, han demostrado que el «goteo» de la obra artística de Jackson Pollock consiste en patrones de fractales. También sospechamos (aunque no está respaldado por ninguna investigación que sepamos hasta el momento) que sucede lo mismo con ciertos tipos de música clásica moderna, como la de Philip Glass o el compositor estonio Arvo Pärt. Por ese motivo, ese familiar efecto fractal de repetición y transformación gradual de pequeñas «células» es el distintivo de gran parte de la música de Bach.

También se han realizado muchas investigaciones sobre el impacto de los fractales en nuestro estado de ánimo y funcionamiento nervioso.

Por ejemplo, los estudios demuestran que el hecho de observar patrones de fractales —tanto si se producen en la naturaleza como si se generan matemáticamente o se encuentran en alguna forma de expresión artística— genera en las personas un patrón electroencefalográfico (EEG) distinto que incluye una disminución de las ondas alfa en el lóbulo frontal y de las ondas beta en los lóbulos parietales, y se ha demostrado que posee un efecto tranquilizante en nuestra fisiología según las mediciones realizadas por la conductividad de la piel.

Una de las razones del efecto psicológico y emocional de los fractales podría ser que el propio cerebro está organizado en patrones fractales, tal como ha demostrado recientemente un equipo de investigadores de la Universidad de Cambridge; descubrimiento que ha ayudado a ampliar nuestra comprensión sobre cómo actúa el cerebro.

Sean cuales sean los mecanismos exactos involucrados, la esencia es ésta: sumergirte en un entorno de fractales —como dar paseos entre los árboles, por la hierba, bajo las nubes y otros escenarios naturales— tiene un efecto refrescante y tranquilizante sobre el sistema límbico y es un tónico para la corteza prefrontal. No se trata de un fenómeno puramente visual: los sonidos y olores de la naturaleza, como el canto de los pájaros y la mezcla de aromas que te rodea cuando estás en medio de un bosque, e incluso la sensación contra tu piel de las infinitas corrientes de aire fluctuantes de la naturaleza; todo esto son entornos fractales que son un bálsamo para el cerebro.

Este efecto no tiene por qué interrumpirse cuando regresas al interior. Por ejemplo, en nuestras consultas tenemos cuadros y papel pintado con dibujos de hermosos bosques. Aunque no los miremos directamente, el mero hecho de tener estos patrones fractales en nuestra visión periférica posee un constante efecto tranquilizante en nuestra mente y en nuestro estado de ánimo. Para el plano áurico, tenemos una fuente de agua en la sala de espera que genera de forma natural un suave patrón de sonido de «murmullo de agua», y en nuestras consultas, como música de fondo tenemos una biblioteca de sonidos que reproduce una sinfonía de fractales de olas y espuma marinas.

Sendero 4
Crea una lista de gratitud

En 2003, dos investigadores, Robert Emmons, de la Universidad de California en Davis, y Michael McCullough, de la Universidad de Miami, dirigieron un experimento fascinante. Dividieron a unos doscientos sujetos en tres grupos, cada uno de los cuales tenía la instrucción de hacer un tipo de diario semanal distinto. El primer grupo simplemente registraba los acontecimientos diarios sin evaluarlos; el segundo grupo registraba todas las cosas desagradables y difíciles; y el tercero tenía que hacer una lista de las cosas por las que podían estar agradecidos. Al final de las diez semanas, el tercer grupo tenía un nivel más alto de energía, mayor estado de atención, mayor progreso hacia sus objetivos y dormía mejor.

«Las investigaciones parecen indicar que las personas agradecidas tienen más energía y optimismo, se preocupan menos por los contratiempos de la vida, tienen mayor resistencia frente al estrés, mejor salud y sufren menos depresiones que el resto de las personas —escribe Joan Borysenko—. Las personas que practican la gratitud (y sí, eso es algo que podemos aprender y mejorar) también son más compasivas, es más probable que ayuden a los demás, sean menos materialistas y estén más satisfechas con la vida.»

Estamos de acuerdo y durante años les hemos recomendado a nuestros pacientes una práctica diaria no muy distinta a la que los doctores Emmons y McCullough utilizaron en su tercer grupo.

Muchas personas, por mucho que intentemos mantener una visión positiva, tenemos la tendencia a ver lo negativo, a estar pendientes de lo que está mal en nuestra vida, en lugar de ver lo que está bien. No se trata sólo de una actitud pesimista; en cierta medida estamos biológicamente predispuestos a ver lo que está mal, lo que es peligroso, lo que es perjudicial, y lo que *no está funcionando* en nuestra vida. Durante miles de años ha sido una buena estrategia desde la perspectiva de la supervivencia de las especies. Si veías algo anormal en tu entorno, lo más probable es que te matara.

En nuestro mundo actual, normalmente, no tenemos que luchar por nuestra supervivencia todos los días, esta predisposición a ver lo negativo ya no nos es útil. De hecho, suele ser la fuerza que más limita nuestro potencial para vivir una vida de prosperidad, porque en gran medida la vida es una profecía que se cumple a sí misma: aquello en lo que piensas es lo que obtienes.

Así es como funciona nuestra práctica diaria recomendada:

Haz una lista de las cosas por las que puedas estar agradecido, empezando por las más grandes y evidentes. Estas bendiciones básicas son muchas veces cosas que damos por sentado como:

Estoy agradecido:

- *Por poder ver.*
- *Por poder caminar.*
- *Por tener comida para comer.*
- *Por el sol, el aire y los árboles.*
- *Por tener un coche.*
- *Por tener un techo.*
- *Por tener un amigo en quien confiar, una pareja a la que amo, etcétera.*

Te aconsejamos que empieces a hacer una lista de una o dos docenas de cosas.

Luego elige un momento del día (idealmente, a la misma hora todos los días) para revisar esta lista mentalmente, punto por punto. Tenemos pacientes que lo hacen en la ducha, otros lo hacen como parte de su ritual antes de acostarse para dormir, y otros roban unos minutos a la hora de comer para detener su frenético ritmo de trabajo y dedicar un momento a una tranquila reflexión.

Cuando hayas confeccionado esta lista básica y establecido una rutina horaria para revisarla todos los días, aquí tienes el resto del ejercicio: saca tu lista, al menos una vez al día y *añade un tema nuevo cada vez.* Haz esto todos los días durante un año y obtendrás una lista de casi cuatrocientas razones por las que dar gracias.

Hay algo muy poderoso en esto: en el proceso *cambiarás profundamente tu cerebro.* Dedicar este tiempo de concentración todos los días para apreciar conscientemente una lista de bendiciones en tu vida que aumenta de manera sistemática es como ejercitar un músculo. Puedes considerarlo como un *ejercicio para tu músculo de la gratitud.* Y no es sólo una forma figurativa de hablar. En términos neurológicos, lo que estás haciendo a través de este ejercicio es volver a entrenar una parte del cerebro denominada *sistema de activación reticular.*

Durante todo el día estamos siendo bombardeados por una vasta cantidad de información sensorial, datos que si tuviéramos que pensar en todos ellos conscientemente nos abrumarían. A fin de poder funcionar, nuestro sistema nervioso lo filtra todo salvo una diminuta parte de esa información. El sistema de activación reticular es la parte del cerebro que controla los procesos de selección y de filtrado.

También se denomina *formación reticular*, el sistema de activación reticular (SAR) es una red de senderos nerviosos que conecta el tronco encefálico y otras zonas inferiores del cerebro con la corteza cerebral y el cerebelo. Esta matriz de fibras nerviosas controla la transición del sueño a la vigilia y viceversa y también actúa como filtro de entrada de todos los estímulos sensoriales que el cerebro recibe del exterior. Todo lo que vemos, oímos, sentimos, saboreamos u olemos pasa a través de esta delicada red, que luego transmite la señal o el mensaje a la parte apropiada del cerebro para su procesamiento.

El SAR es conocido como el «Google del cerebro», una herramienta de búsqueda que literalmente programamos para escoger pequeñas porciones de datos importantes y útiles entre el inmenso torrente de información sensorial del que disponemos. Por ejemplo, esto es lo que permite a una madre que está esperando a su hijo en la entrada de un gimnasio abarrotado distinguir el sonido de la voz de su pequeño entre el murmullo indiferenciado de sonidos procedente de los cincuenta niños que se encuentran dentro del edificio: ha programado su formación reticular para filtrar todo el resto de sonidos como irrelevantes.

Cuando confeccionas una lista de gratitud, tu SAR hace un cambio sutil en su jerarquía de prioridades. En lugar de ver lo que está mal, estás programando tu herramienta neuronal de búsqueda para ver lo que está *bien*. ¿Qué es lo que va bien en tu vida? ¿Qué te funciona bien? Cada vez que revisas tu lista a diario, tu SAR empieza a grabar en tu conciencia esas cosas y circunstancias de tu entorno que para ti son importantes.

Y al igual que ocurrió en el tercer grupo del experimento de Emmons y McCullough, cuanto más concentras tu atención en las bendiciones de tu vida, éstas también empiezan a *aumentar*. Cuando te concentras en algo, obtienes más de lo mismo. Como dice el personaje Pindar en el libro *The Go-Giver*:

> ¿Has oído el refrán que dice «Busca problemas y los encontrarás»? Es cierto, y no sólo con los problemas. Es cierto para *todas las cosas*. Busca el conflicto y lo encontrarás. Busca personas que se aprovechen de ti y seguramente lo harán. Ve el mundo como un lugar donde el pez grande devora al pequeño, y siempre encontrarás un pez más grande que te mirará como si fueras a ser su próxima comida. Busca las mejores personas, y te maravillarás al ver cuánto talento, ingenuidad, empatía y bondad encontrarás. Al final, el mundo te trata del modo que tú más o menos esperas. De hecho, te parecería increíble saber cuánto tienes *tú* que ver con todo lo que *te* está sucediendo.

Al explicar el concepto de la lista de gratitud a nuestros pacientes, solemos contarles el caso de un caballero llamado W. Mitchell.

Mitchell sufrió un terrible accidente de moto que le quemó los dedos y le costó la amputación de algunas partes de los mismos y dos tercios de todo su cuerpo padecieron quemaduras graves. Varios años después otro accidente casi mortal (éste en una avioneta) le dejó en una silla de ruedas. Hoy en día viaja por el mundo dando conferencias gratuitamente sobre cómo superar las limitaciones. En general, se dirige a presidiarios o los alumnos de las escuelas de los barrios pobres de las ciudades.

«Antes de quedarme paralítico —dice Mitchell— podía hacer diez mil cosas. Ahora puedo hacer nueve mil. Puedo obsesionarme con las mil que he perdido o con las nueve mil que me quedan.» Ésta es una persona que sabe cómo controlar su propio sistema de activación reticular y que ha desarrollado extraordinariamente el músculo de la gratitud.

Sendero 5
Busca tiempo para renovarte

Con nuestra ajetreada vida, suele haber recompensas por productividad. No nos malinterpretes, ser productivo es maravilloso. Pero muchas veces hacemos valer la famosa afirmación de René Descartes, «Pienso, luego existo», en su versión moderna de obsesión por el logro: *Consigo*, luego existo.

Como dijimos en el capítulo 6, el equilibrio es el elemento básico subyacente a todos los objetivos del Proceso de los Cuatro Pasos, y en ningún otro aspecto es más cierto que en el de nuestra necesidad de compensar la actividad productiva con un tiempo para cambiar de aires, restaurarnos y renovarnos.

El tiempo de renovación puede significar distintas cosas para cada persona. Vemos el tiempo de renovación bajo cuatro aspectos:

1. Renovación física.
2. Renovación mental.
3. Renovación emocional.
4. Renovación espiritual.

La *renovación física* incluye dormir bien, comer bien y hacer ejercicio bien. Para muchas personas que tenemos trabajos sedentarios y que estamos principalmente concentrados en nuestra mente, el mero hecho de salir a la calle y movernos al aire libre suele ser una gran fuente de equilibrio físico.

La *renovación mental* significa hacer algo que aclare tu mente y la relaje. Indudablemente, puede incluir la meditación, pero también puede suponer simplemente hacer algo que no tenga nada que ver con tu rutina habitual. Por ejemplo, si trabajas como ingeniero, leer novelas románticas o biografías puede sacarte de tu centro de atención cotidiano. Sea cual sea tu «trabajo», procura encontrar algo con lo que realmente disfrutes y no tenga ninguna relación con el mismo.

La *renovación emocional* suele significar pasar tiempo con las personas con las que disfrutas y que tienen un efecto renovador sobre ti, ya sea la familia, buenos amigos o personas de tu comunidad.

Las relaciones son, en cierto modo, entidades vivas en sí mismas. Van mejor cuando se mantienen y se atienden con cariño; se pueden marchitar o incluso morir cuando las dejamos desatendidas mucho tiempo. Hemos conocido personas que han puesto más esmero y atención en cambiarle el aceite y las bujías al coche que en cambiar las bujías en sus relaciones más importantes.

Por cierto, en lo que a renovación emocional se refiere, la definición de *gente* no debe ceñirse únicamente a compañeros humanos. Las mascotas pueden ser, y son cada vez más, una importantísima fuente de renovación emocional.

La *renovación espiritual* varía de una persona a otra, pero sea cual sea tu religión personal o tus creencias, creemos que la renovación espiritual es un aspecto fundamental para el equilibrio de todas las personas.

Si tienes una fe o sistema de creencia espiritual específicos, entonces esto puede suponer dedicar tiempo de forma regular a conectar con esa tradición de fe, tanto si eso significa ir físicamente al lugar de adoración como pasar tiempo solo en tu casa para reconectar con tu fuente. Para muchas personas, simplemente pasar tiempo en la naturaleza puede ser una forma de reconectar con esa realidad superior: sentarnos afuera por la noche a contemplar las estrellas, pasear bajo los árboles o hacer senderismo en la montaña. Sea lo que sea, aquí la clave está en que lo hagas regularmente. ¿Con qué frecuencia? Es como hacer ejercicio físico: va bien pasar al menos *algún* tiempo cada día dentro de este elemento, y algún *rato más* largo al menos varias veces a la semana.

Como hemos dicho en el capítulo 2, cuando sentimos la conexión —con Dios, con la naturaleza, con nuestra familia humana, con la propia vida—, no sólo cambia nuestra visión de la vida, sino nuestra salud física y psicológica. Da más sentido a nuestra vida y enriquece nuestra experiencia de vivir. Como consecuencia, vivimos *más* gracias a ello.

Redescubrir nuestra conexión

En un sentido más amplio, la mala salud y la infelicidad se deben a la desconexión, y la salud y la felicidad a la conexión. Éste es en último término el propósito del Proceso de los Cuatro Pasos y de los Cinco Senderos: ayudar a eliminar las barreras e impedimentos para tener una experiencia de conexión total: con nuestro verdadero yo, con los demás y con la vida.

Muchos de nuestros problemas son exacerbados por nuestro sentimiento de estar solos en el mundo. Cuando realmente nos damos cuenta de que no es así, de que todos somos una parte integral y conectada de un gran todo, eso empieza a tener un extraordinario y fuerte efecto curativo en todos los aspectos de nuestra vida.

Nuestro colega Larry Dossey, el prolífico escritor sobre temas espirituales y de medicina, quizá sea el más conocido por su exploración del poder de la oración intercesora en la salud física. En su libro *Reinventing Medicine*, el doctor Dossey describe lo que él ve como las tres eras consecutivas de la medicina: Era I de la medicina, tratar el cuerpo físico; Era II de la medicina, abarca el modelo cuerpo-mente y el enfoque de la psicología de la energía; y Era III de la medicina, que también denomina «medicina de la eternidad», donde los pacientes reciben los beneficios de una oración intercesora a distancia. Larry nos dijo recientemente:

> Creo que el mensaje global de todos estos estudios de la curación a distancia es que todos *estamos* conectados. Cuando revisas estos estudios, el espacio y el tiempo parece que no tienen importancia. Son uno de los grandes ejemplos que tenemos de que todos formamos parte de una mente universal no-local que trasciende la separación y la distancia, en el espacio y en el tiempo.
>
> En sus libros *What Is Life? Mind and Matter* y *My View of the World*, el físico y premio Nobel Erwin Schrödinger escribió sobre lo que él denomina la naturaleza unitaria de la consciencia y dice algo maravilloso: «El número general de mentes es sólo uno». Schrödinger lo llamó la mente Única: la idea de que todos formamos parte de una consciencia superior que trasciende y supera la individualidad y la separación. Y esto no es mística oriental con hábito de color azafrán, sino palabras de una de las mentes científicas más grandes del siglo XX.

La doctora Candace Pert, la experta en neuropéptidos y emociones, lo describe así: «Estamos cableados para conectar con la máxima expresión de la felicidad». Esta observación es el tema de su libro *Everything You Need to Know to Feel Go(o)d*, publicado en 2007.

«Pero para que tengamos éxito y salud —añade— hemos de borrar los viejos traumas, para poder enviar señales electrónicas claras al universo.»

No estamos aislados. Cuando somos amables con los demás, eso contribuye aunque sólo sea un poquito a que el mundo sea mejor, pero también tiene un efecto terapéutico en nosotros, pues empezamos a vernos con mejores ojos.

Y también funciona a la inversa. Disipar la niebla de sufrimiento y liberar al verdadero y dichoso *yo* que llevamos dentro es algo que hace que *te* sientas mejor. Cambia tu bioquímica, cambia tu biocampo, cambia tus estados de ánimo y creencias y cambia tu vida. Pero también cambia a quienes te rodean, porque tú formas parte de ellos y ellos de ti.

Cuando nos sanamos a nosotros mismos, también sanamos al mundo que nos rodea. Tu código personal de la felicidad es también el sendero hacia un mundo mucho más feliz.

Conclusión

Una dicha más profunda

Ahora sale el sol.

GEORGE HARRISON

Como dijimos en la introducción, nuestras experiencias clínicas durante las últimas décadas nos han demostrado que *es* posible vivir una vida feliz y satisfactoria, experimentar la riqueza del amor, la conexión y la dicha que somos capaces de sentir. Puedes ser mejor *persona*, más inteligente, tranquila, concentrada, poderosa y profundamente dichosa.

No obstante, por un momento, veamos más de cerca la palabra *dicha* y preguntémonos de qué estamos hablando realmente.

En la antigua Grecia tenían dos palabras que se podían traducir como «dicha»: *hedonia*, que se asocia con los placeres inmediatos del momento, y *eudaimonia*, que se refiere al placer asociado a vivir la vida con plenitud y de un modo totalmente satisfactorio.

«El placer que obtenemos de una buena comida, por ejemplo, una película entretenida o una victoria importante para un equipo deportivo —un sentimiento denominado *bienestar hedónico*— suele ser inmediato y efímero», publicó recientemente el *Wall Street Journal* en un artículo titulado «Is Happiness Overrated?» [¿Está sobrevalorada la felicidad?], donde se explicaba la diferencia. «Educar a los hijos, hacer voluntariado o ir a la facultad de medicina puede ser menos agradable en el día a día. Pero estas actividades nos ayudan a sentirnos realizados, a ser mejores, especialmente, a largo plazo.»

Las investigaciones actuales sobre la felicidad y el bienestar suelen diferenciar entre dos tipos de valores: la felicidad hedonista de gratificación a corto plazo y la dicha eudaimónica de la satisfacción a largo plazo. Aunque no se excluyen mutuamente —se puede vivir una vida plena con objetivos muy loables y también disfrutar de una cena agradable y de una película—, representan distintos tipos de metas.

En la actualidad está floreciendo un nuevo campo denominado *psicología positiva*, que centra sus miras en averiguar qué es lo que hace que medren las personas y tengan vidas satisfactorias, en vez de centrarse en el diagnóstico y el tratamiento de las enfermedades mentales. Las investigaciones en este campo han demostrado que las personas que se centran en vivir con una finalidad eudaimónica suelen vivir más y gozar de mejor salud mental cuando envejecen que las que se centran en conseguir sentimientos hedónicos más inmediatos de felicidad transitoria.

En un estudio con casi siete mil personas de mediana edad y más mayores, los participantes con mayor bienestar eudaimónico tenían niveles más bajos de interleuquina-6, un marcador de la inflamación que se relaciona con las enfermedades cardiovasculares, la osteoporosis y el Alzheimer.

En otro estudio con unas mil personas de una media de edad de ochenta años, los que tenían más propósitos en la vida tenían menos de la mitad de probabilidades de desarrollar Alzheimer que los que tenían menos. El grupo con un mayor-sentido-de-propósito también tenía menos tendencia a presentar dificultades en las funciones cotidianas, como realizar las tareas del hogar, administrar el dinero, subir o bajar escaleras que las que tenían menos sentido de propósito. En el transcurso de cinco años, tenían un 57 por ciento menos de probabilidades de morir.

Una vez un empresario estadounidense solicitó la ayuda del prestigioso Carl Jung para un problema de alcoholismo. Al cabo de un año de tratamiento, no tardó en recaer. Volvió a la consulta de Jung en Suiza, le preguntó qué posibilidades creía que tenía de recuperación.

—Usted tiene la mente de un alcohólico crónico —respondió Jung—. Con muchas personas, los métodos que empleo tienen éxito, pero nunca lo he tenido con un alcohólico de su clase.

Viniendo de uno de los grandes maestros de la terapia, era algo bastante descorazonador. Desconsolado, el hombre le preguntó:

—¿No hay excepciones?

—Sí, las hay —reconoció el gran médico—. De vez en cuando, los alcohólicos tienen lo que se denominan *experiencias espirituales vitales*. En mi opinión, estos casos parecen ser habituales en los grandes desarreglos y reestructuraciones emocionales. Ideas, emociones y actitudes que una vez fueron las fuerzas que guiaban sus vidas, de pronto, son desplazados y un nuevo grupo de conceptos y motivos empieza a dominarles.

Un nuevo grupo de conceptos y motivos empieza a dominarles. Nos encanta ese pasaje porque es también una descripción extraordinariamente apta para el tipo de transformaciones que hemos visto entre nuestros pacientes que han usado el Proceso de los Cuatro Pasos, muchas veces junto con los Cinco Senderos, no sólo para *mejorar*, sino para *transformar* sus vidas.

¿Recuerdas a Stefanie, la paciente a la que conocimos en la introducción? Vino a nuestra consulta no hace mucho para ponernos al día sobre su vida. En los años que hace que nos conocemos, montó un nuevo negocio que luego vendió por una cantidad nada desdeñable y ahora está montando otro. En su vida, desde los negocios hasta la familia y su salud personal, las cosas le van muy bien. Cuando le dijimos que estábamos escribiendo un libro sobre el Proceso de los Cuatro Pasos y que nos preguntábamos si podríamos usar su historia, enseguida aceptó. «La gente necesita esto —nos dijo—. Si encontráis el modo de poner lo que habéis hecho por mí en las páginas de un libro, entonces, por supuesto ¡utilizad mi historia!»

Se calló un momento y luego prosiguió: «¿Recordáis la pregunta que os hice el primer día que fui a vuestra consulta? Os pregunté "¿Por qué no soy feliz?" ¿Sabéis?, creo que he hallado la respuesta. Creo que la verdad es que ya *era* feliz, al menos en algún nivel que no podía sentir. Quiero decir que había una Stefanie feliz allí..., en alguna parte. Sólo que no podía encontrar el camino. ¿Tiene algún sentido lo que acabo de decir?»

Pues claro que lo tiene.

Cuando ese asteroide colisionó hace sesenta y cinco millones de años, el sol puede que quedara oculto, pero eso no significaba que no estuviera allí. Los dinosaurios no podían verlo o sentirlo. Lo mismo sucede con cualquier cataclismo o temblor sísmico que pueda haber habido en tu vida y creara las nubes de polvo y desechos que han estado oscureciendo tu camino hasta ahora. Puede que cubrieran la carretera hacia la dicha verdadera, pero eso no significa que la carretera no estuviera allí.

Hemos sido diseñados y creados para ser felices. Es nuestra naturaleza. Sólo que ha quedado oculta por la niebla de sufrimiento. Y una vez que hemos despejado esa oscura nube de desechos que dejaron los asteroides, terremotos y volcanes de nuestro pasado, podremos ver el cielo azul que tenemos encima y sentir que el brillo y el calor del sol nunca nos habían abandonado.

GEORGE PRATT
PETER LAMBROU

Apéndice A

El Proceso de los Cuatro Pasos

Paso 1: Identificar

Propósito: identificar tus creencias autolimitadoras predominantes.

a. Identifica tus «colisiones de asteroides»

- Crea una lista de acontecimientos pasados que creas que pueden tener un fuerte impacto negativo en cómo te ves a ti mismo y cómo ves tu mundo.
- Revisa esta lista y determina qué acontecimiento es el que parece que ha tenido el impacto más profundo y significativo.

b. Identifica tus creencias autolimitadoras predominantes

- Identifica tus creencias autolimitadoras predominantes utilizando la evaluación de creencias personales y las siete creencias limitadoras del capítulo 2.

c. Verifica los elementos que has identificado

- Utiliza el *feedback* neuromuscular para ayudarte a revisar ambas listas hasta llegar a identificar el acontecimiento más significativo de tu pasado y la creencia autolimitadora que más prevalece.

Capítulos 1-3

Paso 2: Borrar

Propósito: reequilibrar tu sistema de energía corporal y prepararte para crear nuevos patrones

a. Respiración con las manos cruzadas (dos minutos)

- Siéntate y cruza el tobillo izquierdo por encima del derecho.
- Coloca tu mano izquierda por encima del pecho, de modo que los dedos descansen sobre el lado derecho de tu clavícula. Ahora cruza tu mano derecha por encima de la izquierda, de modo que los dedos de tu mano derecha descansen sobre el lado izquierdo de tu clavícula.
- Toma aire por la nariz y expúlsalo por la boca. Cuando inspires, tu lengua tocará el paladar justo detrás de los dientes incisivos. Cuando espires, coloca la lengua justo detrás de los dientes frontales inferiores. Puedes hacerlo con los ojos cerrados o mirando al suelo para reducir los estímulos visuales.

b. *Grounding* (un minuto)

- Siéntate con la espalda recta y relájate. Coloca ambas manos, una encima de la otra sobre tu plexo solar, justo debajo de la caja torácica. Siente la respiración en tu abdomen, cómo se proyecta hacia fuera y cómo se hunde.
- Ahora cierra los ojos y visualiza un cable que cuelga hacia abajo desde tu cuerpo hasta la tierra.
- Retén esa imagen, inspira y espira lentamente, durante aproximadamente un minuto.

c. Métodos opcionales

- Utiliza el *feedback* neuromuscular para revisar la polaridad de tu biocampo.
- Para inversiones o problemas persistentes o crónicos, también puedes usar:

  Gateo cruzado (unos dos minutos).

  Paso de Diamond (al menos diez minutos).

Respiración alterna (diez ciclos en las dos direcciones, durante dos o tres minutos).

Capítulo 4

Paso 3: Remodelar

Propósito: liberar creencias negativas e instalar nuevas creencias de poder personal en su lugar

a. Papelera terapéutica (tres minutos)

- Visualiza una *papelera terapéutica* u otro recipiente que elijas.
- Tira allí todos los elementos negativos del paso 1.
- En los dos o tres minutos siguientes visualiza cómo desaparece gradualmente o se va flotando, llevándose consigo todos esos elementos negativos.

b. Promesa de aceptación (un minuto aproximadamente)

- Pon la mano derecha sobre tu corazón y con las yemas de tus dedos localiza la zona de remodelación (entre la segunda y la tercera costilla).
- Mientras frotas esta zona en el sentido de las agujas del reloj, repite cinco veces tu código personal de la felicidad —una afirmación de autoaceptación junto con tu creencia de poder personal— en voz alta o en silencio.

c. Imágenes de tu vida ideal (varios minutos)

- Durante unos minutos visualiza escenas e impresiones de tu vida feliz y cargada de poder personal.

d. Opciones

- Imágenes de liberación.
- Imágenes de un viaje terapéutico.
- Localiza el sentimiento (centros de energía).

- Nombra y dirígete directamente a tu función ejecutiva.
- Imágenes de adulto.

Capítulo 5

Paso 4: Anclar

Propósito: garantizar que los resultados de los tres primeros pasos sean profundos y duraderos

a. Sujeción del ancla

- Sigue con las *escenas de tu vida ideal* (del paso 3) y aplica la *sujeción del ancla* (un minuto).
- Continúa con la sujeción del ancla, con la mente en blanco, concentrándote en la respiración (un minuto).

b. Símbolo de equilibrio

- Continúa con la sujeción del ancla y visualiza tu *símbolo de equilibrio* personal (un minuto).

Herramientas adicionales diarias

Recordatorio diario

Varias veces al día, durante los próximos treinta días (o todo el tiempo que quieras).

a. Respiración con las manos cruzadas (dos minutos).
b. Promesa y código personal de la felicidad, en voz alta o en silencio (cinco veces).
c. Sujeción del ancla, visualizando tu símbolo de equilibrio personal (un minuto).

Mini-recordatorio

En cualquier momento que te sientas estresado y necesites volver a conectarte.

- Sujeción del ancla, visualizando tu símbolo de equilibrio personal (un minuto).

Respiración con las manos cruzadas

En cualquier momento en que estés sufriendo o que notes que tu polaridad se ha desequilibrado, practica dos o tres minutos de respiración con las manos cruzadas.

Capítulo 6

Cinco senderos hacia una vida de prosperidad

1. Come conscientemente.
2. Haz ejercicio saludable.
3. Envuélvete en fractales.
4. Crea una lista de gratitud.
5. Busca tiempo para renovarte.

Capítulo 8

Apéndice B

Acepta el biocampo

Aunque el concepto de la existencia de un campo de energía sutil que organiza e influye en el cuerpo humano no es nuevo en absoluto, no ha sido hasta las últimas décadas que la ciencia médica moderna ha aceptado plenamente esta idea, tanto en la práctica clínica como teórica. De hecho, durante la mayor parte del siglo XX, toda la idea de la existencia de un biocampo estaba bastante ridiculizada, pues se apoyaba en una larga tradición que se remontaba al siglo XIX, cuando todo ese tipo de investigaciones se asociaban a las auras, sesiones de espiritismo y otras parafernalias del movimiento espiritualista del siglo XIX.

En la década de 1840, el célebre químico y geólogo Karl Ludwig von Reichenbach trabajó con unos cuantos sujetos que parecían ser capaces de detectar algún tipo de campo magnético humano, que apodó «fuerza ódica». Un contemporáneo de Reichenbach achacó las percepciones de los sujetos a la sugestión hipnótica, y no tardaron en descalificar su trabajo.

Medio siglo después, mientras trabajaba con un nuevo aparato de rayos X y experimentaba con un filtro azul especial, el físico británico Walter Kilner observó una radiación inusual en torno a las personas vivas. En un intento de disociar su descubrimiento del mancillado término *aura*, Kilner denominó a este campo «atmósfera humana». En 1911, Kilner publicó su trabajo en un libro titulado *La atmósfera humana*. El año siguiente, el *British Medical Journal* arremetió contra su trabajo diciendo: «El doctor Kilner no ha logrado convencernos de que su aura sea más real que la visión de la daga de Macbeth».

¡Uf!

Reinaba el escepticismo a pesar de los constantes descubrimientos. En el siglo XX, entre uno de esos descubrimientos se encuentra el de un obstinado investigador que llevó a cabo su poco convencional trabajo, irónicamente, en una de las facultades de medicina más prestigiosas. El doctor Harold Saxton Burr trabajó en la Universidad de Yale durante casi cincuenta años en la primera mitad del siglo XX. Además de sus obligaciones como profesor de anatomía, el profesor Burr también dedicó miles de horas a la investigación y publicó casi cien trabajos científicos. Se hizo famoso por su descubrimiento de que todos los seres vivos, tanto plantas como animales, están bajo la influencia de distintos campos electromagnéticos (EM) a los que deben su forma y que se pueden medir con voltímetros sensoriales.

La hipótesis del doctor Burr era que el campo EM mantenía la identidad esencial del organismo: de un modo similar al que unos trozos de hierro sobre un papel adoptarían la forma del imán que tuvieran debajo, los elementos nutritivos de nuestro torrente sanguíneo y de otros productos del metabolismo adoptan la «forma» de nuestro organismo según dicta su biocampo subyacente.

En la década de 1940, el electricista ruso e inventor Semyon Kirlian creó una cámara fotográfica extraordinariamente sensible que captaba imágenes de estos biocampos en la forma de ciclos electrónicos de alta frecuencia y alto voltaje. En la década de 1960 fue cuando este invento logró un gran reconocimiento y las fotografías Kirlian revelaban un convincente patrón de radiación de energía de los electrones que adoptaban la forma de un aura que envolvía al organismo, parecido a la magnetosfera de la Tierra, que se acababa de descubrir. (Curiosamente, la magnetosfera guarda una asombrosa semejanza con la forma humana.)

Al mismo tiempo que la prueba fotográfica de Kirlian se estaba dando a conocer en Occidente, un cirujano ortopédico estadounidense llamado Robert O. Becker investigaba la posible relación de las propiedades eléctricas del cuerpo con la curación de las fracturas. ¿Por qué, se preguntaba, un tritón o una salamandra pueden regenerar un miembro perdido y un humano no?

El doctor Becker no tardó en descubrir un interesante fenómeno. La polaridad eléctrica al final del nervio cortado en el miembro de la salamandra es contraria al de organismos superiores, como los perros, gatos o humanos. ¿Podría esto tener alguna relación en la causa por la que ciertas especies (como las salamandras) pueden regenerar sus miembros, mientras otras (como los humanos) no? Y si cambiaras la polaridad eléctrica de un nervio humano, ¿se podría estimular un nuevo crecimiento en esa zona?

Resultó ser que sí. Los descubrimientos del doctor Becker le condujeron al desarrollo de un estimulador de crecimiento óseo electrónico (ECOE), un instrumento que se utiliza hoy en día en la medicina ortopédica para tratar fracturas graves de las cuales los huesos no serían capaces de regenerarse adecuadamente, fracturas en huesos muy largos como el fémur, o en casos donde la lesión ha permanecido durante demasiado tiempo como para que se pueda producir la curación habitual. El ECOE también ha demostrado ser eficaz para acelerar la curación de las fusiones vertebrales y el dolor de columna.

En 1971 se produjo un avance histórico en la medicina energética, cuando el presidente Richard Nixon inició una misión para entablar relaciones diplomáticas entre China y Occidente. Seis meses antes de la histórica visita del presidente, llegó a Pekín una comisión diplomática para preparar el terreno de trabajo, acompañada por un pequeño equipo de prensa en el que se encontraba el veterano reportero del *New York Times* James Reston.

Varios días después de su llegada a Pekín, Reston empezó a padecer un fuerte dolor abdominal. En cuestión de horas le estaban practicando una apendicectomía de urgencias en el Hospital Antiimperialista de Pekín. La operación salió bien, pero el paciente pronto empezó a tener un agudo dolor postoperatorio. Para sorpresa de Reston el tratamiento consistía sólo en dos métodos: acupuntura y moxibustión (la inserción de agujas y la aplicación de calor mediante la quema de hierbas aromáticas sobre ciertos puntos de acupuntura importantes). El dolor del paciente desapareció; el tratamiento fue un éxito absoluto.

Una semana más tarde, Reston escribió sobre su experiencia en el *New York Times*, y el mundo occidental abrió los ojos a toda una nueva visión de cómo estamos hechos los seres humanos y cómo se pueden realizar los tratamientos médicos.

La práctica clínica de la acupuntura, especialmente (aunque no de forma exclusiva) para el tratamiento del dolor, pronto empezó a salir fuera del pequeño círculo de los profesionales de la medicina oriental que trataban a las comunidades asiáticas. A medida que fue aumentando su reputación, los médicos occidentales también empezaron a recibir formación en la misma y esta práctica se extendió. En la actualidad hay cientos de miles de acupuntores activos en Estados Unidos, con una cifra similar en todo el mundo occidental.

No obstante, la comunidad científica no aceptó tan rápidamente la validez del concepto básico de la acupuntura y la acupresión. No fue hasta casi más de un cuarto de siglo después que la acupuntura recibió el sello de aprobación de la principal agencia de Estados Unidos para la investigación médica.

En noviembre de 1997, los Institutos Nacionales de la Salud convocaron una comisión de doce miembros de expertos que representaban a distintos campos, entre los que se incluían biofísica, epidemiología, medicina de familia, medicina interna, medicina física y rehabilitación, fisiología, psiquiatría, psicología, política de salud pública y estadística. Otros veinticinco expertos presentaron pruebas a la comisión y ante una audiencia de mil doscientas personas. En su informe, la comisión alabó la acupuntura por su demostrada ausencia de efectos secundarios y por las pruebas de su eficacia en condiciones varias, desde dolor de poscirugía dental y náuseas debidas a la quimioterapia hasta adicciones, artritis y rehabilitación de accidentes cerebrovasculares.

«Es probable que en próximas investigaciones —añadía el informe en su conclusión— se descubran otras áreas en las que sean útiles las intervenciones con acupuntura.»

Quizá la más prometedora de estas iniciativas ha sido el proyecto de Neuroimágenes de los Efectos de la Acupuntura sobre la Actividad del Cerebro Humano de la Facultad de Medicina de la Universidad de Harvard (del que hablamos en el capítulo 4), que publicó su primer trabajo en el año 2000 y que todavía está en curso. Con la ayuda de escáneres de IRMf y de tomografía por emisión de positrones (TEP) para demostrar el efecto de la estimulación de los acupuntos sobre el cerebro, el proyecto ha demostrado que los acupuntos más importantes pueden calmar el sistema límbico —el sistema de respuesta al estrés del cerebro, donde se encuentran las amígdalas, el hipocampo y otros— en cuestión de segundos.

En las dos últimas décadas, la medicina energética ha demostrado ser uno de los campos más apasionantes de la práctica médica. En la actualidad, más de un centenar de las principales instituciones médicas de Estados Unidos tienen programas que incluyen algún aspecto de la medicina y de la psicología de la energía, muchos de los cuales no existían a principios de este siglo. Por ejemplo, a continuación citamos doce instituciones médicas importantes, junto con sus filiales o departamentos de reciente creación, donde se practica la medicina energética:

1. Hospital Beaumont: *Medicina Integrativa.*
2. Centro Médico de la Universidad de Duke: *Medicina Integrativa de Duke.*
3. Hospital Hartford: *Departamento de Medicina Integrativa.*
4. Hospital Henry Ford: *Centro de Medicina Integrativa.*
5. Hospital Presbiteriano de Nueva York: *Centro de Medicina Alternativa y Complementaria de Richard y Hinda Rosenthal.*
6. Centro Médico de la Universidad de Ohio: *Centro de Medicina Integrativa.*
7. Clínica Scripps: *Centro de Medicina Integrativa.*

8. Hospital y Clínica Standford: *Centro de Medicina Integrativa de Standford.*
9. Universidad Thomas Jefferson: *Centro de Medicina Integrativa de Myrna Brind.*
10. Universidad de Colorado: *Centro de Medicina Integrativa.*
11. Universidad de Texas: *Recursos de Educación sobre Medicina Complementaria/Integrativa del Centro Anderson M.D. para el Cáncer*
12. Universidad de Yale: *Centro de Medicina Integrativa del Hospital Griffin.*

Estas instituciones de primera categoría y docenas más utilizan varias metodologías de medicina energética, por ejemplo, en sus tratamientos para problemas cardíacos, cirugía y cuidados postoperatorios, y están aumentando sus investigaciones sobre su aplicación para los estados de ánimo y la mente, como ansiedad, depresión y trastorno por estrés postraumático.

Es difícil entender por qué ha de existir tanta resistencia en esta orientación de la medicina porque, a pesar de tantas décadas de controversia, la idea de que los seres humanos seamos criaturas eléctricas no tiene nada de particular.

Por ejemplo, cuando los médicos quieren examinar tu corazón recurren a un electrocardiograma (ECG). ¿Por qué? Porque pueden evaluar la salud relativa del funcionamiento del corazón interpretando el diagrama de su actividad eléctrica. Asimismo, usamos un electroencefalograma (EEG) para medir la actividad eléctrica del cerebro y una electromiografía (EMG) para medir la actividad eléctrica de los músculos. También sabemos que hemos de mantener un equilibrio de sodio, potasio, calcio, magnesio y otros minerales cargados eléctricamente (iones), denominados *electrolitos*, en la sangre y en los tejidos corporales. ¿Por qué? Porque las señales de todos nuestros nervios son impulsos eléctricos.

De hecho, todos los aspectos del cuerpo están controlados y orientados eléctricamente; el ser humano es en esencia un fenómeno eléctrico. Aceptar esta interpretación en nuestra visión sobre la curación nos ha aportado un elemento fundamental que faltaba en nuestra antiquísima búsqueda de disfrutar de una mayor paz mental, bienestar general y rendimiento óptimo como seres humanos. Es decir, proporciona un eje en nuestra capacidad para disipar esa persistente niebla de sufrimiento y poder desarrollar plena y generosamente la *persona que realmente somos.*

Notas

Las notas siguientes se citan por el número de la página en que aparecen y el pasaje del texto al que hacen referencia.

Introducción: La pregunta de Stefanie

13 [...] *una mujer llamada Stefanie vino a nuestra consulta para recibir tratamiento.*

Actualmente, nuestros clientes se visitan con uno de nosotros dos, no con los dos a la vez. Sin embargo, para facilitar la sencillez y la claridad del relato en este libro hablaremos en primera persona del plural, utilizando el «nos» o venir a «nuestra consulta».

15 [...] *un manto de niebla de poco menos de media hectárea y de un metro de espesor.*

Earl Nightingale, el famoso locutor y formador de vendedores, en su libro *La esencia del éxito* escribió: «Según el Bureau of Standards (Departamento de Regulación), una niebla densa que cubre siete manzanas de la ciudad, con un espesor de treinta metros, se compone de más o menos un vaso de agua».

Al investigar esta afirmación, consultamos con el National Institute of Standards and Technology (Instituto Nacional de Regulación y Tecnología) (en 1988 se le cambió el nombre a Bureau of Standards).

Es posible que Nightingale estuviera citando un fragmento de una publicación de 1926, que llevaba por título *Fogs and Clouds*, de W. J. Humphreys para el U. S. Weather Bureau (Williams & Wilkins Co., Baltimore), que a su vez citaba una publicación de 1916, del U. S. Coast Guard, «Report on an Investigation of Fog in the Vicinity of the Grand Banks of Newfoundland, Done Aboard the Ice Patrol Cutter Seneca during May Cruise of 1915, by the Bureau of Standards» en el *Bulletin No. 5, International Ice Observation and Ocean Patrol Service in the North Atlantic Ocean*, Govt. Printing Office, Washington, D. C., 1916.

El pasaje de 1926 en cuestión dice así: «Un bloque de niebla de un metro de ancho, casi dos de alto y de treinta metros de espesor contiene menos de una séptima parte de un vaso de agua líquida. ¡Apenas un buen trago!»

Investigaciones posteriores corroboraron estas cifras. Aunque el ejemplo de Nightingale era un poco exagerado, esa imagen era tan sorprendente que la hemos utilizado aquí, redondeando las cifras para que fuera exacta y corrigiendo sus «siete manzanas de la ciudad, con un espesor de treinta metros» por nuestra poco menos de media hectárea de un metro de espesor.

18 *Hemos pasado las últimas décadas resolviendo este rompecabezas, utilizando las herramientas de la psicología convencional junto con nuevos métodos y perspectivas extraídas de los últimos descubrimientos en el vanguardista campo de la investigación y de la terapia denominado* psicología de la energía.

Nosotros no empezamos nuestra práctica en el campo de la psicología de la energía. De hecho, ambos tuvimos una formación totalmente convencional como psicólogos clínicos, utilizando las técnicas estándares de nuestra profesión, y como otros psicólogos con una buena formación, confiamos en las metodologías que nos habían enseñado nuestros profesores y que formaban parte del canon de conocimiento científico generalmente aceptado.

Sin embargo, hacia finales de la década de 1980, cuando nos unimos en nuestra práctica clínica, compartíamos la idea de que debía de haber nuevas fronteras que explorar en nuestro campo. Los dos nos habíamos encontrado con todas las variantes de la pregunta de Stefanie, ambos estábamos perplejos y hartos de las limitaciones impuestas por las normas aceptadas de nuestra profesión.

No éramos los únicos. En esa época, la visión mecanicista tradicional de la salud humana estaba dando paso a una visión multidisciplinaria más amplia y estaba empezando a emerger una nueva orientación de la medicina. No todo el mundo pensaba que el modelo de laboratorio-puro estímulo-respuesta podía explicar lo que sucedía en el organismo humano. No se trataba de un proyecto unificado ni muy organizado, sino de un cambio descentralizado desde las raíces, que estaba teniendo lugar en cientos de lugares y áreas de investigación distintos.

Incluso aunque en nuestra práctica seguimos utilizando las herramientas convencionales propias de nuestra profesión, también empezamos a buscar posibles nuevas vías de investigación.

Estudiamos hipnosis (los dos habíamos escrito sobre el tema: Peter escribió *Self-Hypnosis*, junto con Brian Alman, en 1983, y George era coautor con Brian Alman y Dennis Wood de *A Clinical Hypnosis Primer*, publicada en 1984), desensibilización del movimiento del ojo y reprocesamiento (EMDR) y programación neurolingüística (PNL), *biofeedback*, imaginería guiada, Gestalt y muchas otras interesantes vías de investigación. En algunos casos incluso llegamos a trabajar con los fundadores de estas metodologías no convencionales. Unas eran más eficaces que otras, todas aportaban algo, pero ninguna nos sirvió para cruzar las montañas.

Lo que realmente marcó un antes y un después en nuestra carrera tuvo lugar en 1995, cuando nos enteramos de la posibilidad de utilizar un misterioso proceso de diagnóstico nada invasivo denominado *kinesiología conductista* o *test muscular*, al que nos referimos como *feedback neuromuscular*, de un amigo y colega, el doctor Greg Nicosia. Greg empleó este método para extraer una amplia y profunda gama de información de sus pacientes. Los datos que consiguió variaban desde los hábitos alimenticios del sujeto e historial médico hasta la dinámica familiar y todo tipo de temas psicológicos. El grado de detalles que obtenía de sus pacientes (incluidos nosotros) con estas sencillas demostraciones era asombroso.

En el capítulo 3 veremos el *feedback* neuromuscular con mayor detalle.

Capítulo 1: Una entrevista contigo mismo

25 *Bessel van der Kolk, quizá la mayor autoridad mundial en traumas, describe las amígdalas como «el detector de humo del cerebro».*

De una conversación privada con los autores.

Capítulo 2: Siete creencias limitadoras

49 *Con las nuevas tecnologías de visualización de imágenes del cerebro, y especialmente las imágenes por resonancia magnética funcional (IRMf), en las dos últimas décadas, los científicos han adquirido la extraordinaria habilidad de observar el trabajo físico del cerebro y ver cómo se desarrolla en tiempo real.*

La imagen por resonancia magnética (IRM) fue un gran adelanto respecto a los escáneres por tomografía computarizada (TC), que mostraban el tejido duro, porque la imagen por IRM podía mostrar el tejido blando —los discos, y demás, así como el tejido cerebral— e imágenes de tejido consumiendo oxígeno. Es decir, los escáneres por TC eran más anatómicos y estructurales, mientras que las nuevas tecnologías de imagen tenían más potencial para mostrar qué era lo que estaba sucediendo funcionalmente dentro del cuerpo.

Luego vino la IRM *funcional* o IRMf, un tipo especial de IRM que mide los cambios en la actividad neuronal a través de los cambios en el flujo sanguíneo y los niveles de oxígeno en la sangre en el cerebro o en la médula espinal. El principio que rige este proceso se desarrolló en 1990 y se puso en práctica por primera vez en forma experimental en 1991. Fue rápidamente adoptado para su uso en el diagnóstico y en la investigación. En parte debido a que no utiliza tintes radiactivos, como otros tipos de escáneres (TC y TEP), se puede usar repetidas veces sin que encierre ningún peligro. Desde principios de la década de 1990, las IRMf son la principal tecnología que se utiliza en el campo del estudio del cerebro debido a que es relativamente poco invasiva, no expone a radiación y se dispone de ella en muchos sitios.

La tomografía por emisión de positrones (TEP) produce imágenes similares, pero se necesita un isotopo radiactivo, que dificulta que se puedan hacer exploraciones con frecuencia. En ciertos aspectos es una forma de diagnóstico más fiable, pero está más limitada en el campo de la investigación.

A medida que las IRMf se han ido haciendo más eficaces (básicamente, por medio de usar imanes más potentes) han podido medir más detalles con mayor precisión. Dentro de diez o quince años, quién sabe: quizá tendremos aparatos de IRMf colgados de nuestros ordenadores portátiles, tabletas digitales o teléfonos móviles.

85 *«El silencio eterno de estos espacios infinitos me aterra», escribió el científico del siglo* XVII *Blaise Pascal.*

«Le silence éternel de ces spaces infinis m'effraye» de la recopilación póstuma de Pascal *Pensées and Other Writings.*

Capítulo 3: La pulga y el elefante

97 *«A finales del siglo [XIX] —como escribe Tor Norretrander en* The User Illusion*—, el concepto del hombre transparente sufrió un grave desafío.»*

Norretrander, T. *The User Illusion: Cutting Consciousness Down to Size,* Penguin, 1991, p. 162.

107 *«A las personas les cuesta mucho diferenciar entre el dolor físico y el emocional», dice la doctora Pert.*

Del sitio web de la doctora Pert (www.candancepert.com) y de conversaciones privadas con la autora.

118 *Una de las confirmaciones más sorprendentes del* feedback *neuromuscular surgió hace más de una década.*

Monti, D. A. y otros, «Muscle Test Comparisons of Congruent and Incongruent Self-Referential Statements», *Perceptual and Motor Skills,* 1999, 88, pp. 1019-1028.

Capítulo 4: Un trastorno en la fuerza

128 *Chantal era una de los cincuenta huérfanos de Ruanda que participaron en el estudio.*

Chantal no es el nombre real de la joven, pero su historia y el estudio de Ruanda que marcó un antes y un después sí son reales. El estudio, cuyos autores son Caroline Sakai, Suzanne Connolly y Paul Oas, se publicó en 2010, en el *International Journal of Emergency Mental Health,* invierno 2010, 12 (1), pp. 41-50, bajo el título de «Treatment of PTSD in Rwandan Child Genocide Survivors Using Thought Field Therapy». Se puede encontrar este artículo en www.tftcenter.com/articles_treatment_o_ptsd_rwanda.html.

129 *En un estudio con adolescentes traumatizados se hizo un seguimiento a dieciséis muchachos adolescentes de Perú que habían sufrido graves abusos.*

Church, D., Piña, O., Reategui, C. y Brooks, A. «Single Session Reduction of the Intensity of Traumatic Memories in Abused Adolescents:

A Randomized Controlled Trial». Estudio presentado en el Eleventh Annual Toronto Energy Psychology Conference, del 15-19 de octubre, 2009. Desde este escrito, este estudio está siendo revisado por otros profesionales tanto del *Journal of Child Sexual Abuse* como de la revista *Psychological Trauma.*

129 *En un estudio piloto al azar y a doble ciego realizado en Suramérica que duró aproximadamente unos cinco años y medio.*

Andrade, J. y Feinstein, D. «Preliminary Report of the First Large-Scale Study of Energy Psychology». Esta revisión de la investigación empezó a finales de la década de 1980 e incluía varios estudios que se habían realizado en un período de más de catorce años y se publicó en 2004, como apéndice del *Energy Psychology Interactive: Rapid Interventions for Lasting Change* de David Feinstein (fuente interna).

129 *En una prueba controlada al azar con veteranos de guerra excombatientes.*

Church, D., Hawk, C., Brooks, A., Toukolehto, O., Wren, M., Dinter, I. y Stein, P. «Psychological Trauma in Veterans using EFT (Emotional Freedom Techniques): A Randomized Controlled Trial». Estos datos fueron presentados en la Society of Behavioral Medicine, Seattle, Washington, 7-10 de abril, 2010. Desde que se publicó este escrito, el estudio está siendo revisado.

En www.vetcases.com se puede ver un videoclip de diez minutos con resúmenes de entrevistas a cuatro excombatientes antes y después del tratamiento de la psicología de la energía, junto con fragmentos de los tratamientos que recibieron.

130 *Por ejemplo, una de las terapeutas del estudio de los veteranos excombatientes mencionado describió su trabajo con Keith, un soldado de infantería que sirvió en el Delta del Mekong durante la Guerra de Vietnam.*

La terapeuta se llama Ingrid Dinter; sus observaciones están extraídas de una entrevista que le hizo David Feinstein a la señorita Dinter, tal como menciona en su artículo «The Case for Energy Psychology: Snake Oil or Designer Tool for Neural Change?», *Psychotherapy Networker,* noviembre 2010, www.innersourc.net/ep/images/stories/downloads/PN_article.pdf.

132 *El* biocampo *en sí mismo, un sutil campo electromagnético que empieza en la piel y se extiende hacia fuera, alcanzando un grosor de varios centímetros.*

La extensión de este campo todavía es objeto de debate, en parte porque nuestra capacidad para determinarlo depende de los instrumentos que usamos para medirlo. Algunos científicos especulan que nuestros biocampos se solapan y que pueden alcanzar una extensión prácticamente infinita. Lo que sabemos por el momento es que el biocampo no se encuentra exclusivamente dentro de la superficie externa del cuerpo físico.

Las señales eléctricas entre el corazón y el cerebro, por ejemplo, no se miden directamente en ninguno de dichos órganos (si así fuera, habría que taladrar el cráneo cada vez que quisiéramos hacer un electroencefalograma o abrir el pecho cuando hiciéramos un electrocardiograma), sino a una distancia de poco menos de dos centímetros o normalmente más. No cabe duda que cuanto más cerca estemos de la fuente más precisa será la señal, pero si nuestros instrumentos fueran más sensibles, podríamos detectar e interpretar esas señales a varios centímetros, incluso a varios metros.

143 [...] *un estudio realizado en la Universidad de Harvard en el que se emplean tecnologías de visualización de imágenes cerebrales para observar en tiempo real los efectos de la acupuntura sobre el cerebro...*

El proyecto Neuroimaging Acupunture Effects on Human Brain Activity de la Facultad de Medicina de Harvard: www.nmr.mgh.harvard.edu/acupuncture/PPG. (Véase también «Apéndice B: Abrazar el biocampo».)

143 *Lo que han demostrado los estudios de Harvard...*

De una conversación en persona con los autores.

143 [...] *cuando estimulamos ciertos puntos de acupresión enviamos una señal a la amígdala que se encarga de reducir la excitación.*

Normalmente, se utiliza de forma indistinta amígdala en singular y amígdalas en plural, y aquí hemos seguido esta convención.

145 *Durante las últimas décadas, en nuestra práctica hemos utilizado un extenso inventario de herramientas y metodologías, incluidos métodos como la desensibilización y reprocesamiento del movimiento del ojo (DRMO).*

La DMRO es un tratamiento innovador que descubrió Francine Shapiro a finales de la década de 1980.

La historia de cómo Shapiro llegó a desarrollar este proceso es interesante. Un día, mientras paseaba por un parque, se detuvo al borde de un estanque a contemplar unos patos al tiempo que reflexionaba sobre un asunto que le preocupaba. De pronto notó que empezó a sentirse mucho más calmada y relajada y ese efecto parecía suceder cuando movía los ojos hacia atrás y hacia delante para mirar el movimiento de los patos en la superficie del agua.

Una minuciosa deconstrucción y experimentación de su experiencia la condujeron a formular el proceso del DMRO, que demostró ser una maravillosa herramienta para tratar el estrés postraumático y otros bloqueos emocionales que nos impiden funcionar con normalidad. Cuando el paciente se centra en el recuerdo de una experiencia perturbadora, el terapeuta mueve la mano (un objeto o una luz) de lado a lado delante del rostro del paciente. Este proceso permite al sujeto «reprocesar» el acontecimiento, creando nuevos senderos asociados en el cerebro y disolviendo los bloqueos emocionales.

Empezamos a usar el método al poco de que fuera creado y comprobamos que nos permitía tratar eficazmente a una extensa gama de pacientes, incluidos algunos con problemas que no se habían podido mejorar ni siquiera con la hipnosis. Además, el tratamiento funcionaba con una gran rapidez, ya que se conseguían resultados en cuestión de semanas, cuando con otras terapias tradicionales hubiéramos tardado meses, eso en el caso de obtener resultados.

Una posible desventaja de la DMRO es que en el transcurso del tratamiento puede que el sujeto vuelva a traumatizarse, es decir, a reexperimentar parte del impacto del trauma original de un modo que sea más perjudicial que beneficioso. Esto no supone un peligro en manos de un profesional cualificado y experimentado, pero es una de las razones por las que no incorporamos este método en el modelo autodidacta que presentamos aquí.

145 [...] *el tapping en los acupuntos que empleó Caroline Sakai en Ruanda.*

Una de nuestras colegas, Sandra Bagley, una enfermera que trabajaba en un equipo humanitario, fue a las regiones devastadas por la guerra de Kosovo tras las atrocidades de Bosnia y Croacia y usó los métodos de *tapping* sobre los acupuntos que aprendió en varios talleres para ayudar a los supervivientes traumatizados. También enseñó a los médicos de campo a aplicar algunos de los procedimientos básicos para ayudar a los heridos física y mentalmente.

De hecho, la popular metodología del *tapping* de la energía de la psicología fue el tema principal de nuestro anterior libro, *Instant Emotional Healing: Acupressure for the Emotions* (Broadway Books, 2000). Sin embargo, en este libro queríamos ofrecer una visión más sencilla e incluso más accesible.

Capítulo 5: Tu código personal de la felicidad

155 *[...] tal como señala nuestro colega V. S. Ramachandran en su maravilloso libro* Lo que el cerebro nos dice.

Ramachandran, V. S. *The Tell-Tale Brain: A Scientist's Quest for What Makes Us Human*, Norton, 2011 (edición en castellano: *Lo que el cerebro nos dice*, Ed. Paidós, 2012).

155 *«Es como si las neuronas espejo fueran las propias simulaciones de realidad virtual de la naturaleza de las intenciones de los otros seres.»*

The Tell-Tale Brain, p. 121.

155 *El nuevo conocimiento de las neuronas espejo nos ayuda a explicar todo un campo de investigación de más de cien años de antigüedad, que dice que las imágenes que retenemos en nuestra mente pueden tener un impacto tangible en nuestra conducta y habilidades físicas.*

MacIntyre, T. E. y Moran, A. P., «A Qualitative Investigation of Imagery Use and Meta-Imagery Processes Among Elite Canoe-Slalom Competitors». *Journal of Imagery Research in Sports and Physical Activity*, 2007, 2 (1), artículo 3.

156 *Por ejemplo, en un conocido estudio realizado en 1977, un grupo de setenta y dos jugadores de baloncesto universitario fue dividido en cuatro grupos...*

Kolonay, B. J., «The Effects of Visuo-Motor Behavior Rehearsal on Athletic Performance», tesis presentada en el Hunter College, Facultad de Psicología, 1977. Kolonay obtuvo su doctorado en psicología deportiva en la Universidad de Tulane y logró un considerable reconocimiento por su trabajo sobre la compatibilidad de los jugadores en los equipos de la NBA.

157 *En otros estudios posteriores se obtuvieron resultados similares donde se emplearon procesos de visualización semejantes para deportes como el karate, el servicio en el tenis y el tiro con pistola.*

Onestak, D. M., «The Effect of Visuo-Motor Behavior Rehearsal (VMBR) and Videotaped Modeling on the Free-Throw Performance of Intercollegiate Athletes», *Journal of Sport Behavior*, 1997, 20, www.questia.com/googleScholar.qst?docId=5002239520.

157 *El doctor Doidge describe un experimento extraordinario realizado a principios de la década de 1990 por los doctores Guang Yue y Kelly Cole.*

Yue, G. y Cole, K. J., «Strength Increases from the Motor Program: Comparison of Training with Maximal Voluntary and Imagined Muscle

Contractions», *Journal of Neurophysiology* 67 (5), 1992, pp. 1114-1123. Citado por Doidge, N., *The Brain That Changes Itself*, Penguin, 2007, (edición en castellano: *El cerebro que se cambia a sí mismo*, Aguilar, 2008) p. 204.

158 *«La fuerza-vital puede que sea la más incomprendida de la tierra», escribió Cousins.*

Cousins, N. *The Anatomy of an Illness as Perceived by the Patient* (edición en castellano: *Anatomía de una enfermedad o la voluntad de vivir*, Kairós, 1993), Bantam DoubleDay Dell, 1981, p. 54.

159 *«Los pensamientos positivos tienen un profundo efecto en la conducta y en los genes... —escribe el doctor Lipton—, y los pensamientos negativos tienen un efecto igualmente poderoso.»*

Lipton, B. *The Biology of Belief* (edición en castellano: *Biología de la creencia*, Palmyra, 2007), Mountain of Love/Elite Books, 2005, p. 30.

159 *El concepto e importancia de la autoeficacia fue promulgado a principios de la década de 1970 por el eminente psicólogo canadiense Albert Bandura...*

Una de las figuras más influyentes en el desarrollo de la psicología cognitiva, el doctor Bandura ocupaba el cuarto puesto entre los psicólogos más citados de todos los tiempos en una encuesta realizada en 2002 por *Review of General Psychology*, siendo B. F. Skinner, Jean Piaget y Sigmund Freud los tres primeros.

A partir de finales de la década de 1970, Bandura dedicó gran parte de su carrera a investigar el papel de la autoeficacia en la conducta humana y publicó un trabajo sobre este tema, *Self-Efficacy: The Exercise of Control*, Worth Publishers, 1997.

160 *[Las personas con mala autoeficacia] se apartan de las tareas difíciles que ven como amenazas personales.*

Bandura, A. «Self-Efficacy», en V. S. Ramachandran (ed.), *Encyclopedia of Human Behavior* (vol. 4, pp. 71-81), Academic Press, 1994.

166 *Según Bessel van der Kolk, el trauma tiene un impacto concreto en el* cíngulo posterior...

De una conversación privada con los autores.

176 [...] *en el espacio intercostal entre la segunda y la tercera costilla...*

Las costillas se cuentan de arriba abajo. La primera costilla se encuentra justo debajo de la clavícula. La segunda suele ser más fácil de localizar que la primera, y la tercera está más accesible.

176 [...] *frotar esta zona activa una respuesta neurolinfática que actúa como un importante acupunto.*

Esta zona de remodelación no corresponde con ningún acupunto específico, pero se ha demostrado que tiene un significativo impacto en el biocampo. Puedes encontrar el mismo nudo de nervios en ambos costados de la caja torácica, pero con los años de trabajo en este proceso hemos descubierto que trabajar en la localización del costado izquierdo es mejor y da mejores resultados.

Capítulo 8: Una vida de prosperidad

224 *Empezando por el célebre informe de 1977,* Dietary Goals for the United States...

A veces simplemente llamado «The McGovern Report», fue un informe publicado por el United States Senate Select Subcommittee on Nutrition and Human Needs.

224 *Por ejemplo, una serie de estudios realizados en la década de 1990 demostraban la existencia de un claro vínculo entre los ácidos grasos omega-3 y los omega-6 y la salud cardiovascular.*

Stoll, A. L. *The Omega-3 Connection*; Fireside (Simon&Schuster), 2001.

225 *Los investigadores pronto descubrieron que la incidencia de depresión seguía muy de cerca al mismo perfil demográfico...*

The Omega-3 Connection, pp. 43-44.

225 *Un estudio del National Institute on Alcohol Abuse and Alcoholism (Instituto Nacional sobre el Abuso del Alcohol y el Alcoholismo) en Bethesda, Maryland, desveló una sorprendente correlación a la inversa entre el consumo de pescado y la depresión posparto.*

The Omega-3 Connection, pp. 101-102.

228 *En un estudio realizado en la Universidad de Duke, se pidió a un grupo de pacientes que siguiera un programa de treinta minutos de ejercicio tres veces a la semana...*

«Study: Exercise Has Long-Lasting Effect on Depression», nota de prensa de la Universidad de Duke, Chapel Hill, NC, 22 de septiembre de 2000.

229 *Un estudio reciente demostró que dar un buen paseo varias veces a la semana puede tener un profundo efecto en el tamaño físico del hipocampo...*

Span, P. «Fitness: A Walk to Remember? Study Says Yes», *New York*

Times, 7 de febrero de 2011, www.nytimes.com/2011/02/08/health/research/08fitness.html. El estudio mencionado en el artículo es «Exercise Training Increases Size of Hippocampus and Improves Memory», Erik L. Erikson y otros, *The Proceedings of the National Academy of Sciences*, 15 de febrero, 2011 (publicado *online* el 31 de enero: www.pnas.org/content/108/7/3017).

229 *El hipocampo es especialmente vulnerable al impacto de los traumas.*

Bower, B. «Exploring Trauma's Cerebral Side», *Science News*, 18 de mayo de 1996, 140, p. 315.

231 *Las investigaciones realizadas por Richard Taylor, de la Universidad de Oregón, han demostrado que el «goteo» de la obra artística de Jackson Pollock consiste en patrones de fractales.*

http://pages.uoregon.edu/msiuo/taylor/art/info.html.

232 *Una de las razones del efecto psicológico y emocional de los fractales podría ser que el propio cerebro está organizado en patrones fractales...*

Pincus, D. «Fractal Thoughts on Fractal Brains», Psychology Today blog, 4 de septiembre de 2009: www.psychologytoday.com/blog/the-chaotic-life/200909/fractal-brains-fractal-thoughts. El estudio de Cambridge realizado en 2008 por el doctor Pincus se refiere a «Broadband Criticality of Human Brain Network Synchronization», www.ncbi.nlm.nih.gov/pubmed/19300473?ordinalpos=14&itool=EntrezSystem2.PEntrez.Pubmed.Pubmed_ResultsPanel.Pubmed_DefaultReport.

233 *En 2003, dos investigadores, Robert Emmons, de la Universidad de California en Davis, y Michael McCullough, de la Universidad de Miami, dirigieron un experimento fascinante.*

Emmons, R. A., y McCullough, M. E. «Counting Blessings Versus Burdens: An Experimental Investigation of Gratitude and Subjective Well-Being in Daily Life», *Journal of Personality and Social Psychology*, 2003, 84 (2), pp. 377-389. www.chucklin.org/wp-content/uploads/2010/02/Emmons_McCullough_2003_JPSP.pdf.

El doctor Emmons ha escrito tres libros sobre este tema: *The Psychology of Ultimate Concerns* (Guilford Press, 1999); *The Psychology of Gratitude* (Oxford University Press, 2004) y *Thanks!: How the New Science of Gratitude Can Make You Happier* (Houghton Mifflin Harcourt, 2008). Véase también http://psychology.ucdavis.edu/labs/emmons/PWT/index.cfm.

233 *«Las investigaciones parecen indicar que las personas agradecidas tienen más energía y optimismo...»*

Borysenko, J. «Practicing Gratitud: Why Being Thankful Is the Secret to a Happier, Healthier Life» *Prevention*, 10 de noviembre de 2004, www.prevention.com/health/health/amotional-health/practicing-gratitude/article/0f725d1fa803110VgnVCM10000013281eac____.

236 *Como dice el personaje Pindar en el libro* The Go-Giver.

Burg, B., Mann, J. D., *The Go-Giver*, Portfolio, 2007, pp. 15-16.

236 *Al explicar el concepto de la lista de gratitud a nuestros pacientes, solemos contarles el caso de un caballero llamado W. Mitchell.*

Burrus, D., Mann, J. D., *Flash Foresight*, HarperBusiness, 2011, p. 122. Véase también www.mitchell.com.

239 *En su libro* Reinventing Medicine, *el doctor Dossey describe lo que él ve como las tres eras consecutivas de la medicina.*

Dossey, L. Reinventing Medicine: *Beyond Mind-Body to a New Era in Medicine*, Harper Collins, 1999.

240 *La doctora Candace Pert, la experta en neuropéptidos y emociones, lo describe así: «Estamos cableados para conectar con la máxima expresión de la felicidad».*

Observaciones extraídas de una conversación privada con los autores.

Conclusión: Una dicha más profunda

243 *«El placer que obtenemos de una buena comida, por ejemplo, una película entretenida o una victoria importante para un equipo deportivo —un sentimiento denominado bienestar hedónico— suele ser inmediato y efímero», publicó recientemente* Wall Street Journal *en un artículo titulado «Is Happiness Overrated?» [¿Está sobrevalorada la felicidad?], donde se explicaba la diferencia.*

Wang, S. S. «Is Happiness Overrated? Study Finds Physical Benefits to Some (Not All) Good Feelings», *Wall Street Journal*, 15 de marzo de 2011, http://online.wsj.com/article_email/SB10001424052748704893604576200471545379388-1MyQjAxMTAxMDEwNTExNDUyWj.html.

244 *Las investigaciones actuales sobre la felicidad y el bienestar suelen diferenciar entre dos tipos de valores: la felicidad hedonista de gratificación a corto plazo y la dicha eudaimónica de la satisfacción a largo plazo.*

Por ejemplo, Edward Deci y Richard Ryan escribieron: «Las investigaciones sobre el bienestar se pueden contemplar dentro de dos tradiciones. Una —la tradición hedónica— se centra en la felicidad, se define normalmente como la presencia de afecto positivo y la ausencia de afecto negativo. La otra —tradición eudaimónica— se centra en vivir una vida plena y profundamente satisfactoria». De Deci, E. L., Ryan, R. M., «Hedonia, Eudaimonia, and Well-Being: An Introduction», *Journal of Happiness Studies*, 2008, 9, pp. 1-11.

244 *En un estudio con casi siete mil personas de mediana edad y más mayores, los participantes con mayor bienestar eudaimónico tenían niveles más bajos de interleuquina-6...*

El estudio, patrocinado por el National Institute on Aging (Instituto Nacional sobre el Envejecimiento), se denomina MIDUS, o «Mid-Life in the U. S. National Study of Americans». Está en marcha desde 1995, y lo dirige la doctora Carol Ryff, profesora y directora del Instituto sobre el Envejecimiento de la Universidad de Wisconsin, Madison. Puedes leer sobre este estudio, y el que viene a continuación, en el excelente artículo del *Wall Street Journal*, «Is Happiness Overrated? Study Finds Physical Benefits to Some (Not All) Good Feelings», de Shirley S. Wang.

244 *En otro estudio con unas mil personas de una media de edad de ochenta años, los que tenían más propósitos en la vida tenían menos de la mitad de probabilidades de desarrollar Alzheimer...*

Este estudio de siete años de duración se realizó en el Centro para el Alzheimer del Centro Médico de la Universidad Rush de Chicago, fue dirigido por David Bennett. (Citado en Wang, «Is Happiness Overrated?».)

244 *Una vez un empresario estadounidense solicitó la ayuda del prestigioso Carl Jung para un problema de alcoholismo.*

Alcoholics Anonymous: The Big Book, 4.ª edición, 2002, pp. 26-27.

Apéndice B: Acepta el biocampo

255 *El doctor Becker no tardó en descubrir un interesante fenómeno.*

Robert O. Becker describió sus descubrimientos en su famoso libro *The Body Electric* (William Morrow, 1985) (edición en castellano: *El cuerpo eléctrico*) y siguió en su libro *Cross Currents: The Promise of Electromedicine, the Perils of Electropollution* (Tarcher, 1989).

255 *Los descubrimientos del doctor Becker le condujeron al desarrollo de estimulador de crecimiento óseo electrónico (ECOE)...*

Kane, W. J. «Direct Current Electrical Bone Growth Stimulation for Spinal Fusion», Departamento de Cirugía Ortopédica, Facultad de Medicina de la Universidad de Northwestern, Chicago, Illinois. www.ncbi.nlm.nih.gov/pubmed/3291140.

256 *Una semana más tarde, Reston escribió sobre su experiencia en el* New York Times.

Reston, J. «Now Let Me Tell You About My Appendectomy in Peking», *New York Times*, 26 de julio de 1971, http://select.nytimes.com/gst/abstract.html?res=FB0D11FA395C1A7493C4AB178Cd85F458785F9.

256 *En noviembre de 1997, los Institutos Nacionales de la Salud convocaron una comisión de doce miembros de expertos...*

«Acupuncture: NIH Consensus Statement», noviembre 3-5, 1997, 15 (5), pp. 1-34. El informe de la conferencia se puede ver en http://consensus.nih.gov/1997/1997Acupuncture107html.htm.

257 *Quizá la más prometedora de estas iniciativas ha sido el proyecto de Neuroimágenes de los Efectos de la Acupuntura sobre la Actividad del Cerebro Humano de la Facultad de Medicina de la Universidad de Harvard (del que hablamos en el capítulo 4), que publicó su primer trabajo en el año 2000...*

Hui, K. K., y otros, «Acupuncture Modulates the Limbic System and Subcortical Gray Structures of the Human Brain: Evidence from fMRI Studies in Normal Subjects», *Human Brain Mapping*, 2000, 9(1), pp. 13-25. Véase también www.nmr.mgh.harvard.edu/acupuncture/PPG/.

Agradecimientos

Hay momentos en la vida en que podemos creernos la ilusión de que existimos y actuamos aisladamente. «¡*Yo* lo he hecho! —puede que hayas pensado alguna vez—. ¡Lo hice yo solo!» Una sincera reflexión nos revela enseguida que nada puede ser menos cierto. Desde el momento de la concepción hasta la carrera y los legados que dejamos atrás, no hay nada que podamos decir que hemos logrado por nosotros mismos. Respirar es un intercambio, vivir es colaborar y haber hecho aunque sea una pequeña contribución a este mundo es haber experimentado la gracia de la asociación.

En ninguna otra cosa es más evidente esta verdad que en la creación de un libro. Escribir *El código de la felicidad* ha sido una delicia en cada paso, desde el primer impulso hasta ultimar los detalles, y decir «No hubiéramos podido hacerlo solos» parece un eufemismo de absurdas proporciones.

Puede que no sea lo habitual, pero en primer lugar queremos expresar nuestro mutuo agradecimiento.

Es un raro tesoro tener una relación profesional y una amistad que sigue creciendo y haciéndose más fuerte durante casi tres décadas. Los dos tenemos la bendición de haber experimentado este raro tesoro el uno con el otro. Este libro (al igual que nuestros libros anteriores en común) surge de esa profunda amistad, respeto y colaboración creativa que compartimos, y apreciamos tener esta oportunidad para publicar expresamente nuestro reconocimiento de ese respeto mutuo y camaradería. Peter, gracias. Y George, gracias a ti también.

A continuación, damos las gracias a «Stefanie» y a los miles de pacientes, cuyas experiencias, retos y triunfos llenan las páginas de este libro y hacen que estos principios cobren vida. En muchos aspectos, nuestros pacientes nos enseñan humildad y creatividad y a seguir siendo conscientes de la perseverancia del espíritu humano para superar hasta el más oscuro de los retos. Valoramos y respetamos profundamente la confianza que nuestros pacientes depositan en nosotros, cuando comparten sus sentimientos internos, pensamientos y experiencias de la vida y trabajamos juntos para descubrir las mejores formas de resolver los problemas que les hacen llamar a nuestra puerta.

Nuestro siguiente agradecimiento es para nuestro intrépido coexplorador, John David Mann, que aportó a este proyecto un entusiasmo infinito, una energía sobrenatural, un humor inagotable y un don de la palabra que sólo puede calificarse de *mágico*. John hizo algo más que transcribir en palabras nuestra visión; nos ayudó a dar forma al material, aportó reflexiones cruciales y claridad estructural. (Y aquí revelaremos un secreto: ¿recuerdas el «periodista llamado David» de los capítulos 1 y 2? Es *John* David.) Este libro no hubiera sido posible sin él.

Gracias a Margret McBride, agente literaria extraordinaria y la mejor amiga y autora que se pueda tener. Margret ha visto este proyecto desde sus inicios en la fase de ser meramente una idea hasta la finalización del libro que tienes en tus manos, y ha estado con nosotros para lo bueno y para lo malo. Fue ella la que nos encontró un coautor, la que nos buscó un editor, quien dio con el ingenioso título del libro (con un gesto de agradecimiento a Schiller y Beethoven), y fue Margret quien creyó en nosotros y en lo que estábamos haciendo, incluso cuando todavía no habíamos escrito ni una sola palabra.

Faye Atchison, Anne Bomke y Donna Degutis, del brillante y entregado equipo de Margret, revisaron escrupulosamente partes del manuscrito con sus ojos de expertas y aportaron más claridad al proyecto cuando todavía estaba en su fase inicial.

Gracias a Gideon Weil, nuestro editor, y a Claudia Boutote, Michael Maudlin, Suzanne Quist, Maria Schulman, Mark Tauber y al resto del fabuloso equipo de HarperOne. Hay editores y editores: el equipo de HarperOne no son sólo empleados, sino una verdadera comunidad, unida por la devoción que comparten con la excelencia y con crear libros que ayuden a mejorar la condición humana. Se necesitan más personas como vosotros.

Queremos dar las gracias a Larry King por su espíritu generoso y aventurero, por tener tanto interés en nuestro trabajo y por haber escrito gustosamente el maravilloso prólogo de este libro. Y a Wendy Walker y Randy Woods, y a Allison y Eric Glader, los productores de Larry, por su apoyo constante e incondicional a nuestro trabajo.

A Debbie Ford, por su amistad incondicional e inspiración y por ayudarnos a llevar a cabo todo este proyecto.

A nuestros increíbles colaboradores, un número demasiado alto para mencionarlos a todos aquí, y especialmente a Larry Dossey, David Feinstein, John Freedom, Bessel van der Kolk, Bruce Lipton, Candace Pert y Caroline Sakai, gracias; todos y cada uno de ellos no son sólo gigantes en el campo de la salud y de la curación, sino personas compasivas y dedicadas. Larry, David, John, Bessel, Bruce, Candace, Caroline, el mundo es un lugar infinitamente mejor gracias a que estáis en él.

A Greg Nicosia y a todas las personas creativas que nos han apoyado en la Association for Comprehensive Energy Psychology (ACEP) queremos darles las gracias por ayudarnos a crear un foro que fomenta trabajos como el nuestro. Greg, este libro no existiría si no te hubiéramos conocido.

Nuestro más profundo agradecimiento a Donna J. Kimball del Material Measurement Laboratory, National Institute of Standards and Technoloy (NIST); a Stacy Bruss, bibliotecario del NIST; a Teressa Rush-Cover, de Measurement Services Division del NIST; y a Anne Meininger, del National Center for Standards and Certification Information (NCSCI), por su ayuda para conseguir datos exactos sobre la composición acuosa de la niebla. También queremos darle las gracias a Julio L. Hernandez-Delgado, jefe de archivos y colecciones especiales de las bibliotecas del Hunter College de Nueva York; a Kate Boyle de las colecciones especiales de la biblioteca Jones de Amherst, Massachusetts, y a Kimberly Baker, bibliotecaria del Hospital Scripps Memorial de La Jolla, por ayudarnos a acceder a la tesis original de Barbara Kolonay sobre las visualizaciones de los jugadores de baloncesto.

A Brittany Smith, de la Fred Rogers Company, queremos agradecerle su amable ayuda para garantizarnos el permiso para utilizar la primera estrofa de la inmemorial canción de Fred Rogers «What do you do with the Mad that You Feel?»

Gracias a Sally y a Whitney Pratt; a David y a Pat Pratt; a Chad Pratt, Erin Osterholm y a Connor Prat; Ginger y Darren Allen; Jill Pratt; Karen, David Audrey y Grace Pike; Becky, Dan, Jacob, Matthew y Luke Cinadar; Floyd, Kenny, Sandra, Kyle y Whitney Prater, por su amor y apoyo en todos estos años. También a Marcia Andrews, por darnos ánimos; a Larissa y Brenden Lambrou, por su apoyo emocional; a Paula Shaw, por compartir su sagaz conocimiento sobre el sistema de los chacras; a Michael Yapko, por su inspiración y por concentrarse en los puntos fuertes de las personas; al padre de George, George Pratt, sénior, por una fuente constante de inspiración y un modelo a seguir para tratar a todas las personas con amabilidad y vivir cada momento con un humor infinito y un profundo aprecio por la vida; y a la madre de Peter, Mary Lambrou, que nos dio su amor incondicional y nos guió sabiamente; por desgracia abandonó este mundo antes de que este proyecto llegara a publicarse.

A Kathy y Colt Bagley, Marnie y Howard Barnhorst, Marisa Coon, Leslie Dillahunt, Beth y Stephen Doyne, Rob Dyrdek, Kim Edstrom, Susan Gawlinski, Belinda Hopper, Robert Howes, Errol Korn, Ann y Mike Kriozere, Mimi y Howard Lupin, Shyla McClanahan, Stephen Metcalfe, Todd Morgan y Rosanna Arquete, Mike Nagle, Sheila Nellis, Susan y David Nethero, Pat y Jeannie Scott, Noni y Drew Senyei, Robert Stone, Tom Vendetti, Andres Verjan, Alicia Jarrat y Gib Wiggams, y a Heather Young, por el millar de formas en que conseguís que mantengamos nuestra salud mental, que tengamos los pies sobre la tierra y que no nos desviemos de nuestro camino, y todo ello con gracia, naturalidad y humor.

Y por último nuestro agradecimiento, estima, aprobación amor e infinita admiración a las mejores de las esposas, Vonda Pratt, Dottie y Ana Gabriel Mann, por estar junto a nosotros, soportar nuestros chistes (incluso los malos), ser una gran bendición en nuestras vidas y estar integradas en nuestro código personal de la felicidad.

Sobre los autores

George Pratt y Peter Lambrou son psicólogos clínicos del Hospital Scripps Memorial de La Jolla, California. Ambos han ocupado el puesto de presidente del departamento de psicología y forman parte del personal del Scripps. Tienen consultas privadas en La Jolla y están especializados en técnicas cuerpo-mente, psicoterapia, hipnoterapia y mejora del rendimiento. El doctor Pratt inició su práctica clínica a tiempo completo en 1976, y el doctor Lambrou, en 1987.

El doctor Prat ha sido presidente de la San Diego Society of Clinical Hypnosis y es miembro de numerosas asociaciones profesionales, incluida la American Psychological Association, la American Society of Clynical Hypnosis (docente y asesor cualificado) y la Association for Comprehensive Energy Psychology (diplomado), y enseña en la Universidad de California, San Diego. Ha participado en programas de radio y televisión en más de un centenar de ocasiones, incluidas repetidas apariciones en el *Larry King Live* y la MTV.

El doctor Lambrou fue presidente de la American Psychotherapy and Medical Hypnosis Association y es miembro de numerosas asociaciones profesionales, incluida la Association for Psychological Science y la International Academy of Behavioral Medicine, Counseling and Psychotherapy (diplomado), y actualmente es instructor en la Universidad de California, San Diego. Es orador habitual en conferencias, simposios y actos corporativos sobre temas de salud y ha participado en numerosos programas de radio y televisión.

Los doctores Pratt y Lambrou son coautores de *Hyper-Performance: The A.I.M. Strategy for Releasing Your Business Potential* e *Instant Emotional Healing: Acupressure for the Emotions*. El doctor Pratt es coautor de *A Clinical Hypnosis Primer*, y el doctor Lambrou es coautor de *Self-Hypnosis: The Complete Manual for Health and Self-Change*.

John David Mann es un escritor galardonado entre cuyos títulos se encuentran el superventas del *New York Times Flash Foresight*, el superventas nacional *The Go-Giver* (*Dar para recibir*, Empresa Activa, Barcelona, 2008), *It's Not About You* (*Lo más importante*, Empresa Activa, Barcelona, 2012) y *Take the Lead: Motivate, Inspire and Bring Out the Best in Yourself and Everyone Around You*. Sus libros han ganado el premio Nautilus Book Awards, el Axiom Business Book Awards (Medalla de Oro) y el Taiwan's Golden Book Award for Innovation.

www.codetojoy.com